KB198041

현대 중국 경제의 이해

국립중앙도서관 출판시도서목록(CIP)

현대 중국 경제의 이해 / 엮은이 : 한중사회과학연구회. – 서울 : 이채, 2006
p. ; cm. – (현대 중국의 이해 시리즈)

ISBN 89-88621-66-2 93320 : ₩15000

320.912-KDC4
330.951-DDC21   CIP2006001864

현대 중국 경제의 이해

초판 1쇄 인쇄 / 2006년 9월 15일
초판 1쇄 발행 / 2006년 9월 22일

엮은이 / 한중사회과학연구회
펴낸이 / 한혜경
펴낸곳 / 도서출판 異彩(이채)
주소 / 135-100 서울특별시 강남구 청담동 68-19 리버뷰 오피스텔 1110호
출판등록 / 1997년 5월 12일 제 16-1465호
전화 / 02)511-1891, 512-1891
팩스 / 02)511-1244
e-mail / yiche7@dreamwiz.com
ⓒ 한중사회과학연구회 2006

ISBN 89-88621-66-2 93320
     978-89-88621-66-0 93320

※값은 뒤표지에 있으며, 잘못된 책은 바꿔드립니다.

현대 중국 경제의 이해

한중사회과학연구회 엮음

이채.

어느덧 중국이라는 화두를 안고 중국인민대학 출신들을 주축으로 한 한중 사회과학연구회라는 연구모임을 시작한 지도 올해로 만 10년이라는 시간이 흘렀다. 10년이란 세월을 아직도 충분히 실감할 수는 없지만 돌이켜 보면 지난 1996년 베이징이라는 시공 속에서 중국 연구의 필요성에 대해 막연하지만 분명한 사명감을 안고 지금의 우리들이 함께 의기투합한 지도 벌써 10년이란 세월이 지난 것만은 분명하다. 그 사이 立志의 30대였던 우리들은 不惑의 40을 훌쩍 넘어 이제는 중국 연구의 한 축에 서 있는 스스로를 발견하게 된다. 당시 함께 모임을 주도했던 우진훈 박사님은 중국인민대 교수로, 그리고 이정표 박사님은 부산대 교수로, 강희정 박사님은 한밭대 교수로, 이상직 박사님은 재능대 교수로, 그리고 우리 연구회에 맏형격인 박인성 박사님은 절강대 교수로, 연구회 회장을 맡고 계신 이상만 박사님과 우리 연구회의 한중 가교역를 맡고 계신 이평식 박사님은 기업인으로, 그리고 우리들의 뒤를 이어 구기보 박사는 배재대로, 김태식 박사와 김현태 박사는 경남대로, 김혜진 박사는 대구경북연구원으로, 그 외에 일일이 다 소개할 수 없는 정부 부처 내 회원 등이 각각 각자의 길을 개척해 나가고 있는 모습을 볼 때 10여 년 전 우리의 각오와 노력이 결코 무의미하지 않았다는 남모를 안도감에 조금은 위안을 삼게 된다.

그러나 우리에게 있어서 무엇보다 가장 큰 위안과 기쁨은 중국이라는 화두를 곁에 두고 지난 2002년부터 중국에서 공부한 국내 연구자들과 그들의 지도 교수, 그리고 SK고등재단에 초청된 우리 연구회의 중국측 학자들이 함께 뒤엉켜 엮어 온 "현대 중국의 이해"의 출판이 아닌가 싶다. 이번에 출판되는 『현대 중국 경제의 이해』는 4번째 시리즈로 한중사회과학연구회 10주년에 맞춰 출간되는 우리에게 더없이 뜻 깊은 결과물이다. 그러나 이 역시 중국이란 화두를 잡기 위한 또 하나의 미완의 과정에 불과하다는 것을 우리는 그 누구보다도 잘 알고 있다.

우리들이 지난날 20년 후의 중국 모습을 예단하며 중국 同學들과 함께 반드시 한중관계의 한 축으로 성장하리라 다짐한 지도 어느덧 10여 년의 시간이 지났다. 이제는 우리보다도 훌쩍 커 버린 지난날 우리와 함께 一笑一嚬하면서 지내 온 중국 동학들의 커다란 몸집을 보면서 다음 10년 후엔 또 얼마나 변해 있을지 기대에 앞서 내심 걱정이 먼저 드리워지는 것을 보면 우리가 연구결과물 하나로 자위하기에는 아직은 갈 길이 너무나 멀리 있음을 직감케 한다. 최근 헨리 하이드 미 하원의원이 우리에게 전한 "새 친구는 은이요, 옛 친구는 금이다"라는 충심어린 메시기를 접하면서 새 친구도 옛 친구가 되어 있을 다음 10년후 쯤, 우리의 옛 친구들이 여전히 우리 곁을 떠나지 않고 늘 우리와 함께 할 수 있도록 우리 스스로의 몸가짐에 무게를 더하게 된다.

끝으로 새롭게 학업을 마치고 돌아온 이은영 박사와 서운석 박사의 앞날에 무궁한 발전이 있기를 기원하며 앞선 선배들이 그러했듯 새로운 20년을 설계하기를 당부해 본다. 아울러 본서가 출판되기까지 수고를 아끼지 않은 구기보 교수와 바쁘신 와중에도 옥고를 보내 주신 필자 여러분들께 진심으로 감사드리며, 경제적 어려움에도 불구하고 흔쾌히 출판을 결정해 주신 옛 친구 도서출판 이채의 한혜경 사장님께도 다시 한 번 감사의 뜻을 전하고 싶다.

2006년 8월
집필진을 대신하여
박상수

c o n t e n t s

〈개요목차〉

c o n t e n t s
〈상세목차〉

〈표 목차〉

〈그림 목차〉

contents
中國語 目錄

現代中國經濟的理解

제1부 거시편: 경제이론 및 발전전략

제1장 중국의 경제발전 전략과 축적체제의 변화

1 서론

중국의 발전 전략과 체제 전환의 목표는 축적체제의 구조적 변화를 통해 반주변부 국가에서 핵심부 국가로 상승 및 중국 사회주의체제의 생존을 보장하고 유지하려는 데 있다. 스탈린주의적 '추격형 발전 전략(catch up strategy)'에 의한 급진적 사회주의는 큰 성과를 거두지 못하였고, 개혁개방 이후 중국 근대화는 중상주의적 '도약형 발전 전략(leap frog strategy)'을 축으로 한 '중국 특색을 지닌 사회주의'를 추구하고 있다. 공산당의 개발독재(以黨治國)는 중국 사회주의 생산력을 해방시키고 부강한 중국제국을 건설할 수 있다는 자신감을 보였다. 반면 이러한 과정에서 중국은 전 지구화의 조류를 타고 자본주의 세계시장에 노출되어 해외자본·기술·투자 등이 침투하여 중국사회가 '자본주의 세계체제로 재편입'하는 결과를 초래하여 축적체제의 변화를 가져왔다.

당대 중국의 축적체제의 구조 변화는 내적 요인과 외적 요인의 변증법적 통일을 통해 창출되었다. 중국은 공산혁명 이후 사회주의 개조 시기와 문화혁명

제1부 거시편: 경제이론 및 발전전략 _ 17

을 통해 생산력과 생산관계의 모순을 잉태했으며, 이러한 시행착오는 생산력의 해방을 위한 사상해방을 통해 구체적으로 극복되었다. 진리실천론, 성자성사론(姓資姓社論), 성공성사론(姓公姓私論), 선부용인론(先富容認論), 사회주의 초급단계론, 사유재산보호론 등의 체제 내적인 논쟁을 통해 생산력의 해방을 주도하였다. 또한 외적 요인의 변화는 냉전체제의 해체, 동아시아의 성장 경험, 세계경제의 침체 속에서 중국의 필요성, 세계무역기구(WTO)의 가입 등이다. 전 지구화의 물결을 타고 자본주의 세계경제로 일체화된 현실을 중국 지도부가 적극적으로 '개혁개방'이라는 전 지구화의 압력을 중국의 국가발전을 위한 대안으로 수용하였기 때문에 가능하였다.

중국 사회주의는 생산수단을 국유 또는 전 인민 소유로 규정하고 있지만 중국이 자본주의 세계시장 내에서 경쟁적 행위자의 역할을 계속 수행하는 한 중국경제 역시 사회주의 경제가 아니라 자본주의 경제의 일부분이다. 특히 자본주의 세계경제의 중심부에서 생산 활동이 어려워지고 있는 생산자본이 생산요소 비용이 상대적으로 낮은 지역으로 선택한 곳이 중국이다. 이러한 생산자본의 이동은 개혁개방을 추구하는 중국의 국가 정책과 부합되었고, '후발성의 이익(the advantage of backwardness)'을 적절히 이용하여 경제특구의 설치를 통한 외국의 제조─생산자본의 유치에 매우 유리한 상황을 조성함으로써 '초청(유치)에 의한 경제개발 전략(promotion by invitation)'을 구체화하였다.[1]

중국의 개혁개방은 자본주의 대안으로 제기되었던 '이념형 사회주의'가 아

---

1) 세계체제론자들에 의하면 세계체제 내에서 상향 이동을 위한 발전 전략은 3가지 형태로 인식되고 있다. ① 세계 경제 수축기의 수입대체 산업화를 위한 기회포착 전략(seizing the chance), ② 경제특구 및 수출 지향적 경향을 띠면서 외국자본이나 다국적기업들을 국내 생산 활동에 참여시키는 유치를 통한 개발촉진 전략(promotion by invitation), ③ 체제 외적 강제로부터 상대적인 독립을 유지하면서 폐쇄적이고 국내적인 자급자족체계를 갖추는 자력갱생 전략(self-reliance) 등을 제시하고 있다.

〈표 1-1〉 중국 사회주의체제 전환 메커니즘

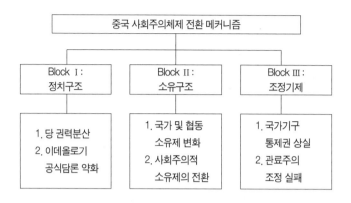

닌 '현실사회주의'가 실천적 의미에서 사회주의의 전통적 개념을 상실하고, 오히려 '자본주의에로의 회귀하는 현상'[2]을 보여주고 있다. 따라서 본 글을 이해하려면 〈표 1-1〉의 'Block-II, 즉 사회주의 소유제구조의 변화'[3]를 통해 당대 중국의 자본축적 메커니즘을 조망해야 하며, 중국 공산혁명 이후 현재까지 계획경제하의 국가 주도의 자본축적 구조와 사회주의 시장경제하에서 사영경제 부문 성장 간의 변증적 발전이 당대 중국 자본축적의 변화를 초래했음에 주목함으로써 '전체론적 구조주의 시각'에서 중국사회의 내재적 발전 동력을 분석하는 데 초점을 맞추어야 한다.

---

2) Akos Rona-Tas, The First Shall Be Last? Entrepreneurship and Communist Cadres in the Transition from Socialism in *American Journal of Sociology*, Vol. 100, no. 3, Nov. 1994, pp. 40~41.
3) 사회주의체제로부터 자본주의체제로의 역이행은 상부구조의 개편으로부터 추진되는 혁명적 체제 전환을 의미한다. 따라서 사회주의 체제 전환은 ① 정치구조, 소유구조, 조정기제의 세 영역 중 적어도 어느 하나에 변화가 있어야 하고, ② 어느 정도 급진적이어야 하며, ③ 공산당의 권력 독점이 깨지면 혁명이기 때문에 현 체제의 근본적인 변동은 없어야 한다.

2. 당대 중국 자본축적 구조 변화의 변증논리

1) 내적 요인

초기 중국 공산정권의 당면 과제는 반봉건·반식민지적 경제구조와 상품경제가 미발달한 자급자족의 경제체제하에서 구시대의 자본주의 경제구조와 성격을 사회주의적으로 변혁하는 것이었다. 중국 공산혁명 과정은 봉건주의적 지주와 농민 간의 국내적 주요모순과 일본 및 기타 제국주의 국가와 중국 간의 국외적 부차모순을 타파하는 것이며, 중국공산혁명의 정책 목표는 정치적 혁명투쟁에서의 승리와 상부구조의 국가권력 탈취 및 경제적 생산투쟁에서 승리하여 경제적 토대를 구축하는 것으로 토지개혁의 실행, 토지조사 실행, 호조사(互助社, 농촌에서 토지를 집단 소유화한 후 공동농장을 운영하던 초보단계의 조직)와 협동화 추진 등 생산관계의 변혁과 동시에 농업과 공업생산력을 제고하며, 궁극적으로는 문화─이데올로기적 투쟁에서 승리함으로써 상부구조를 완성해가는 것이었다.

국가권력을 장악한 중국공산당은 '토지개혁법(1950년 6월 30일)'에 의해 몰수한 토지를 농민들에게 무상분배함으로써 합법적 권위를 획득하게 되었다. 중국공산당에 의한 토지개혁은 '정치경제적인 의의'[4]를 함축하고 있는 대단히 중요한 사안이었다. 이는 곧 구체제의 생산관계를 청산하고 신체제에 부합하는 새로운 생산관계를 형성하여 공산정권을 공고화하는 동시에 중국 사회주의 원시축적의 물질적 토대를 마련하는 중요한 혁명과업 중의 하나였다. 1953년

---

4) 중국공산당에 의한 토지분배는 가족 단위의 분배가 아니라 인민 개인에게 분배하여 토지 소유와 전통적 가족제도 간의 연계성을 단절하여 공산당의 통치를 제도화하는 데 크게 기여하여, 절대 다수의 농촌 인구를 공산당이 통제함으로써 생산수단 공유를 근간으로 한 공산정권이 공고화되었다.

의 사회주의 과도기 총노선은 중국공산당 지도자들의 선공업화─후사회주의적 개조에 대한 실질적 운동의 표출이었고, '위로부터의 혁명' 방식에 따른 중국 내의 모든 인적·물적 자원을 집중적으로 총동원하고 관리함으로써 단기간 내에 현대공업을 발전시킨다는 의지의 표출이었다. 전형적인 당─국가체제와 계획경제체제를 도입한 단계에서 사회주의 공업화 정책을 지속적으로 추진하기 위해서는 농촌으로부터 안정적인 인적·물적 자원의 동원이 필요했고, 동시에 국가의 모든 자원을 공업 부문에 집중하면서 농촌경제의 발전을 동시에 추진할 수 있는 방법은 농촌사회를 집단화하여 농촌 자원의 효율적인 동원과 관리를 통해서 가능하다는 논리가 지배적이었다. 이로써 사회주의 개조가 진행되면서 당의 이데올로기와 조직에 의해 중국사회에 대한 인위적인 당─국가의 침투와 통제가 비약적으로 확대되어 사회주의 공업화를 위한 강축적(强積累) 메커니즘이 작용하게 되었다.

중국은 초기 사회주의 건설을 하는 '결정적 시기'에 소련으로부터 정치적으로 보호를 받을 수 있었고, 또한 경제면에서 소련으로부터 매우 값진 공업자금과 기술 원조를 받을 수 있었다. 더욱 중요한 것은 중국이 러시아와는 달리 사회주의화와 중앙집권적인 계획경제체제를 확립하는 데 큰 대가를 치르지 않고 소련의 사회주의 건설 경험을 무상으로 배울 수 있었다는 데 있었다. 소위 중국에 있어서도 사회주의 건설 초기에 있어 사회주의 후발국의 이득을 이용할 수 있었지만 이러한 '기회구조'가 점차 '압박구조'로 전환되기 시작했다.

중국은 소련과 동일한 축적체제에 의해 생산수단 생산 부문에 중점을 두고 사회주의화 프로그램을 실행하였다. 그러나 생산력이 정체된 중국에서는 사회주의 공업화를 추진할 건설자금이 절대적으로 부족했다. 중국의 경우 자본주의 세계체제에 의해 봉쇄당한 상태에서 이러한 부족한 자본과 기술의 대부분을 서방 자본주의 국가에서 구한다는 것은 한계가 있었으므로 부득이 가용한 국내의 물적·인적 자원을 이용할 수밖에 없었다. 농민 세력에 기반을 두고 공산혁명전쟁을 수행해 온 중국공산당은 점령지에 대한 일차적 '토지개혁'을 통하여 농민에게 토지를 분배해 줌으로써 농민들의 절대적 지지로 전국의 농촌에서 순조롭게 권력 기반을 구축하였다. 중국공산당의 우호적인 농민 정책으로 인해 농민의 공산당에 대한 전폭적 지지로 농업 부문에서 '농민의 직접 동원(군중노선)'에 의한 '사회주의 노동축적'이 매우 긍정적으로 실행되었다. 이러한 농업 부문과 농민층에 의한 노동축적은 사회주의 공업화 자금을 형성하는 데 크게 기여하였다. 일반적으로 사회주의 노동축적은 노동자의 자기축적 과정으로 활노동(活勞動) 형식의 투입을 통해 새로운 가치를 창조하고, 이러한 신가치가 직접 생산자본으로 전화되어 상품교환 과정을 통과하지 않고 국민수입 부문으로 편입되었다. 즉, 무상노동에 의한 건축, 관개 설비, 농토 개간 등에 투입되는 활노동은 중국 사회주의 건설에 있어서 호조사, 합작사, 인민공사 건설에 중요한 역할을 하였다. 이와 같이 '노동자의 긴급 동원체제'를 정당화하고 합리화하는 주장은 마오쩌둥(毛澤東)에 의해 실천적으로 행해지는바 노동자의 노동력에 의존한 자기 축적을 통한 '중국 사회주의 원시축적'의 중요한 구성 부분으로 작용했다.

중국이 사회주의적 개조를 완결하고 난 후 원시 자본축적은 농민과 농촌사회의 인적·물적 자원을 동원한 강축적 메커니즘 경향을 나타냈다.[5] 개혁개방 이전의 경제발전 과정은 고속 성장→고축적→저효율→저소비의 악순환의 계속이었고, 이는 과거 중공업 발전을 우선하는 중앙집권적 계획경제하에서는 자본에 대한 높은 투자율과 저축률이 강제됨으로써 인민의 소비 수요는 매우

---

5) 당─국가체제가 완성된 단계에서 초기 중국 자본축적의 주요 쟁점은 ① 국가권력에 의한 농업잉여의 공업 부문으로의 이전, ② 농촌지역에서의 농업 집단화, ③ 농촌 인구의 도시 부문으로의 이동 제한, ④ 중공업 우선 발전 등이다.

낮은 수준으로 억제될 수밖에 없었던 것이다. 따라서 국가 주도의 축적 방식에 종속된 인민의 물질적 욕구는 현실적으로 실현되기 어려웠으며 체제 내에서 점진적으로 생활 수준의 향상을 바라는 인민들의 적극적인 물질적 욕구가 사회주의 축적 방식의 전환으로 나타나게 되었다. 결국 생산력의 질곡으로 작용한 생산관계는 상부구조의 이데올로기 해방을 통해 새로운 발전의 동력을 찾게 된다. 이러한 동력은 실천을 통한 진리의 검증과 '신흑묘백묘론(新黑猫白猫論)'적 자본주의 요소의 적극적인 도입을 통해 중국 사회주의는 대전환을 맞이하게 되었다.

2) 외적 요인

중국의 축적 메커니즘 전환의 외적 요인은 자본주의 국제 분업의 구조 변화에 기인하며, 중국은 사회주의 원시축적 메커니즘의 원천인 농촌의 생산관계를 개혁하고 사회주의 경제 건설에 필요한 자본을 충당할 새로운 공급원으로서 외국자본을 도입하게 된다. 개혁개방 이후의 신축적 메커니즘은 전반적인 사회주의 생산관계의 변혁과 깊은 관련이 있고, 이는 중국 사회주의 소유제의 개혁과 밀접한 연관이 있으며, 소유제의 다원화 경향은 공유 부문과 비공유 부문의 병행 발전을 통한 축적 메커니즘의 다원화를 의미하고 있다. 이러한 현상은 과거 국가 주도에 의한 축적 메커니즘이 국가와 사회가 연합한 축적 메커니즘으로 전환됨을 의미하고, 중국 사회주의체제가 국제사회와 단절된 상황에서 확대 재생산이 원활히 진행될 수 없음을 의미하며, 또한 중국 사회주의체제가 세계 경제와 깊이 연계되어 있음을 뜻한다.

중국의 중상주의적 국가발전 전략과 동시에 중국경제가 세계시장으로 재편입되고 있는 현상은 세계시장의 어떤 제약(constraint)과 구조 속에서 가능했던

〈표 1-2〉 정치경제 개혁의 단계별 개혁 과정

제1단계	1978년 12월 11기 3중전회	· 계획경제, 상품교환은 가치법칙을 이용 · 가치법칙 중시 정치 우선 탈피
	1982년 9월 제12차 당대회	· 계획경제 주(主), 시장조절 보(輔) · 시장부정론에서 계획주체론으로 이행
제2단계	1984년 10월 12차 3중전회	· 사회주의 경제는 계획적인 상품경제 · 생산요소의 공유제 · 경제체제의 중심은 상품경제 · 계획과 시장의 결합
	1987년 10월 제13차 당대회	· 국가는 시장 조절, 시장은 기업 유도 · 계획과 시장의 이분구도 탈피 · 시장주체 인정
	1989년 6월 13차 4중전회	· 계획경제와 시장 조절의 유기적 결합
제3단계	1992년 10월 제14차 당대회	· 시장경제에 중점을 둔 사회주의 시장경제 건설 · 사회주의 시장경제 개념을 당장(黨章)·헌법에 명시
	1997년 9월 제15차 당대회	· 사회주의 시장경제 점진적 완성 · 당장에 덩샤오핑 이론을 공산당의 행동지침화 · 주식제는 공유제의 주요 형식 · 비공유제도 사회주의의 중요 요소 · 상속세 인정
제4단계	2004년 3월 10기 전인대 2차회의	· 장쩌민의 3개대표론 당장 삽입 · 민법상 사유재산 보호 명시

* 자료: 『中共中央關於建國以來的若干歷史問題的決議』, 『三中全會以來重要文獻選編(下)』, 『中華人民共和國法律匯編(1979~1984/1985~1989)』, 『十三大以來重要文獻選編(上)』, 『十五大以來重要文獻選編(上)』, 10期全人大2次會議中華人民共和國憲法修正案(2004. 3.) 등 역대 중공중앙발표문건 참고 작성.

가? 이것은 1970년대 이후 미·소를 중심으로 했던 냉전 질서의 해체, 세계경제
의 전반적인 침체 현상, 사회주의권의 해체로 인한 자본주의 세계체제의 강화,
동아시아 주변 국가들의 괄목할 만한 경제성장 등에 영향을 받았다. 결국 중국
은 세계경제의 전환기에서 자본주의 세계경제의 중심부에 위치하고 있던 생산
자본들이 역동성을 상실하고 새로운 지리적 재배치를 통하여 생산자본들이 활

〈표 1-3〉 중국 사회주의의 발전 전략의 변화 과정(1953~현재)

구분	우선 순위	생산요소 선택방식	속도	동력기제	대외 경제 정책	체제 구조
중공업 우선 성장 (1953~1957)	중공업 우선, 경공업·농업 차선	자본 집중 투자	가능한 고속발전 추구	물질 동기 자극	소련 일변도	점진적 중앙집권형 계획체제
대약진 (1958~1960)	중공업과 농업의 균형 발전, 경공업 경시	자본 집중 투자 및 노동 집약형 투자 병행	맹목적 고속발전 추구	사상 동원 및 물질 동기 자극	소련 일변도	중앙과 지방 분권적 계획체제
신경제정책 (1961~1965)	농업·경공업 우선 발전, 중공업 후퇴	노동 집약형 및 자본 집약 병행	저속도 발전	물질 자극 우선, 정신동기 자극 보충	서방과 합작 추구 및 점진적 쇄국	중앙집권적 계획체제 강화
마오쩌둥식 발전 (1966~1976)	중공업 우선, 농업 차선, 경공업 무시	자본 집약과 노동 집약 병행	가능한 고속발전 추구	사상 동원과 정신적 동기 자극	자력 갱생 위주의 적당한 대외 경제 교류	중앙집권적 계획체제
양약진 (1977~1978)	중공업 우선, 농업·경공업 차선	자본·기술 집약 병행	맹목적 고속발전 추구	정신적 동기 자극 위주, 물질적 자극 보충	반개방, 반봉쇄	중앙집권적 계획체제
체제 변혁기 (1979~1999)	농업·경공업 우선, 중공업 차선	노동·기술·자본 집약 병행	안정적 성장으로부터 고속 성장으로 변화	물질적 동기 자극	전면적인 대외 개방	계획과 시장의 이중 경제체제
체제 안정기 (2000~현재)	농업과 고부가 가치 산업 우선, 경공업과 중공업 부문 차선	자본·기술 집약	고속 성장에서 안정적 성장으로 변화	도덕·물질적 자극의 병행	전면적인 대외 개방	지방분권적 시장 경제체제

* 자료 : 이상만, "중국 사회주의 소유제 개혁과 신자본축적 메커니즘 연구", 「세계정치경제」, 제4호, 1997. 12, p. 198 참고 재작성.

로를 모색하는 가운데 중국과 같은 후발국가에게는 유리하게 이용할 수 있는 기회구조를 부여 받을 수 있었다. 주지하듯이 자본주의 세계경제(the capitalist world-economy)는 역동적인 자본축적 메커니즘을 갖고 있다. 자본주의 세계 체제(the capitalist world-system)의 특징은 가치법칙[6]에 따라서 세계시장에서 이윤의 극대화를 최고 목적으로 한 상품 생산이며, 이러한 이윤 추구와 상품 생산을 보다 효과적으로 수행하기 위해 다양한 노동 통제 양식을 수용하고 있다.

그러므로 현존하는 분업체계는 자본주의적 단일 논리에 의해 지배되는 자본축적 과정이다. 결국 사회적 효용의 극대화를 추구하는 사회주의 국가들이 자본주의적 세계시장에 부분적으로 통합되어 소유권을 국유 또는 집체 소유화 하더라도 자본주의 세계경제의 구조적 영향을 받고 있다면 사회주의 경제체제도 전체적으로 볼 때 자본주의적일 수밖에 없다.[7]

중국의 발전 전략은 도덕적 인센티브를 강조하면서 사회주의체제 내에서 정치─사상 우선의 국가 자본주의적 경향을 내포한 자력갱생식의 상향이동식 발전 전략의 실패를 인정하여 세계시장에로의 재편입을 통해 해외자본과 투자 유치, 중국 인민들에게 물질적 인센티브의, 그리고 서방 선진국의 기술 이전을 통한 수출주도형의 중상주의 발전 전략으로의 수정을 뜻하고 있다.[8] 결국 중국은 세계시장에서 이윤을 위한 상품의 생산자로서, 그리고 세계시장의 상품 수입자로서 자본주의 세계경제에 재편입되었다[9]는 것이다. 중국은 우선 세계시장에서 상품교역에 적극 참여하기 위하여 대내외적 경제개혁을 실시하게 되는데, 이것은 과거의 자력갱생과 독립자주라는 '폐관자수(閉關自守)' 정책의 파기를 의미하며, 그후 개혁개방 정책의 실시로 인한 경제특구의 설치, 외자 도입, 선진국의 기술과 경영 방식을 도입하여 중국 실정에 적합하도록 조정한 것은 중국의 대외개방 정책이 세계경제와 깊은 연관이 있다는 것을 뜻한다. 중국이 세계시장에 상품을 수출하고 또 수입하며 중국 경제의 운용 메커니즘이 세

---

6) 가치법칙은 자본주의 생산양식에서 중요한 부분이다. 자본축적은 가치법칙에 따라 진행된다. 자본주의하에서는 이윤을 추구하는 교환가치가 우선하며, 사회주의하에서는 효용을 중시하는 사용가치가 우선한다. 그런데 공히 사회주의든 자본주의든 원시축적에 의해 자본축적이 진행된다. 일반적으로 원시축적은 강제적인 방법이 동원되고 있다. 반면 진정한 자본축적은 잉여가치가 자본으로 전환되는 것을 의미한다.

7) 김진철, "자본주의 세계체제의 실체와 사회주의권의 해체", 「세계정치경제」 창간호, 서울: 세계정치경제연구소, 1994, p. 20.

8) I. Wallerstein, *The Capitalist World-Economy*, New York: Sage Publication, 1979, pp. 66~94.

9) Edward Friedman(ed.), *Accent and Decline in the World-System*, New York: Sage Publication, 1982, p. 39.

계경제와 밀접히 연계되어 있다는 것 이외에도 중국의 세계시장에로의 편입 정도가 제도적 측면과 세계시장의 개방 정도, 그리고 중국의 경제성장에 대한 수출의 기여도 등을 고려해야 한다는 것이다.[10] 중국은 이미 해체되고 붕괴되었던 여타의 사회주의 국가들과는 달리, 중국 특색의 사회주의체제를 견지하면서 연평균 9%에 이르는 높은 경제성장과 4천억 달러를 초과하는 외환보유고, 성공적인 외자 유치 등 서서히 '제4세대 자본주의'[11]의 대열에 진입하고 있다.

이와 같이 중국 경제개혁의 역사적 과정은 가치법칙을 인정하고, 계획경제가 위주가 되고 시장 조절이 보충되는 시장 기제 작용의 긍정 단계와, 사회주의 상품경제론을 거쳐 매우 자본주의적인 시장 위주의 사회주의 시장경제로 대전환을 하게 되었다. 중국은 단계적인 시스템의 개선과 개혁을 통해서 전통적인 사회주의 모델로부터 중국 특색을 지닌 사회주의 모델로, 계획경제에서 시장경제체제로, 폐쇄 경제체제에서 개방 경제체제로, 그리고 낙후된 경제체제에서 현대화된 산업 경제체제로 지속적인 전환을 추구하고 있다. 체제 전환 속에서 중국이 추구하고 있는 사회주의 시장경제의 의미는 '사회주의적 속성이 우선하는 시장경제'라는 의미로 이해되며, 사회주의 시장경제는 사회주의와 시장경제가 결합한 것으로 '사회적 공평과 시장의 효율을 창조적으로 결합'[12]한 것을 의미하고 있는 것이다. 이러한 의미를 바탕으로 사회주의 계획경제와 사회주의 시장경제, 그리고 자본주의 시장경제 간에 어떠한 근본적인 차이가 있는지 비교해 보면 다음과 같다.

---

10) 중국의 세계시장으로의 편입은 1970년 UN 가입, 1980년 IMF와 세계은행(World Bank) 가입, 1984년 GATT의 옵서버 자격 획득, 2001년 WTO 가입 등을 통하여 세계무역체계에 공식적으로 진입하는 것이다.

11) 金永鎬, 『東アジア 工業化と 世界資本主義』, 東京 : 東洋經濟新聞社, 1989, pp. 10~30

12) 董輔礽·勵以寧·韓志國, 『國有企業 : 爾的路在何方』, 北京 : 經濟科學出版社, 1997, p. 3.

〈표 1-4〉 사회주의 계획경제, 사회주의 시장경제, 자본주의 시장경제의 비교

구분	사회주의 계획경제	사회주의 시장경제	자본주의 시장경제
발전 목표	정치 구호로 경제발전 추진, 사회주의 우월성 발휘	사상해방과 생산력 발전으로 사회주의 제도와 정권 강화	경제적 자유 추구로 최고 경제 효율 발휘와 인민 복지 추구
자원 배분	지령성 계획의 행정명령으로 자원 배분	국가의 거시조절하에 시장이 자원 분배의 기초적 역할	공개 시장에서 경제법칙에 따른 자원 배분
정부의 역할	절대적 통제 및 정부와 기업의 일치	계획, 조정, 지도, 감독 기능의 정부 집행 및 정부와 기업 분리	법령 제정과 보호 및 판결 등 소극적 역할에 한정
계획 정도	지령성 계획	지도성 계획	경제계획
시장	자본주의 인식 불허	시장체계 육성에 중점 추진	모든 경제활동의 시장화
경쟁	평균주의	제한적 적자생존	적자생존
가격	강력한 정부 통제	시장가격 위주의 가격체계	시장 결정
경제 기초	전민소유제	공유제	사유제
재산 소유권	공유제	공유제	사유제
취업	국가 안배	직공의 자주적 결정	자유 선택
기업 위험 부담	정부와 사회 부담	기업과 개인 부담	기업과 개인 부담
부의 분배	평균주의	노동에 따른 분배 위주로 효율과 공정성 고려, 선부 허용	효율 추구하며 빈부 격차를 복지정책으로 개선
법률	인치 및 권력이 법에 우선	법제화 발전 추진	완비된 경제 법규로 경쟁 규칙 적용

* 자료: 고정식 외 지음, 『현대중국경제』, 서울: 교보문고, 2004, p. 104 참조.

위의 도표에서 보듯이 중국의 사회주의 시장경제와 자본주의 시장경제는 분명한 차이를 가지고 있다. 중국 특색의 사회주의 시장경제의 특징은 (1) 소유 제구조는 공유제가 주체가 되고 개체경제, 사영경제, 외자경제가 보충하는 다종경제 성분이 공동 발전, (2) 분배구조는 '안로분배(按勞分配)'가 주체가 되고,

'안자분배(按資分配)'가 보충됨으로써 공평과 효율이 우선, (3) 자본축적은 과거 국가 주도의 자본축적 메커니즘이 사회주의 현대기업과 향진기업, 개체경제와 사영경제 및 외자기업이 연합하는 축적 기제로 변화, (4) 국가 개입에 의한 거시조절을 통해 인민의 목전의 이익과 장기적 이익, 부분의 이익과 전체의 이익이 결합되어 계획과 시장의 2가지 조절수단이 유기적으로 작용하는 것을 그 특징으로 한다.

3) 당대 중국의 축적구조의 변화

(1) 중국 사회주의 원시축적 기제

사회주의 공업화와 관련하여 '잉여의 원천'과 '원시축적 방법'에 관한 2가지 명제가 존재한다. 전자는 사회주의 공업화를 위한 원시축적의 주된 담당자는 농촌 또는 농민이며, 후자의 경우 잉여를 흡수하는 방법으로는 국가 주도의 과세, 국채, 은행제도 및 가격 정책임을 지적했다.[13] 일반적으로 자본축적이 미미한 경제개발 초기의 공업화 과정에서 도시노동자의 임금이 공업화 비용의 상당한 부분을 점하고 있기 때문에 국가는 국가권력을 이용하여 농촌을 도시노동자의 식량 공급 부문으로 설정하여 상품경제하에서는 일반적으로 교환될 수 없는 낮은 가격으로 국가에 농산물을 공출하도록 농민에게 강요한다. 반면 국가권력은 경공업제품의 가격을 상대적으로 높게 설정, 농공 간의 협상가격차를 이용하여 농산물의 저가격과 경공업제품의 고가격 간의 불평등 교환을 이용하여 농촌에서 잉여를 착취하고 있다. 이와 같이 낮은 농산물 가격과 높은 공산품 가격에 의해 형성된 잉여가치의 전부는 국가기관으로 흡수되며, 거래 과정에서

---

13) 葉·阿·普列奧布拉任斯基, 『新經濟學』, 北京 : 三聯書店, 1984, pp. 34~99.

징수한 세금과 함께 국가가 중공업 부문에 투자하기 위한 자본의 원천이 되었다. 대부분의 사회주의 국가들은 이러한 방법으로 공업화 자본을 조달하여 사용하였다.

1949년 10월의 신중국은 전형적인 사회주의 개발도상국으로, 신정부는 토지개혁을 통한 농촌경제의 개혁, 반봉건 반식민지 경제의 혁파, 국민당 관료자본의 몰수를 통한 국민경제의 확립, 그리고 제국주의 자산의 물리적 접수 등 정치경제적인 국내 통일을 이룩했다. 공산혁명 후 중국은 농민이 전 인구의 대다수를 구성하고 있었으며, 전통적인 농촌 부문이 사회경제구조의 압도적인 비중을 점유하는 전형적인 후진국 경제의 특성을 나타내고 있었다. 즉, 경제발전의 초기단계의 국가들은 농촌 부문으로 대표되는 전통 부문의 비중이 상대적으로 높은 이원경제구조를 특징으로 하고 있다. 신중국은 농업 부문이 국민경제의 압도적인 비중을 차지하고 있는 개발도상국임에도 불구하고 선진 자본주의 국가들에게 대항하기 위해 야심적인 '중상주의적 추격 전략(mercantile catching-up strategy)'을 구상하고 있었다. 대부분의 사회주의 국가들과 마찬가지로 중국도 선진 자본주의 경제를 추격하기 위한 사회주의 공업화를 전개하였다. 전통적으로 중공업 우선의 급속한 공업화와 경제성장은 대부분의 역사적 사회주의 국가에 있어서 경제발전의 기본 전략이다. 소위 스탈린 모델은 사회주의혁명 이후 대부분의 초기 사회주의 국가가 국가기구를 통해 부족한 자원을 효과적으로 배치하는 데 매우 유익한 것이었다.

중국의 사회주의 자본축적의 원천은 농업 방면으로부터 공업자본을 조달했으며, 그 자본의 조달 방법은 세금 징수, 협상가격차, 그리고 농민 저축에 의해 진행되었다. 마오쩌둥도 일찍이 신중국의 공업화를 위해서 농업 방면으로부터 잉여자본의 획득을 강조하였다. 마오쩌둥은 "직접적인 농업세 이외에 농민이 필요로 하는 다량의 생활수단인 경공업 생산을 발전시키고 이러한 경공업 제품을 가지고 농민의 식량 상품과 경공업 원료를 서로 교환함으로써 농민과 국가 양쪽의 물질 수요를 만족시키며 국가를 위하여 자금을 축적한다(1977, pp. 182~183)"[14]라고 하여 농공산품의 협상가격차 방식에 의해 중국 사회주의 공업화 자금 축적의 불가피함을 지적하였다.

이와 같은 측면에서 본다면 국가가 독점적 지위를 이용하여 농산품에 대해서 '통일구매와 통일판매(統購統銷)' 하는 제도와 '가격 정책'을 통한 농민 착취와 농업 부문 잉여의 공업 부문으로 전이는 사회주의 공업화 자금 조달의 가장 전형적인 방법으로 그 위치가 정립되었다. 마오쩌둥도 통일구매—통일판매 제도가 사회주의를 실행하는 하나의 중요한 단계[15]라고 지적했다(1977, p. 355). 생산재 부문 우선 성장을 위한 공업화 전략에 실질적인 거액의 건설자금이 필요한 상황에서 시장의 기능에 의지하여 단기간 내에 고효율적으로 자금을 조달한다는 것은 불가능했다. 신중국 건설 초기에 소득 수준이 일반적으로 낮은 상태에서 시장 메커니즘을 통해서 고축적률을 실현하고 생산수단을 우선적

〈표 1-5〉 원시축적 기제의 운행도

---

14) 『毛澤東選集』 第5卷, 北京 : 人民出版社, 1977, pp. 182~183.
15) 上揭書, p. 355.

으로 성장시키는 공업화를 추진한다는 것은 대단히 곤란한 것이었다. 왜냐하면 자본축적은 인간의 한계소비 경향에 따라 진행되기 때문에, 일정한 소득 수준에 다다르고 난 후 일정한 저축률이 형성되며, 일정한 저축률이 형성되고 난 후에 일정한 축적−투자율이 형성되는 것이다. 따라서 이 시기에 적용되었던 전략적 선택은 생산요소와 산품의 상대가격을 조작하는 방법을 이용한 '따라 잡기를 위한 거시정책의 환경'을 조성하여 중공업 부문에 집중 투자하는 것이었으며, 이와 같은 거시정책 환경은 저이율, 저환율, 임금과 원자재의 저가격, 자원 농산품과 생활필수품 및 서비스 부문의 저가격 정책을 실시하여 소비재 부문이 향상되지 못하고 오직 중공업 부문을 위한 고축적만을 요구하였다.[16]

중국에서는 경제 외적인 방법으로 도시와 농촌 간에 인구 이동을 제한하는 엄격한 '호적제도'를 통해서 농민이 자유롭게 도시에 진입하거나 사업 경영을 허락하지 않았다. 자본 투입이 제한적인 상황하에서 노동집약적인 방법을 통하여 농업 생산 임무의 완성을 보증하는 것과 도시 부문 경제의 복리가 농촌 부문으로 유출되지 못하도록 원천적으로 봉쇄하는 이중 정책을 실시하였다.[17] 1970년대 말까지도 중국 농촌의 인구 비중은 전체 인구의 약 80%를 상회하여 농촌 부문과 도시의 상공업 부문이 확연히 구분되는 도농 간의 이중구조를 형성하고 있었다. '중화인민공화국호구등록조례(中華人民共和國戶口登錄條例) 1958. 1.'는 도시 부문에 중점을 두고 호적제도를 통하여 인구 이동의 통제기능을 강화했다. 이 제도는 원천적으로 도시−농촌 간의 이중구조를 유지시키고 호적이 있는 지역에서만 식량 배급, 주거지 확보, 자녀교육 등이 가능하도록 하였다. 호적제도에 의한 각종의 이동 제한 조치는 농민이 농촌으로부터 도시로 이동하는 것을 법적, 행정적으로 제한하는 조치로서 중국에서 '신사회주의의

---

16) 林毅夫, 蔡昉, 李周, 『中國的奇蹟:發展戰略與經濟改革』, 上海 : 人民出版社, 1996, pp. 29~35.
17) 李溦, 『農業剩餘與工業化資本積累』, 云南 : 人民出版社, 1993, p. 289.

맹아'라고 지칭되는 인민공사를 통한 집단적 노동투자의 극대화를 위한 극단의 정책이었다. 자본주의 세계경제로부터 이탈한 신정부는 사회주의 공업화를 위한 자본을 국내에서 조달할 수밖에 없었으므로 국가 행정기구를 통해 강압적으로 농촌에서 자본을 효과적으로 조달하는 기구가 필요했고, 그 결과 1958년에 국가 폭력에 의해 강제적으로 농민을 조직화하여 인민공사제도를 통해 사회주의 공업화를 지원하기 위한 인적·물적 시스템을 완성하였다. 결국 호적제도를 통한 인구 이동의 제한으로 농업 집단화가 가능했고, 농업의 집단화는 국가가 농업잉여를 확보하는 중요한 경제외적인 축적 메커니즘을 이용하여 건설자금을 형성할 수 있는 또 다른 방식이었으며, 개혁개방 정책이 시행된 후 1984년에 인구 이동의 제한이 해제되기까지 농민은 인민공사에 소속되어 집단적인 노동에 종사함으로써 초기 사회주의 공업화에 크게 기여하였던 것이다.

중국은 1950년대부터 1960년대에 걸쳐 원시적인 사회주의 축적으로 사회주의 공업화의 기반을 확립했으나 그 힘을 충분히 발휘한 것은 아니다. 중국은 공업화를 위해서 일관되게 높은 축적률을 추구해 왔는데 이러한 고축적률은 국민수입의 증가율을 훨씬 상회하였다. 1953년부터 1978년 사이에 국민수입의 증가율은 연평균 6.3%였던 데 반해 축적률은 연평균 8.5% 증가해 왔다. 이 사이 국민수입은 4.8배가 되었지만, 축적 총액은 8.3%로 증가했다. 이에 반해 소비 총액은 3.9배 증가했다. 전반적으로 전 시대에 비하여 여러 가지 면에서 진보가 있었으나 중국의 경제성장은 중앙계획기구에 의한 자원 동원과 중공업 부문의 집중 투자(고축적—고투자)로 외연성장의 성격을 띠게 되었다. 이러한 경제성장 전략도 총 요소생산성 및 투자의 한계효율이 지속적으로 하락하고 인민의 소비, 생활 수준도 지속적으로 하락하여 시간이 흐름에 따라 유휴 자원이 소진되고, 인민들의 생산성 증대 동기가 상실됨으로써 한계점에 다다랐다.

아래 표는 국민수입 중 소비총액과 축적총액의 성장 속도를 비교한 것이다. 이 표에서 보는 바와 같이 30여 년간 사회주의 건설 시기를 통하여 사상동원에 의한 사회주의적 충성심에 호소함으로서 상당 정도의 노동력에 의한 자본축적을 할 수 있었고, 동시에 고축적—고투자를 위해 인민들은 저소비라는 고통을 감내해야 했으며, 이러한 인적자원에 대한 반대급부를 최소화하여 인적자원, 즉 노동력을 최대한 이용할 수 있었다.

아래의 표에서 보듯이 개혁개방 이전의 시기는 축적률이 비교적 높았는데 사회주의 건설 초기단계에서 축적률이 높으면 절대적으로 인민들이 지불하는 노동의 강도는 더욱 높아지고, 반면에 인민들의 생활 수준은 상대적으로 낮아져서 공산혁명의 이상을 추구하던 혁명 시기의 중국 인민들이 바라고 있었던 공산주의 낮은 단계로서의 사회주의의 본질에 대한 인식이 무력하게 되어 사회주의체제 내의 위기모순이 노출하기 시작하였던 것이다.[18]

결국 이러한 체제위기의 맹아는 첫째, 중앙집권적인 공산당의 절대 권력과 이데올로기의 절대적 우위, 둘째, 생산수단의 전면적 공유화에 의한 모험적인

〈표 1-6〉 국민수입 중 소비총액과 축적총액의 성장 속도 비교

연도	국민수입		1인당 국민수입		소비총액		축적총액		축적률 (%)
	총액(億元)	전년대비 성장(%)	총액(億元)	전년대비 성장(%)	총액(億元)	전년대비 성장(%)	총액(億元)	전년대비 성장(%)	
1957	908	–	142	–	702	–	233	–	24.9
1958	1118	23.1	171	20.4	738	5.1	379	62.7	33.9
1959	1222	9.3	183	7.0	716	-3.0	558	47.2	43.8
1969	1617	–	203	–	1180		357	–	23.2
1970	1926	19.1	236	16.3	1258	6.6	618	73.1	32.9
1977	2644	–	280	–	1741		832		32.3
1978	3010	13.8	315	12.5	1888	8.4	1087	30.7	36.5

* 자료 : 汪海波, 『中國積累和消費問題研究』, 廣東 : 人民出版社, 1986, p. 91.

축적체제의 부작용, 셋째, 체제 운용에 있어서 관료주의의 심화, 넷째, 소비재 생산 부문의 경시, 다섯째, 자발적이고 효율적인 노동력의 유인 실패 등으로 인한 누적된 경제난에 따른 인민들의 불만 폭발과 집권층의 무기력으로 인한 결과라 하겠다. 전통 사회주의의 개념의 와해는 생산력이 고도로 발달하지 못한 상태에서 사회주의혁명을 실현한 것과 무관하지 않으며, 결과적으로 체제의 수정이라는 필연적인 자기해체 과정을 밟지 않을 수 없었다.

이러한 원인은 중국 사회주의 발전에 대한 지도층간의 전략적 이견으로 인해 심각한 노선투쟁의 결과라고 생각되는데, 이러한 노선투쟁은 첫째, '공산풍 (共産風)'에 의한 마오쩌둥의 모험적인 공산주의 이상 추구, 둘째, 서방 자본주의 국가들의 포위공격에 대비한 전쟁 준비태세 확립의 일환으로 내륙 공업화 정책인 '삼선건설(三線建設)' 방면의 중점투자, 셋째, 인위적인 사회주의 생산관계의 개조로 형성된 중앙집권적인 경제 관리체제의 불합리성의 표면화, 넷째, 초기 산업구조의 불균형을 고려하지 않고 집중적으로 중공업 부문에 투자한 것과 깊은 관련이 있다.

(2) 강압축적 기제의 약화

'경자유전(耕者有田)'의 원칙과 토지개혁으로 토지를 수중에 넣은 농민은 증산 의욕이 급상승하였으나, 인민공사와 농업 집단화 등 좌경 정책은 1978년의 대전환 전까지 장기적으로 농민의 증산의욕을 감소시켰으며 농민은 비자발적인 사회주의 노동축적을 강요당했다. 농업 부문과 농민의 희생을 바탕으로 한 사회주의 강압축적 메커니즘으로 농촌이 가난해지고, 국영기업은 비효율적

18) 중국 사회주의의 본질에 대한 인식은 다수의 인민과 소수의 지도층 엘리트 간에 서로 다른 인식의 차이가 나타나는바, 그 인식의 차이는 다음과 같다. 다수의 인민들은 사회주의의 본질을 '물질적 진보'와 '생활 수준의 항상'의 관점에서 이해하고 있는 데 반해서, 소수의 지배적인 엘리트층은 '중국의 문화와 사회경제의 발전'을 결부시켜 사회발전과 문화, 이데올로기와 제도적 측면에서 사회주의를 인식하고 있다.

〈표 1-7〉 1952~1977년 중국 공농업(工農業) 총산출 구성 및 지수

연도	공업 총산출 구성(%)			공농업 총산출 지수(%)		
	농업	경공업	중공업	농업	경공업	중공업
1952	56.9	27.8	15.3	100.0	100.0	100.0
1957	43.3	31.2	25.3	124.8	183.2	310.7
1962	38.8	28.9	32.3	99.9	193.5	428.4
1965	37.3	32.3	30.4	137.1	344.5	650.6
1970	33.3	30.6	35.7	166.3	514.9	1289.9
1975	30.1	30.8	39.1	202.1	746.5	2091.8
1977	28.1	31.6	40.3	210.6	873.7	2402.9

* 자료 : 『중국통계연감 1983』, 베이징 ; 중국통계출판사, 1984, pp. 17, 20.

이었다. 생산 부문에서 증산은 했으나 수입이 증가하지 않음(增産不增收, 增産減收)으로 해서 농민의 불만은 고조되었다. 사회주의 과도기 총노선을 통한 중공업 우선 정책을 추진함으로써 인민의 생활이 궁핍해져 사회주의 체제에 대한 사상적이고 신념적인 위기를 초래하게 되었다. 대약진운동과 인민공사, 그리고 문화대혁명으로 이어지는 일련의 체제위기는 중국사회를 효율적이고 합리적으로 유지하는 데 많은 문제점을 낳았다.

중국의 초기 사회주의 공업화를 위한 자본축적은 국가 주도의 노동축적과 가격 정책이라는 강력한 국가수단을 통하여 대규모의 사회주의 공업화자본을 형성하였다. 개혁 이전의 중국 사회주의 공업화를 위한 자본축적의 원천은 협상가격차를 통한 농업잉여였으며, 농업 부문에서 공업 부문으로 가치가 전이된 농업잉여가 국가의 자본축적 메커니즘으로 그 기능을 했다. 결국 농업 부문이 공업화 자금의 주요한 축적 원천이 되었다. 국가는 자본축적을 확대하기 위하여 도시노동자의 임금을 낮추고 도시의 국영상업과 국유기업의 이윤을 높게 설정하여 도시노동자도 희생시켰다. 결론적으로 경제체제 개혁 이전의 중국은 농민과 도시노동자를 희생시킴으로서 자본을 축적했던 것이다.[19] 이러한 사회

주의 자본축적 메커니즘은 국가권력이 저가격에 의한 농산물의 강제수매와 의무공출제의 실시, 공업제품과 농산물 교역에 있어 부등가 교환의 강제에 의해 형성된 농업잉여를 흡수하는 것이었다.

강압축적 메커니즘의 붕괴는 중국사회를 선형적으로 구분하고 있는 농촌 부문과 도시 부문에서 현저하게 나타나고 있었다. 경제개혁 이전 중국의 공업화 전략은 농업잉여의 공업 부문으로 전이→노동자의 저임금에 의한 도시 공업기업 및 상업기업의 이윤 상승→국가재정 수입의 증가→높은 자본축적→국가에 의한 집중 투자→저효율→저소비라는 메커니즘에 의해 추진되었던 것이다.[20] 이러한 국가 권력기구를 통한 강압적인 중앙집권적 사회주의 자본축적 메커니즘은 농업잉여를 축적의 원천으로 하여 중공업을 우선 성장시키려는 사회주의 자본축적 구조는 실질적인 효과를 거두지 못하였으며, 농촌 부문에서 노동생산성이 향상되지 못하여 '증산부증수(增産不增收)'라는 농촌의 위기구조가 나타났다. 농촌 부문에서의 '농촌의 빈곤화'와 도시 부문에서의 '사회주의적 기업의 비효율성'의 증가는 전반적으로 중국 사회주의 체제위기 현상을 야기하여 견실한 사회주의의 발전에 부정적 역할을 하였다. 이후 개혁개방 시기에서는 중국 공산혁명 시기의 가장 유효했던 공산화 전략의 하나인 농촌으로부터 도시를 포위하는 '농촌포위성시전략(農村包圍城市戰略)'에 의해 농촌의 소유제 개혁으로 시작한 중국의 개혁 정책의 성공이 점차 도시 부문으로 침투하여 도시 부문에서 가장 중요한 기업 개혁으로 이어져 중국 사회주의체제는 자기해체 과정과 수정 과정의 상호연관 작용 속에서 괄목할 만한 성과를 거두게 되었다. 이에 고축적-저소비의 메커니즘이 붕괴하고 사회 구성원 개개인의 이익이 전 시기에 비해서 상당히 향상되고 제도적으로 보장된 국가와 사회

---

19) 上原一慶, 『中國の經濟改革と開放政策—開放體制下の-社會主義』, 東京 : 靑木書店, 1988, p. 16.
20) 山內一男 編, 『中國經濟の轉換』, 東京 : 岩波書店, 1989, pp. 211~221.

단위가 횡적으로 연합한 연합축적 메커니즘을 형성하는 전환점이 되었다.

(3) 국가—사회 연합축적 기제

사회주의 생산관계의 발전 과정은 하나의 고정된 모델이 존재하는 것은 아니며, 사회 생산력의 발달 정도에 따라 역사적 발전 단계에 부합하는 생산관계의 구체적 형식 및 사회발전에 요구되는 관리제도와 방식, 그리고 형식을 찾아야 하는 것이다. 구(舊)중국 생산수단의 사회주의적 개조는 사적 자본주의 경제가 사회주의 전민소유제 경제로 개조되고, 개체 경제의 대부분이 노동대중의 집체소유 경제로 전환되었다. 이와 같이 사회주의 공유제 경제가 절대적 우위를 차지하는 상황하에서 사회주의 경제에 아직도 다종 경제 요소가 장기적으로 존재하고 있는 것은 사회주의 생산력 발전에 유리하고, 이러한 자본주의적 요소는 사회주의체제에 그다지 위협적이지 않으며, 사회주의 과도 시기에 다종 소유관계 및 다종 경제 성분이 공존하는 것은 불가피하다고 인식되고 있다. 따라서 사회주의 공유제가 지배적인 우위를 장악하고 있는 상황하에서 다종 경제 성분의 공존구조와 축적 주체의 다원화구조를 충분히 이용하여 사회주의 공업화 자본의 축적을 강화하려는 것이다.

중국 사회주의의 연합축적 메커니즘의 형성은 생산력을 해방하기 위한 하부구조로서 경제체제의 개혁과 생산관계로 표현되는 사회주의 소유제의 전면적 개혁을 통해 가능했다. 생산력의 해방과 생산관계의 변혁을 통한 중국 사회주의체제 개혁은 '지령성 계획경제' → '계획 위주 시장 보충의 조롱(鳥籠)경제' → '사회주의 초급단계 경제' → '유계획적 사회주의 상품경제' → '사회주의 시장경제체제 건립'이라는 일련의 변화 과정을 통해서 새로운 국가와 사회가 연합한 축적 메커니즘을 형성하고 있다. 중국은 1950년대부터 1970년대 말까지 "계획경제가 만능이다"라는 인식하에 전반적으로 '사회주의 계획만능론'이 지배적이었고, 1980년대 전반기부터 위의 체제를 일부 수정하여 계획경제 우위 속에 상품경제의 부분적 도입을 인정한 "계획경제를 위주로 하고 시장 조절을 보충한다"는 '조롱경제론'이, 1980년대 후반기에는 "계획 있는 상품경제"를 제시하여 '사회주의=계획경제'라는 교조적인 사고를 근본적으로 파기하고, 사회적 분업과 생산 단위에 자신의 독립적인 경제이익이 어느 정도 인정되는 '사회주의=상품경제'라는 '사회주의 상품경제론'을 채택했고, 1990년대는 '성자성사론'에 의한 사회주의 경제에 시장 메커니즘을 전면적으로 수용한 '사회주의 시장경제론' 체계를 건립하였다.

이와 같이 체제의 점진적 수정을 통한 연합축적 메커니즘의 형성은 (1) 농업 정책과 농촌 소유제의 전환, (2) 인민공사의 해체와 호구제도의 합리적 개선, (3) 시장 원리를 인정한 농산품의 유통 및 이중가격제도의 쌍궤제(雙軌制)로의 개선, (4) 향진기업과 사영기업의 적극적인 발전 지원, (5) 정치와 기업의 분리 원칙에 의한 국유기업의 전향적인 개혁, (6) 재정제도와 금융세제의 개혁으로 요약된다. 결국 이러한 일련의 개혁 과정을 통한 중국 사회주의 축적 메커니즘의 변화는 과거의 전통적인 계획경제체제하에서 국가권력에 의한 강압적인 정부의 재정 위주의 축적 메커니즘이 정부와 사회의 연합형 축적 메커니즘으로 전환되었음을 뜻하게 되었다.

개혁개방 이후의 중국 사회주의의 현대적 연합축적 모형은 사회주의 공유 부문 및 비공유 부문인 사회주의 국유기업과 사영기업, 그리고 외자기업 등 다종의 사회주의적 경제 주체들이 등장하고, 축적의 원천 역시 국내 자본뿐만 아니라 해외자본에 의해서 사회주의 확대재생산이 진행되며, 상품과 시장 메커니즘의 도입을 통한 지도적 축적 방식을 채택하여 국가의 절대적 이익 추구를 완화하고 개인의 이익을 중시하는 장기 균형 성장에 의한 사회주의 현대화에 전력을 추구하고, 저축적—고소비의 내포적 축적 과정을 통하여 개인 이익을 중

〈표 1-8〉 당대 중국 자본축적 양식의 비교

구분	계획경제체제	시장경제체제
주체	· 국영·국유· 집체 등 공유 부문	· 국유·집체·사영·외자기업 등 · 공유 부문과 비공유 부문의 연합
원천	· 농공 부문의 국내자본	· 국내 및 해외자본
방식	· 지령성 중앙 계획 메커니즘 · 국가 주도 강압 축적	· 지도성 시장 메커니즘 · 국가와 사회의 연합 축적
목표	· 사회주의 국익의 극대화 · 사회주의 중공업화 · 단기 비균형 성장	· 사회주의 인민의 개인 이익 중시 · 사회주의 현대화 · 장기 균형 성장
조건	· 국가체제 유지를 위한 생산성 축적	· 개인 이익을 고려한 소비성 축적
전략	· 생산수단(Ⅰ 부문) 위주 외연적 축적 · 추격형(catch-up) 개발 전략	· 소비 수단(Ⅱ 부문) 위주의 내포적 축적 · 도약형(leap-frog) 성장 전략
강도	· 전반적인 고축적-저소비	· 전반적 저축적-고소비

* 자료: 이상만, "중국 사회주의 소유제 개혁과 신자본축적 메커니즘 연구", 「세계정치경제」 제4호, 1997, 12, p. 195을 참고
  하여 재작성했음.

시하는 소비성 축적으로 축적 양식이 전환하게 된다. 15차 전국인민대표대회
에서도 '덩샤오핑(鄧小平) 이론'을 체계화시키기 위해서 중국 사회주의체제 내
에 노동자들의 참여를 조장하고 개인의 이익을 강조함으로써 주식제와 주식합
작제를 제도적으로 보장하고 활력을 도모하려는 제도적 배려를 하고 있다.

중국 사회주의는 개혁개방 시기의 "사회주의의 주요 모순은 낙후된 생산력
과 인민의 물질적 수요 간의 모순"이라는 전향적인 시각의 변화를 통해 사회체
제 내에서 자본주의의 발전을 적극적이고 긍정적으로 평가함과 동시에 자본주
의와의 관계는 장기적인 공존관계이며, 단일한 자본주의 세계체제 속에서 선진
자본주의와의 자본과 기술, 그리고 교역의 확대는 불가피한 것으로 인식되게
되었다. 중국이 자본주의적인 요소를 도입한 것은 자본주의 세계체제를 이탈

하고서는 국가이익을 극대화할 수 없다는 사실을 현실적으로 긍정한 것이라 할 수 있다.

결국 중국 사회주의가 자본주의 세계경제(세계시장)와의 정치경제적 접촉이 증가하고 있는 상황하에서 자본주의에 대한 관념적이고 교조주의적인 정향을 타파하고, 자본주의적인 요소를 과감하게 도입하여 실험하고 수용하면서 생산력을 발전시키려는 노력은 중국이 자본주의 세계체제 내에서 중상주의적인 국가 프로그램을 완성해 가는 과정이고, 마르크스 사상의 보편적 진리를 중국적 실제와 결합시킨 '마르크스주의의 중국화'와 깊은 관련이 있는 것이다. 이러한 일련의 체제 수정 과정은 중국 사회주의 계획경제가 사회주의 상품경제를 인정하고 더 나아가 사회주의 시장경제로 이어지는 하나의 발전 과정 그 자체에 모순이 심화되어 체제위기를 초래하고, 중앙집권적인 계획경제체제로만 인식되어 왔던 사회주의 경제체제의 작용 메커니즘이 자본주의적 시장기능으로 대체 및 회귀함을 뜻하게 되었다. 이렇듯 중국 사회주의체제 내에서 자본주의

〈표 1-9〉 연합 축적 기제의 운행도

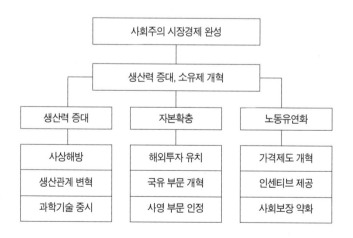

적 메커니즘의 수용은 '남순강화(南巡講話)'의 '신흑묘백묘론'과 '성자성사론', '성공성사론', '선부공부론(先富共富論)' 그리고 '사회주의 시장경제의 발전에 따른 사유재산의 상속권 인정과 사유재산의 헌법 명시 가능성 및 사영기업인의 공산당 입당 허용' 등으로 이어지는 중국 사회주의체제의 성격이 자본주의적 가치법칙의 현실적 이식이라는 것이며, 이러한 자본주의적 맹아의 회생은 중국 사회주의의 본질에 커다란 변화를 예고하고 있는 것이다.[21]

중국의 자본축적 메커니즘의 구조 변화는 내적인 요인과 외적인 요인이 만들어 낸 것이라 할 수 있다. 공산혁명 이전 중국사회는 생산력이 매우 낙후되어 있었다. 제국주의 세력에 의해 국부가 유출되고 중국 사회경제는 파탄을 맞이하였다. 그러므로 레닌이나 마오쩌둥에게 있어서 사회주의 혁명의 의미는 국내의 부패한 관료자본주의와 제국주의 침략에 대한 민족주의적 성격이 강했으며, 착취당하는 식민지 국가와 착취하는 제국주의 국가 사이의 투쟁 속에서 감행했던 민족해방투쟁의 의미가 훨씬 강했던 것이다. 다른 한편 초기 사회주의 혁명을 성공시켰던 사회주의 국가들은 월러스타인(I. Wallerstein)이 지적한 바와 같이 반(反)자본가 계급의 혁명으로 일어난 것이 아니라 경제적으로 낙후된 주변부 피지배계급의 반(反)제국주의 혁명으로 일어났던 것이다. 따라서 그들에게 있어 사회주의 프로젝트의 1차 목표는 구생산관계의 타파였다. 이것은 세계체제론적 시각에서 보면 자본주의 세계시장으로부터 철회(이탈)를 의미하는 것이다.[22] 그러나 혁명 1세대의 사회주의 프로젝트는 실패를 거듭하면서 생산력의 해방을 통한 새로운 사회주의 프로젝트를 실시하는데, 이러한 것은 바로 개혁개방을 통한 자본주의 세계시장과 국가간체제로의 재편입되는 과정으로

---

21) 江澤民, "中國共產黨成立八十周年大會上講話(全文)", 人民日報 2001년 7월 2일자 1면 참조.
22) Alvin Y. So, *Social Change and Development : Modernization, Dependency, and World-System Theories*, London : Sage Publications, 1990, pp. 246~256.

간주된다.

위에서 보았듯이 중국의 축적체계의 변화에 중대한 영향을 준 것은 개혁개방을 함으로써 자본주의 세계체제에 중국이 재편입되었다는 점이다. 중국은 과거의 전통적인 계획체제에서 탈피하여 자본주의 세계경제의 국제분업에 적극 참여함으로써 선진기술과 경영관리 기법, 해외자본이 중국으로 유입되면서 국가와 사회가 연합한 국내 자본축적을 가능케 하였다. 이러한 자본축적이 중국을 주변부 국가로부터 반주변부 국가로 성공한 사회주의 개발도상국가로 성장시켰다. 또한 중국은 세계시장에서 이윤 추구를 위한 상품 생산자로, 그리고 세계시장의 상품 수입자로써 자본주의 세계경제와 불가분의 관계를 맺고 있다. 과거 자본주의 세계체제가 부여한 기회구조를 효과적으로 이용하여 고도의 경제성장을 이룩했던 동아시아 경제의 기적과 마찬가지로 중국 사회주의 시장경제가 고도의 성장을 지속하고 지역 내 노동분업과 축적체제에 상당한 역할을 하고 있는 것이다. 중국경제의 고도성장은 '노동자—농민 수탈 발전 모델'을 파기하고 개혁개방으로 중국이 시장경제 시스템을 도입하고 세계체제의 구조 속에서 사회주의적 요소와 자본주의적 요소를 결합한 독특한 경제 모델을 적용하여 이루어 왔다.

현재와 같은 중국의 정치경제적 성과는 11기 3중전회(제2차 혁명)에서 결정했던 개혁개방 정책의 결실이며 덩샤오핑의 실천적인 부국강병 사상의 승리라고 할 수 있다. 지속적이고 과감한 중국 사회주의체제 개혁의 동력은 '중국의 전통적인 중상주의적 국가발전 전략'[23]의 연장으로 인식되며, 이러한 전환의 주요 동인은 '부국강병'이라는 현대화를 위한 자본주의적 방식의 선별적인 도입이고, 이를 이론화하고 실천하는 반복적인 과정을 통해 중국의 실제에 부합

---

23) 趙曉雷, 『中國工業化思想及發展戰略硏究』, 上海: 上海社會科學出版社, 1995, pp. 16~45.

하는 '마르크시즘의 실천적 중국화'라는 중국 특색의 사회주의 모델의 발전을 의미하는 것이다. 과거 중국 역사의 궤적은 분열과 통합의 연속이었고, 천하대란 속에서 통일을 달성하고 난 후 경제발전에 집중하고 그다음은 군사력을 강화했으며, 그러고 난 후 반드시 정치 대국화를 추구함으로써 국제사회에서 입지를 강화했다는 점을 주시하면 세계체제 내에서 중국의 역할이 대단히 중요하다고 생각된다. 결국 이러한 중국의 역할은 중국 사회주의 자본축적 구조의 변화를 통해 가능했다는 점을 상기해야 할 것이다. 하부구조가 상부구조를 결정할 수 있다는 변증적 논리는 경제의 성장을 통한 국부의 증대가 한 국가의 영향력을 확대하는 데 중요한 출발점이 되고 있는 것이다.

〈참고문헌〉

고정식 외, 『현대중국경제』, 서울: 교보문고, 2004.

김진철, 『세계정치경제론』, 서울: 세계정치경제연구소, 1994.

李相萬, "중국사회주의 소유제 개혁과 신자본축적메카니즘 연구", 「세계정치경제」 제4호, 1997.

馬克思, "政治經濟學批判序文", 『馬克思恩格斯選集』(II), 北京: 人民出版社, 1995.

汪海波, 『中國積累和消費問題硏究』, 廣東; 人民出版社, 1986.

董輔礽·勵以寧·韓志國 主編, 『國有企業: 爾的路在何方』, 北京: 經濟科學出版社, 1997.

林毅夫·蔡昉·李周 共著, 『中國的奇蹟:發展戰略與經濟改革』, 上海: 人民出版社, 1996.

葉·阿·普列奧布拉任斯基 著, 紀濤, 蔡愷民 譯, 『新經濟學』, 北京: 三聯書店, 1984.

趙曉雷,『中國工業化思想及發展戰略研究』, 上海: 上海社會科學出版社, 1995.

李澂,『農業剩餘與工業化資本積累』, 云南: 人民出版社, 1993.

毛澤東,『毛澤東選集』第2卷, 北京: 人民出版社, 1953.

毛澤東,『毛澤東選集』第5卷, 北京: 人民出版社, 1997.

鄧小平,『鄧小平文選』第3卷, 北京: 人民出版社, 1993.

金永鎬,『東アジア 工業化と 世界資本主義』, 東京: 東洋經濟新聞社, 1989.

上原一慶,『中國の經濟改革と開放政策—開放體制下の—社會主義』, 東京: 靑木書
　　店, 1988.

渡邊利夫,『開發經濟學—經濟學と 現代アジア』, 東京: 日本評論社, 1996.

中兼和津次,『中國經濟論—工農關係의 政治經濟學』, 東京: 東京大學出版會, 1992.

山內一男 編,『中國經濟の轉換』, 東京: 岩波書店, 1989.

李如鵬,『私有經濟的多樣性與可變性』, 北京: 中國工商出版社, 2003.

張厚義, 明立志, 梁傳運主 編,『中國私營企業發展報告 no. 4(2002)』, 北京: 社會科
　　學文獻出版社, 2003.

胡家勇, "中國私營經濟:貢獻與前景",『管理世界』5, 2000.

郭海紅·陳永志, "我國私營企業市場爭力的實證分析",『商業經濟與管理』7, 2002.

盛毅, "國有企業資本積累的性質—兼論企業改制中的職工安置",『社會科學研究』3,
　　2002.

江澤民,「中國共産黨成立八十周年大會上講話(全文)」, 人民日報, 2001. 7. 2.

『三中全會以來重要文獻選編(下)』, 北京: 人民出版社, 1987.

『中華人民共和國法律匯編(1979~1984/1985~1989)』, 北京: 人民出版社,
　　1985/1991.

『十三大以來重要文獻選編(上)』, 北京: 人民出版社, 1991.

『十五大以來重要文獻選編(上)』, 北京: 人民出版社, 2000.

10期全人大2次會議中華人民共和國憲法修正案(2004. 3), 人民日報, 2004. 3. 8.

任文燕, "民營經濟是促進社會生產力發展的重要力量",

　　http://www.people.com.cn/GB/shizheng/1026/2377650.html

"中國私營經濟的歷程回顧", 『中國私營經濟網』.

　　http://www.cpe.com.cn/summarize/licheng.htm

검색일: 2004. 3. 10.

中國民營經濟發展前沿問題研究(2003～2004), 北京: 機械工業出版社, 2003.

Alvin Y. So, *Social Change and Development: Modernization, Dependency, and World-System Theories*, 1990.

Akos Rona-Tas, The First Shall Be Last? Entrepreneurship and Communist Cadres in the Transition from Socialism, in *American Journal of Sociology,* Vol. 100, no. 3, Nov., 1994.

Edward Friedman(ed.), *Accent and Decline in the World-System,* 1982.

I. Wallerstein, *The Capitalist World-Economy,* 1979.

I. Wallerstein, *The Politics of the World-Economy,* 1984.

Janos Kornai, *The Socialism System-The Political Economy Of Communism,* 1992.

Ota Sik(ed.), *Socialism Today?: Changing Meaning Socialism,* 1991.

W. Brus and K. Lasky. *From Marx to the Market,* 1989.

제2장 중국의 지역 균형발전 정책 진행 과정 및 효과 분석
—서부대개발 정책을 중심으로

張康之(Zhang, Kang-Zhi, 中國人民大學 行政管理學科 敎授)

徐運錫(Suh, Woon-Seok, 중국인민대학 행정관리학과 박사)

1. 서론

1) 지역 균형발전 정책의 개념과 필요성

현재 세계는 지방화와 지식정보화라는 역사적 변화를 맞이하고 있다. 이 같은 새로운 시대에는 부가가치 창출의 원천이 노동·자본에서 기술·정보를 기반으로 한 지식으로 변화하고 있으며, 국가 차원이 아닌 지역 차원의 조직이 핵심적 경제 단위로 부상함으로써 지역의 경쟁력이 국가경쟁력의 근원이 되고 있다. 이는 경제 활동이 세계화됨에 따라 대학, 기업 및 여타 혁신 주체들 간의 핵심 상호작용이 '국가'보다 훨씬 역동적이고 신축적인 '지역'을 단위로 이루어지고 있기 때문이다. 따라서 세계사적 환경 변화에 기민하고 유연하게 대응하기 위해서는 새로운 발전 모델로의 전환이 불가피하다(박동, 2004, p. 11). 이러한 새로운 패러다임으로서의 지역 균형발전은 지역간 발전의 기회균등을 통해 국토 공간상의 모든 지역의 발전 잠재력을 증진함으로써 어느 지역에 거주하더라도 기본적인 삶의 기회를 향유하고, 궁극적으로 국가 전체의 경쟁력을 극대화하는 것을 의미한다. 이러한 새로운 지역 균형발전 모델은 국민통합과 국가 경쟁력 강화라는 2가지 과제의 동시 해결을 추구한다.

중국은 광대한 국토와 많은 인구를 가지고 역사적으로 오랫동안 지역 불균형발전을 이루어 온 나라이다. 그런 중국이 지금은 개혁과 개방 정책을 통하여 획일적 지역경제 발전 전략을 포기하고 각 지역의 특성에 맞는 다양한 지역발전에 힘을 쏟고 있다(오용석, 2004, p. 26). 지역 균형발전 전략의 수행을 통하여 내수를 확대하고 국민경제의 지속적인 성장을 보장할 수 있다. 또한 각 지역의 조화로운 발전을 통하여 중국 전체 국민의 공동번영에 도달할 수 있기 때문에 지역 균형발전 전략은 매우 중요한 경제적·정치적 의의를 지닌다(王家斌·德四, 2001, p. 12). 지역 균형발전은 사회 갈등과 국민 분열을 초래할 수 있는 지역간 불균형발전을 극복하고 모든 지역이 고루 잘사는 균형사회를 건설함으로써 국민통합을 실현하는 것을 목표로 한다. 이와 더불어 지역 균형발전 전략은 사회주의 이념과 부합하고 정의로운 사회에 대한 윤리적 가치와도 직접적인 관계에 있다. 이런 다양한 의도하에서 중국 정부가 현재와 장래의 명운을 걸고 수행하고 있는 지역 균형발전 정책에 대한 진행 과정과 효과를 분석해 보는 것은 충분한 의의가 있다고 하겠다.

2) 본 연구에서의 분석 단위

중국은 지역 균형발전을 달성하기 위하여 여러 가지 정책을 수행 중에 있다. 특히 중국공산당에 의해서 1999년 제안된 서부대개발(西部大開發) 전략의 수행으로 서부지역의 사회·경제·교육·문화 등 제반 영역에서 큰 진전이 이루어지고 있다. 이와 더불어 2003년 중국정부는 다시 동북 낙후공업기지 진흥 정책[1]과 중부개발 전략을 수행 중이다. 지역 균형발전 전략의 핵심은 중·서부지역 개혁의 확대이며 시장화·공업화·도시화의 촉진을 통해 농촌문제, 도시문제, 산업구조 조정, 지역기업, 소도읍 개발문제를 해결하여 전체적으로 중국 국가경쟁력을 제고하는 데 있다(中國社會科學院 '社會形勢分析與預測' 課題組, 2004).

현재 중국에서는 이러한 지역 균형발전 정책의 원활한 수행을 지원하기 위해 지역경제 발전의 역사적 과정 및 전략에 관한 연구(戈銀慶, 2004)를 비롯하여 지역혁신과 관련한 국가혁신시스템 연구(盛昭瀚, 2002), 지역혁신 지원시스템에 관한 연구(黃乾, 2001) 및 산업클러스터(産業集群)의 이론적 배경 및 활용에 관한 연구(吳利學·魏后凱, 2004; 戴輝·李莉·万威武, 2004), 동북노후공업기지(東北老工業基地)의 혁신에 관한 연구(戴輝·李莉·万威武, 2004; 王勝令, 2004), 중부부흥(中部崛起)에 관한 연구(河南省价格學會, 2004) 등 관련 연구를 활발히 진행하고 있다.

본 연구는 중국 지역 균형발전 정책의 진행 과정 및 효과를 분석하는 것을 목적으로 한다. 이 목적을 위하여 시간적으로 실시된 지 얼마 안 되어 효과를 분석하기에 아직 무리라고 생각되는 중부개발 전략은 일단 제외하고, 서부지역에 대한 개발 전략인 서부대개발 정책으로 대상을 한정한다. 분석은 통계자료를 바탕으로 서부대개발 정책의 현재 진행 상황 및 초보적 효과를 지역경제에 대한 영향을 중심으로 진행한다. 이를 위해서 우선 중국 지역 균형발전에 대한 사상적 배경과 역사적 진행 과정을 살펴보고 나서, 진행 중인 서부대개발 현황

---

1) 동북종합개발 전략은 동북지역을 주장삼각주, 창장삼각주에 이은 제3의 경제성장극으로 육성해 지역 균형발전을 도모하자는 전략이다(劉澄·祁衛士, 2004).

과 효과를 분석하고, 서부대개발 과정에서 노정된 문제점과 향후 전망의 순서로 진행해 나간다. 분석의 단위는 서부대개발 전략의 정책적 구분 표준인 동부·중부·서부 등 3대지역으로 구분하는 방법을 이용한다.[2]

2. 중국 지역 균형발전 정책의 사상적 배경과 역사적 진행 과정

1) 지역 균형발전 정책의 사상적 배경

개혁개방 이후 중국은 동부연해(東部沿海)지역의 우선 개방 및 개발 전략을 수행하였다. 지리적 이점(區位優勢)과 상대적으로 양호한 경제 기반, 국가의 정책적 지원과 중·서부지역의 지원에 힘입어 동부지역은 눈부신 경제성장을 달성할 수 있었으나 동부와 중·서부 간의 지역간 격차도 그에 따라서 계속 확대되어 왔다.

사회주의 최대의 우월성은 공동번영(共同富裕)이다. '3개 대표(三個代表)' 사상의 핵심 역시 국민의 근본 이익을 최대한으로 대표한다는 것으로서 최종적으로는 중국공산당이 전체 국민을 공동번영의 길로 인도하겠다는 것이다. 중국이 개혁개방 정책을 추진하고 사회주의 시장경제체제를 실현한 근본 목적은 경제 효율의 제고에 있는 것이 아니라 생산력 해방(解放生産力)을 통한 공동번영의 실천에 있는 것이다. 중국공산당에서 제기한 서부대개발 전략 등 지역 균형발전 정책은 지속가능한 균형발전을 실현하여 최종적으로는 공동번영을 달

---

2) 동부지역은 라오닝, 베이징, 톈진, 후베이, 산둥, 상하이, 장쑤, 저장, 푸젠, 광둥, 하이난 등 11개 성(시)이고, 중부지역은 지린, 헤이룽장, 산시(산서), 허난, 안후이, 후난, 후베이, 장시 등 8개 성이다. 서부는 광시좡족자치구, 네이멍구, 충칭, 쓰촨, 구이저우, 윈난, 시짱자치구, 산시(섬서), 간쑤, 닝샤후이족자치구, 칭하이호, 신장웨이우얼자치구 등 12개 성(자치구, 시)을 포함하는 지역이다.

성하자는 경제·정치상의 일대 결정인 것이다(鄧水蘭, 2002, pp. 34~35).

중국의 지역 균형발전에 관한 사상적 배경으로는 덩샤오핑(鄧小平)의 선부론(先富論)과 공동번영론이 가장 중요한 이론적 근거가 될 것이다. 1988년 덩샤오핑은 "연해지역을 하루 빨리 대외에 개방하여 신속한 경제발전을 이룩해야 하며, 동부의 발전은 내륙 발전을 촉발시켜야 한다. 이는 매우 중요한 대국(大局)적 문제로 내륙지역은 이러한 대국적 정책을 마땅히 수용해야 한다. 그리고 발전이 일정 정도 달성되고 나서는 앞서 개방한 연해지역이 축적된 역량을 동원하여 내륙 발전을 견인해야 한다. 이 또한 대국(大局)이다. 이 시기가 되면 연해지역은 반드시 이 대국적 정책을 수행해야만 한다"는 '2개 대국(兩個大局)'의 선부론을 주창한다. 1992년 다시 "20세기 말 샤오캉(小康) 수준에 다다랐을 때 2개 대국에서 파생된 지역불균형 문제를 반드시 해결해야 한다"고 강조하였다(1993, pp. 277~278). 덩샤오핑은 선부론을 개발이론으로 삼아 동부 연안지역과 내륙지역과의 불균형발전을 주도하였지만 최종 목적에 대해서는 "우리의 정책은 사회의 양극화에 있지 않다. 다시 말해 부자는 더욱 부자가 되고 가난한 자는 더욱 가난해지는 것을 원하지 않는다(1993, p. 172)", "경제발전은 공동번영의 길로 연결되어야 한다. 반드시 양극화는 막아야 한다(1993, p. 149)"고 생전에 명확하게 자신의 신념을 밝힌 바 있다. 덩샤오핑은 공동번영은 경제발전에 기초해야 한다는 인식하에서 사회주의 초급단계(社會主義初級階段)에서의 경제발전에 대한 단계별 전략 목표를 제시한다. 즉, 빈곤의 해결(解決溫飽), 기본적 복지사회의 실현(小康社會), 현대화(現代化)라는 '3보(三步走)' 발전 전략을 제시하고 있다(李合敏, 2002, p. 50).

공동번영은 일련의 계통적 전략으로 중국공산당 11기 3중전회(十一屆三中全會)에서 처음으로 제기된 이래 중국 국민경제 발전의 부동의 좌표가 되어 왔으나 실질적으로는 동부와 다른 지역 간의 격차 또한 계속해서 확대되어 왔다.

이러한 국가 불균형발전은 전국 경제발전과 공동번영의 실현이라는 목표 달성에 불리한 영향을 줄 뿐만 아니라 일련의 사회문제로까지 확대되었다. 이러한 상황에서 지역 균형발전 정책은 21세기 중국 발전의 필수 전략이 되었다(王家斌·張德四, 2001).

덩샤오핑의 뒤를 이어 중국 국가지도자가 된 장쩌민(江澤民)은 지역 균형발전에 대하여 기본적으로 덩샤오핑의 이론을 승계하면서 중·서부지역의 지역발전에 관한 6개의 기본방침[3]을 밝히고 수행해 나간다(王青云, 2003, p. 441). 중국정부는 개혁개방 이후 급속한 경제성장을 배경으로 국민생활의 전체적 수준에서 샤오캉 상태에 도달하였고 서부 등 내륙지역의 발전을 도모할 충분한 여력이 되었다고 판단하였다.[4] 1998년 사회기반시설 건설을 위한 중앙정부의 재정 지출에서 중·서부지역의 비중이 이미 62%에 다다르고 있다(歐燦, 2000). 덩샤오핑이 예견했던 '일정 시기'에 도달하였다고 판단한 것이다. 서부지역만 하더라도 중국 전체 면적의 2/3, 전체 인구의 1/4을 차지하고 있는 실정으로 서부 현대화가 없으면 중국 전체의 현대화도 있을 수 없는 것이다. 그러나 현재 서부지역은 1인당 국내총생산액이 전국 평균의 60% 수준에 머물고 있는 상태다. 장쩌민은 "지역발전 격차의 해결, 지역의 균형적인 발전이 이후 개혁과 발전의 가장 중요한 임무"라고 지적하면서 1999년 11월 중앙경제업무회의(中央經濟工作會議)에서 서부대개발 전략을 21세기 중국 경제발전의 주제로 선정하

---

3) 첫째, 경제발전을 더욱 가속화해야 한다. 둘째, 에너지, 교통, 원재료, 통신 등 기초산업이 산업발전의 전략적 위치에 놓여야 한다. 셋째, 동부지역에 비해 뒤처지고 있는 과학기술의식, 인재의식(人才意識)의 중요성을 강화해야 한다. 넷째, 농업 개발과 3차산업 발전에 중점을 두어야 한다. 다섯째, 다른 지역과의 조화로운 발전을 도모해야 한다. 여섯째, 내생적인 지역 혁신을 이루어야 한다(人民日報, 1993).
4) 중국은 1980년 개혁개방 이후 20년간 연평균 9.5%의 속도로 성장했다. 오는 2020년까지는 연평균 7.2%의 속도로 성장하는 것이 장기목표이다. 중국에서는 7%를 높은 성장률이라고 말하지 않는다. 요컨대 중국정부가 긴축을 말할 때에도 그것은 최소한 7%의 성장률을 유지한다는 의미로 받아들여야 한다는 것이다. 중국 지도부가 그 밑으로 떨어지는 것을 방관하지는 않는다는 이야기다(서울신문특별취재팀, 2005, pp. 25~26).

였다. 2000년 초에는 전 공산당원과 국민들에게 서부대개발에 대한 총동원령을 선포한다(李合敏, 2002, p. 56). 이후 후진타오(胡錦濤) 정부에 들어와서도 지역 균형발전 사상은 흔들림 없이 꾸준히 집행되고 있으며 원자바오(溫家寶) 총리는 정부업무보고에서 지역 균형발전을 올해 4대 경제발전 정책의 하나로 추진하겠다고 발표했다(經濟時報, 2005).

2) 지역 균형발전 정책의 역사적 진행 과정

신중국 건국 이후 50여 년 동안 중국 지역경제 구조는 중대한 변화와 발전이 있었다. 이러한 변천 과정은 현실적인 중국 지역문제를 연구하는 데 있어 중요한 배경이 된다. 그리고 중국 지역경제 현실을 연구하는 데 있어 피할 수 없는 것이 바로 지역간 발전 격차다. 이것은 중국인들이 경험으로 느끼게 되는 현상일 뿐만 아니라 실질적인 통계를 통해서 실증되는 것이기도 하다(陳秀山·徐瑛, 2005, p. 105).

중국의 지역발전 전략은 기본적으로 국가의 거시경제 발전 전략과 일맥상통하고 있으며, 대체로 '균형발전―불균형발전―균형발전'의 과정을 겪어 나가고 있다고 판단된다. 1949년부터 중국의 지역발전 전략은 모두 세 차례의 대규모적인 전략적 구조조정을 겪었다. 1차 구조조정은 3선건설(三線建設)로 대표되는 균형발전 전략이고, 2차 구조조정은 개혁개방 이후 동부지역 우선 발전 전략으로 대표되는 불균형발전 전략이며, 현재 진행 중인 3차 지역발전 전략이 서부대개발 등 새로운 지역 균형발전 전략이다.

(1) 비정상적 지역 균형발전 전략 시기(1949~1977)
건국 이후 개혁개방 이전까지 중국의 지역개발 전략은 지역경제 균형발전이라는 목표에 따라 전국적으로 실시된 전략이다. 그러나 이 시기의 전략은 삼선건설로 대표되는 전쟁 준비를 위한 비정상적 개발 전략이라 판단해 비정상적 지역 균형발전 전략 시기라고 명명한다.

1960년대 초, 중국은 전쟁에 대비하여 대도시와 연해지역에 집중해 있던 공장들을 이전하고 삼선건설을 가속화해서 전략적 후방을 건립하기로 결정하였다. 건국 이래로 중국의 지역경제 발전은 매우 불균형하게 진행되었기 때문에 대부분의 공업은 동부 연해지대에 집중되어 있었다. 생산력 분포를 지역균형 측면에서 보면 지역경제 구조조정이 필요하다는 사실을 확인할 수 있다. 따라서 이 단계에서 실행해야 하는 것은 지역경제 균형발전 전략이었으며, 이 같은 전략이 집중적으로 구현된 것이 바로 삼선건설인 것이다. 이때 구상된 군사적 지역 구분에 의하면 연해지역이 1선, 중부지역이 2선, 후방지역이 3선이 된다. 국방 정책의 하부 전략으로서의 지역개발 전략은 국방건설을 최고 우선순위로 하고, 삼선건설을 가속화하여 점차적으로 공업 분포를 조정해 나갈 것임을 분명하게 제기하였다. 삼선건설 과정에서 중국정부는 중·서부지역에 대한 투자에 매우 치중하는 경향을 보였다. 삼오(三五)계획에서 전국적으로 새롭게 수립된 대·중형 국가프로젝트 중 서남·서북·중남지역에 대한 항목 수는 60.2% 이상에 달하는 반면, 같은 시기 동부지역에 대한 투자는 억제되었던 것이다. 삼선건설은 대규모적인 특정 지역 집중 개발사업이기도 했는데, 객관적으로 봤을 때 건국 초기 지역경제 분포가 매우 불균형했던 상황을 개선하였고 중·서부지역이 신속히 발전할 수 있는 기초를 다지기도 했다. 공간의 균형적 배치 측면에서 따져 보자면 삼선건설은 긍정적인 의미를 가진다. 1970년 각 성(省)의 1인당 GDP 순위에서 선두로부터 12위까지를 살펴보면 광둥(廣東)이 수위를 차지했고 그다음으로 상하이(上海), 베이징(北京), 장쑤(江蘇), 지린(吉林), 칭하이(清海), 윈난(雲南), 랴오닝(遼寧), 헤이룽장(黑龍江), 산시(山西), 닝샤후이족자치구와 구이저우(貴州) 순이었다. 이에 따르면 3선지역에 속하는 5개 성 중 칭하이와 윈난이 각각 6위와 7위를 차지했는데, 이것은 삼선건설로 인한 대규모 지역경제 구조조정의 결과였던 것이다. 그러나 이후 전략 중점이 바뀌고 삼선건설이 중지됨에 따라 순위에 변화가 생겼고, 1985년에 이르면 3선지역에 해당하는 성 중에서 12위 안에 들어간 성은 단 한 곳도 없었다. 사실상 삼선건설 시기의 특수한 사회적 배경과 특수한 전략목표 때문에 삼선건설은 실효성이 낮을 수밖에 없었다. 삼선건설은 연해지역의 발전을 희생해서 얻은 대가였고 거시적으로 봤을 때 자원의 공간 배치 효율이 저하되어 있었다(陳秀山·徐瑛, 2005, pp. 105~107).

(2) 불균형발전 전략 시기(1978~1990)

개혁개방 이후에는 '2개 대국(兩個大局)'의 지도하에서 동부 연해 우선 발전 전략이 시작되었고 이것이 바로 지역경제 구조조정의 주제가 되었다. 1970년대 말부터 시작해서 중국정부는 연해지역에 4개의 경제특구, 5개의 연해경제개발구를 연이어 설립하고, 14개 연해개방도시를 지정했다. 칠오(七五)계획(1986~1990년)에서는 중국의 국민경제가 실질적으로 동·중·서부의 3대지역으로 나뉘어 분포되어 있으며, 점차 동부지역에서 서부지역으로 그 발전이 추진되는 양상을 띠고 있다고 분석했다. 이러한 동·중·서부지역의 상이한 발전단계를 강조하는 불균형발전 전략을 중국의 현실적인 경제발전 능력을 종합적으로 고려한 최적의 발전 전략이라고 판단했다. 이 발전 전략은 건국 초기와 삼선건설 중에 있었던 균형발전 전략과는 달리, 효율을 우선하고 공평을 함께 고려(效率優先, 兼顧公平)하는 것을 지역경제 발전 전략의 지도사상으로 삼았다. 연해지역의 대외개방을 가속화하여 2억 인구가 살고 있는 지역을 우선적으로 발전시키고 난 후 내륙을 개발한다는 이 전략 구상이 현 단계까지 나타난 결과는 연해 동부지역의 신속한 발전이다. 몇 차례 지역경제 격차가 약간 축소된 적이 있기는 했으나 전체적인 추세로 봤을 때 3대지역간의 지역경제 격차는 여전히 확대되고 있다. 1978년 동부지역의 GDP가 전국 GDP에서 차지하는 비중은 52.61%였고 1990년에는 이 비중이 계속해서 증가하여 54.02%에 달했다. 동부 우선발전 전략으로 말미암아 중국의 경제 중심은 현저하게 동부로 이동했다. 이 전략이 성공적으로 중국의 경제발전을 이끌기는 하였으나 이 과정에서 지역 격차문제와 지역 충돌문제가 날이 갈수록 심각해지기 시작했다. 바로 이러한 상황 속에서 중국의 지역경제 구조조정은 3단계로 진입하게 되었고 서부대개발이 그 서막을 열게 되었던 것이다(陳秀山·徐瑛, 2005, pp. 107~108).

(3) 정상적 지역 균형발전 전략 시기(1991~현재)

1990년대 중국 지역경제구조에서 가장 두드러지는 문제는 바로 연해지역과 내륙지역과의 지역간 불균형발전이다. 이러한 인식하에서 나온 것이 불균형발전 전략에서 무시되어 온 공평, 발전 격차의 확대 등을 해결하기 위한 지역 균형발전 전략이다. 이 시기의 발전 전략이 이전의 지역 균형발전 전략과 구분되는 가장 중요한 차이는 '공동번영'이라는 사회주의 이념과 '정의'라는 일반 윤리이념에 부합되는 발전 전략이라는 것이며, 이로 인해 정상적 지역 균형발전 전략 시기라고 명명한다.

이 시기는 세계화, 정보화, 지방화라는 역사적 변화의 물결이 거세게 밀어 닥치고 있다. 특히 새로운 지식과 기술의 창출 및 확산이 국가 생존을 가늠하는 지식기반 시대의 도래로 경제 활동 패러다임이 근본적으로 변화하면서 모든 지역의 잠재력을 극대화해야만 지속적 국가발전이 가능한 새로운 환경이 조성되고 있다. 이러한 환경 변화에 따라 세계 각국은 지역혁신 조성을 국가발전의 최우선적 대안으로 삼고 이를 위해 치열한 경쟁을 벌이고 있는 실정이며, 중국 또한 지역 균형발전의 새로운 조류에서 예외일 수는 없었다. 이 시기 중국의 전략 핵심은 중·서부지역의 발전을 촉진하여 지역 균형발전을 도모하는 것이며, 세부 발전 목표로는 지역간 균형, 지역 내부 각 부문간의 균형, 지역의 비교우위와 국가경쟁력 강화와의 조화, 선진지역과 후발지역과의 상생, 경제와 사회발전 간의 조화 등이다.

이 시기부터는 국가 재정과 개발 정책이 중·서부지역 특히 서부지역에 집중되기 시작하였으며 자원 개발과 기초 사회기반시설 건설 프로젝트가 중·서부지역에 우선적으로 배정되었고, 산업구조를 조정하기 위하여 자원가공형·노동집약형 공업의 중·서부 이전이 적극적으로 유도되었다. 이 시기에도 동부 연해지역의 경제발전이 역시 중요시되었지만 중·서부지역의 개혁개방이 더욱 큰 정책의 대상이 되었고 아울러 세제, 금융, 외환, 가격, 투자, 현대기업제도 등 6대 경제개혁 조처가 강력하게 집행되어 사회주의 시장경제체제를 더욱 공고히 하였다. 특히 서부대개발 전략을 중국의 미래 발전 전략으로 확정하여 지역 균형발전을 중국 미래 발전의 핵심으로 인식하고 있다(溫軍, 2002, pp. 72~73). 이 시기 중·서부지역은 스스로의 현실 상황에서 출발해서 비교우위를 가지는 산업과 기술이 앞서 있는 기업을 발전시키고, 산업구조가 최적화되도록 촉진하여 내생적 지역경제 발전을 실현해야 하는 과제를 안고 있다.

3. 서부대개발 정책의 진행 과정 및 효과 분석

1) 서부대개발 정책의 주요 목표

원자바오 총리는 동·중·서부지역 간의 다양한 협력, 보완, 상호 촉진을 통하여 공동 발전의 새로운 체계를 형성하는 것이 지역 균형발전 정책의 목표라고 설명하고 있다(陳棟生, 2004, p. 21). 그중 서부대개발은 2000년 3월에 개최된 9기 전인대 3차회의에서 지역간 균형발전과 내수 진작, 그리고 현대화 실현을 위하여 시작되었다. 이러한 배경하에 제기된 서부대개발은 3단계 국가발전 전략과 결합하여 장기적인 발전 전략 프로젝트로 추진되고 있다.

서부대개발은 대내외적으로 상당한 영향을 가져다줄 것으로 예상된다. 우선 대내적으로 동·서부지역 간의 발전 격차를 상당 수준 해소시켜 줄 것으로 보인다. 둘째, 서부지역의 풍부한 석유, 천연가스, 광물자원 및 수자원을 이용한 동·서부지역 간 산업 협력으로 중국 전체에 대한 지역간 연계를 강화할 것이다. 셋째, 도로, 철도, 전력, 통신 등 거대 사회간접자본 투자와 관련한 재정 투입으로 이 지역의 구매력을 증대시켜 내수시장을 상당한 폭으로 확대시킬 것이다. 넷째, 중·서부지역에 대한 사회·경제발전 전략의 수행으로 새로운 고용 창출 및 소득 증가로 지역주민들의 생활 수준을 제고하게 될 것이다. 한편 서부대개발은 해외기업에게도 더 많은 중국 진출 기회를 할 것이다.

이런 서부대개발 정책에 대해 10차 5개년계획 기간에 중국사회과학원이 중간 평가한 서부대개발의 목표 달성 정도는 다음과 같다.

〈표 2-1〉 서부대개발의 3단계 발전 전략

단계	중점 추진 전략
개발 초기단계(2000~2005)	개발 계획 및 정책 수립, 기초 건설
대규모 개발단계(2006~2015)	서부지역 자체 개발 능력 제고
전면적 발전단계(2016~2050)	서부지역의 도시화·국제화 수준 제고

〈표 2─2〉 10·5계획 기간 서부대개발 정책의 목표 달성 정도 평가

7대 주요 과제	평가			
	매우 양호	양호	보통	미흡
1. 기초시설 낙후 상황 개선	O			
(1) 수리시설 건설		O		
(2) 교통시설 건설	O			
(3) 에너지시설 건설	O			
(4) 통신시설 건설	O			
2. 중요 지역 생태환경 건설		O		
(1) 장강 상류 지역과 삼협댐 지역		O		
(2) 황허(黃河) 중·상류 지역		O		
(3) 헤이허(黑河)·타림강(塔里木河) 유역			O	
3. 산업 구조조정			O	
(1) 농업·광업 및 여행업의 경쟁력 제고		O		
(2) 전통공업의 개선				O
(3) 고급 신기술 산업의 시동			O	
(4) 경제성장의 질적·효율 제고			O	
4. 과학기술, 교육 및 공공서비스 개선			O	
(1) 선진 과학기술 응용 보편화		O		
(2) 과학기술 혁신 능력 제고			O	
(3) 인재 양성 및 질적 제고			O	
(4) 9년 의무교육 보급			O	
(5) 도시 주민의 문화·위생 등 공공서비스 개선		O		
(6) 농촌 주민의 문화·위생 등 공공서비스 개선				O
5. 도시화의 진전				
(1) 지역 수위 도시의 기초 도시 기반시설 개선	O			
(2) 중소도시 및 소도읍 건설			O	
(3) 도시 인구 성장			O	
6. 국유기업 개혁과 대외 개방 정도 제고			O	
(1) 국유 대기업의 현대 기업제도 도입			O	
(2) 비공유기업의 산업가치 및 자산 비중 제고			O	
(3) 외자 이용 및 무역 비중 제고				O
7. 주민 소득격차 확대 억제			O	
(1) 농촌 빈곤가구의 기본 복지 문제 해결		O		
(2) 주민 생활 수준의 일반적 복지 수준으로의 제고			O	
(3) 인구 자연증가율 억제			O	
(4) 중부지역과의 주민 소득격차 해소		O		
(5) 동부지역과의 주민 소득격차 해소				O

* 자료 : 中國社會科學院西部發展研究中心課題組(2003).

2) 사회기반시설 조성 사업 분석

서부대개발 정책을 본격적으로 시행한 이후 서부지역에 대한 사회기반시설 및 생태환경 방면에 있어서의 물리적 환경 변화는 괄목할 만하다. 사회기반시설 건설에 있어 수리, 도로, 철도, 공항, 에너지, 통신, 도시 기반시설 등 중요 사업들이 연이어 착공하였고 순조롭게 진행 중이다. 칭하이—시짱 철도(靑藏鐵路), 서부 천연가스의 동부 수송(西氣東輸) 사업, 서부 전력의 동부 송전(西電東送) 사업, 시안—허페이 간 철도(西安—合肥鐵路), 충칭—화이화 간 철도(重慶—怀化鐵路), 서부 국도 주간선 건설, 쓰촨(四川)과 황허(黃河)의 수리 연결망 사업 등이 계획대로 진행 중이다. 2002년 말까지 36개의 대형 사업들이 시공에 들어갔고 총 투자 규모는 6천억 위안(元)이다. 이에는 대형 댐 30개, 신설 도로 개통 5만5천 킬로미터, 신설·복선화·전철화 철로 4천 킬로미터, 신설 또는 확장 공항 31개, 서전동송 사업을 통한 송전 용량 2천만 킬로와트 등이 포함된다. 2003년 이후 현재 진행 중인 사업은 50여 개로 투자 규모는 7천억 위안을 초과한다. 이들 사업 중에는 수리, 철도, 도로, 상하수도, 수력발전, 에너지, 도시 기반시설 등과 사회개발에 관한 주요 사업들을 담고 있다. 이 외에도 현급간(縣際) 연결 도로, 경지의 삼림으로의 환원(退耕還林), 목초지의 초원으로의 환원(退牧還草), 농촌 상수도, 농촌 전력 및 가스 공급, 생태이민(生態移民)에 대한 지원 등 농촌 기반시설과 생태환경에 대한 건설사업들이 포함되어 있다. 그중 농촌 전력 사업(送電到鄕)은 2002년 정식으로 시작된 이래 현재까지 6백여 개의 태양열발전소와 태양열·풍력 복합발전 시설 및 1백여 개의 소규모 수력발전 시설을 건설하였다. 이런 사업들을 통하여 현재 중국에서 전력이 공급되지 않는 향(鄕)급 지역은 존재하지 않게 되었다.

생태환경 건설 분야에서는 경지의 산림으로의 환원, 자연림 보호, 사막화

방지 및 복구(防沙治沙) 사업 등이 순조롭게 진행 중이다. 중국의 중·서부지역 중요 생태 건설사업으로 지정되어 있는 산림환원 사업은 중·서부지역을 위주로 하는 25개 성, 1천여 개 현에 걸친 대규모 지역을 대상으로 하고 있으며 1,330만 농업생산 단위, 5천3백만 농민과 영향을 맺고 있는 대규모 사업이다. 2002년 산림환원 사업이 전면적으로 시행되었으며 목표 면적은 3,970만 무(畝)[5]에 이르고, 황무지에 대한 조림 사업의 목표 면적은 4,613만 무에 달한다. 그중에는 환베이징ー톈진 황사 발원지 복구 사업(環京津風沙源治理)에 포함되어 있는 산림환원 4백만 무, 조림 사업 4백만 무도 들어 있다.

현재 중·서부지역에 대한 식량, 종묘(種苗), 현금 보조가 2백억 위안을 넘어서고 있고 2003년 다시 목초지의 자연 초원으로의 환원 사업이 5년을 사업 기간으로 하여 시작하였다. 이 사업은 네이멍구(內蒙古), 간쑤(甘肅), 닝샤후이족자치구의 사막화된 초원과 진행 중인 초원, 시짱(新疆)과 티베트(青藏)고원의 초원지대를 집중 사업 지역으로 삼고 있으며 우선적으로 10억 무의 지역을 대상으로 하고 있다. 이 목표 지역은 서부지역에서 초원으로의 기능을 심각하게 상실하고 있는 지역의 40%에 해당한다(國務院西部地區開發領導小組辦公室, http://www.chinawest.gov.cn).

앞서 본 것처럼 사회기반시설과 생태환경에 대한 투자가 순조롭게 진행되고 있으며 이러한 조처들이 서부지역에 대한 투자유치와 생산 및 생활 수준 향상에 유리하게 작용할 것은 틀림없다. 그러나 서부지역의 개혁개방 속도가 동부지역에 비해 여전히 느리기 때문에 투자유치를 위한 소프트웨어적 환경의 미비가 중대한 걸림돌로 남아 있다. 현재 수준을 감안할 때 서부는 동부에 비해서 개혁개방 수준이 10~15년 뒤쳐져 있는 것으로 판단된다(國家統計局課題組, 2004).

---

5) 1 무(畝)는 666.7제곱미터임.

3) 투자확대와 투·융자기제 분석

　서부대개발 정책을 시행한 이래 중앙정부의 서부지역에 대한 재정 투입은
계속 증가하고 있다. 중앙정부에 의해 서부지역에 투자된 일반예산성 건설자
금은 2천7백억 위안을 넘어서고 있으며 그중에서 사회기반시설에 대한 투자가
약 2천억 위안, 생태환경 건설사업에 5백억 위안, 사회사업에 대한 투자가 2백
억 위안 포함되어 있다. 일반예산 외에 중국의 장기건설국채 자금의 1/3 이상
이 서부대개발에 투자되고 있으며 현재까지 1천6백억 위안이 넘는 자금이 들
어가 있다. 이와 더불어 중앙정부가 서부지역 지방정부에 주는 재정교부금이 3
천억 위안을 넘고 있고 금융기관을 통해 대출해 준 자금이 6천억 위안을 초과
하고 있다. 이런 국가재정에서의 투자와 국채 발행을 통한 지원을 통하여 서부
지역의 사회고정자산에 대한 투자가 급속히 증가하고 있다. 1999년 이래 서부
지역은 사회고정자산 투자 증가 속도에 있어 전국 평균 수준을 넘어서고 있으
며 동부지역도 초과하고 있다. 2000~2002년 서부지역의 사회고정자산 투자
연평균 성장률은 16.8%로 전국 평균인 13.11%와 동부의 12.47%, 중부의
15.93%보다도 높게 나타나고 있다. 사회고정자산에 대한 투자가 이렇게 고속
성장하는 것은 서부지역에 수요를 창출하고 장래 지역경제가 발전하는 데 양호
한 토대가 될 것이다.

　투자 재원을 살펴보면 서부대개발 정책을 실시한 이후 개발 재원으로 국가
재정 비율이 계속 증가하고 있으며, 1인당 재정투자액도 서부지역이 급속히 증
가하고 있다. 2001년부터 서부지역의 1인당 국가예산 내 재정투자액이 동부지
역을 추월하기 시작하였는데, 이러한 사실은 인구분포와 연계하여 분석하면 현
재 중국 국가재정 투자의 중심이 서부지역으로 이동하였음을 알 수 있다. 2002
년 서부지역의 1인당 국가예산 기본건설 투자액은 148.6위안으로 동부에 비해

〈표 2-3〉 각 지역별 사회고정자산 투자성장률(億元, %)

연도	동부		중부		서부		전국	
	투자액	성장률	투자액	성장률	투자액	성장률	투자액	성장률
1998	16,369.71	–	6,023.32	–	5,046.8	–	28,406	–
1999	17,330.27	5.87	6,217.05	3.22	5,421.3	7.42	29,855	5.10
2000	18,752.47	8.21	7,033.54	13.13	6,110.72	12.72	32,918	10.26
2001	20,874.15	11.31	8,058.98	14.58	7,158.76	17.15	37,213	13.05
2002	24,655.58	18.12	9,686.95	20.20	8,639.06	20.68	43,202	16.09
2000~2002	–	12.47	–	15.93	–	16.80	–	13.11

* 자료: 『中國統計年鑒』(1999~2003)

21.4%, 중부에 비해서는 31.6% 높게 투자되고 있다. 그러나 민간 및 해외자본의 투자는 여전히 낮은 수준에 머무르고 있다.

현재까지의 상황으로 보았을 때, 서부지역에 대한 투·융자 재원은 정부재정과 은행대출이라는 매우 단순한 구조로 되어 있다. 이러한 상황은 전국 주요 임업 사업 중에서 서부지역과 가장 밀접한 관련이 있는 천연림 보호 사업에서 국가예산이 96%, 산림·초원 복원 사업에서는 94.7%로 절대적인 비중을 차지하고 있는 현황에서도 알 수 있다.

〈표 2-4〉 지역별 국가예산 내 기본 건설 투자액

연도	국가예산 (億元)	지역별 비중(%)			1인당 예산액(元)		
		동부	중부	서부	동부	중부	서부
1998	574.51	43.7	30.9	20.6	49.8	40.6	42.0
1999	1,021.32	36.7	24.4	19.3	73.9	56.7	69.3
2000	1,478.88	36.5	27.5	19.4	105.6	91.9	99.8
2001	1,594.07	31.5	26.5	21.4	93.7	96.1	118.8
2002	2,052.31	31.4	24.7	21.2	122.4	112.9	148.6

* 자료: 『中國統計年鑒』(1999~2003)

4) 경제성장과 소득격차 분석

　서부지역에 대한 투자가 꾸준히 증가하고 있으나 투자의 대부분이 사회기반시설과 생태환경 건설사업에 집중되고 있기 때문에 지역간 불균형 성장 추세를 멈추게 하고 있지는 못하다. 이와 더불어 서부지역의 투입 대비 산출효과가 아직 이렇다 할 만한 수준에 이르지 못하고 있는 것도 한 원인이 되고 있다. 2000~2002년 서부지역 연평균 GDP 성장률은 8.73%로 전국 평균인 9.69%에 미치지 못하고 있으며 동부지역의 10.29%는 물론이고 중부지역의 9.02% 수준에도 도달하지 못하고 있는 실정이다.

　그러나 동태적인 각도에서 보면 서부대개발 실시 이후 서부지역 경제성장에 유리한 신호들이 나타나고 있다. 첫째, 서부지역 경제성장 속도가 매년 가속화되고 있다. 1999~2002년의 통계를 보면 서부지역 GDP 성장 속도가 4년 연속 증가하고 있다. 둘째, 서부지역과 다른 지역 간의 성장 속도 격차가 꾸준히 줄어들고 있다. 1999년 서부지역과 동부지역 간의 GDP 성장 속도 격차는 2.49%포인트였으며 전국 평균과는 1.54%포인트의 격차를 나타내고 있었다. 그러나 이러한 추세가 2002년에 가서는 각각 1.65%, 1.02%포인트로 격차가 줄어들었다. 이러한 수치는 현재 중국의 지역간 경제성장이 여전히 불균형적이

〈표 2-5〉 지역별 GDP 성장률 및 비중

연도	GDP 성장률(%)				지역별 GDP 비중(%)		
	전국	동부	중부	서부	동부	중부	서부
1999	8.79	9.74	7.83	7.25	56.7	25.8	17.4
2000	9.63	10.37	8.78	8.47	57.3	25.6	17.0
2001	9.45	9.87	8.99	8.74	57.5	25.4	17.0
2002	9.99	10.62	9.29	8.97	57.8	25.3	16.9

* 자료: 『中國統計年鑒』(2000~2003)

지만 앞으로 이러한 불균형이 점차 해소되는 방향으로 나아갈 수 있을 것이라는 예측을 하게 한다.

서부지역에 대한 투자가 고속 성장하고 있음에도 이 지역 경제성장에 이렇다 할 영향을 미치지 못하는 원인으로 다음 3가지를 꼽을 수 있다. 첫째, 중앙정부와 지방정부 공히 서부대개발의 중심을 사회기반시설과 생태환경 건설사업에 두고 있기 때문에 지역 특색의 산업, 특히 제조업의 발전이 아직 정상 궤도에 이르지 못하고 있다. 장기적 관점에서 볼 때, 서부지역의 안정적 성장을 보장하는 산업은 역시 제조업이 담당할 수밖에 없다. 둘째, 현재 진행 중인 대형 사업들과 서부지역의 지역산업과의 연계가 미흡하다. 그러므로 이 지역에 대한 유발효과와 파급효과가 기대 수준을 따라가지 못하고 있다. 셋째, 투자 환경 특히 기업 조세부담과 임금 효율이 동부지역에 비해 크게 매력을 끌지 못하고 있다. 투자이익 회수율과 노동생산성이 동부지역에 비해 떨어지기 때문에 시장에서의 경쟁력이 약해지고 있으며 최근 들어서는 일부 제조업 성장이 둔화되거나 축소되는 현상까지 나타나고 있다.

지역경제의 불균형 성장구조는 중국경제의 총량 자체를 동부지역으로 집중하게 하고 있으며, 전국 경제 규모에서 차지하는 중·서부지역의 비중을 계속 하락하게 하고 있다. 서부지역이 GDP에서 차지하는 비중은 1995년 18.1%에서 1999년 17.4%, 2002년 다시 16.9%로 계속 떨어지고 있다. 그러나 하락폭의 완화라는 측면에서는 그나마 희망이 보인다. 예를 들어 9차 5개년계획(1996~2000년) 기간 중에는 서부지역의 GDP 비중 평균 하락률이 0.22%포인트였던 것에 비해 10차 5개년계획(2001~2005년) 기간 중에는 평균 0.05%포인트로 그 하락률이 완화되고 있음을 볼 수 있다.

이 밖에 현재 중국의 지역간 불균형발전은 지역간 경제발전 격차를 계속해서 확대시키고 있다. 2002년, 서부지역과 동부지역 간의 1인당 GDP 상대격차는 61.5%이고 중부지역과의 상대적 격차는 21.5% 수준에 머무르고 있다. 1999년에 비해 각각 1.6%, 1.1% 포인트 늘어난 수치이다.

지역간 상대적 격차의 변화 추세를 살펴보면 9차 5개년계획 기간 동안 서부지역과 동부지역 간의 1인당 GDP의 상대적 격차가 매년 평균 0.65%포인트씩, 서부지역과 전국 평균과의 상대적 격차는 0.68%포인트씩 증가하였던 것에 비해 10차 5개년계획 기간에 들어서서는 그 비율이 각각 0.53%, 0.60%포인트로 상대적 격차의 증가율이 완화되고 있음을 알 수 있다. 이러한 경향을 놓고 볼 때 비록 지역간 GDP 격차가 계속 확대되고는 있으나 서부대개발 등 지역개발 정책의 시행으로 지역간 GDP 격차가 확대되는 속도는 점차 완화되어 가고 있음을 확인할 수 있다.

5) 산업구조 조정 및 지역산업 발전 분석

서부대개발 정책 시행 이후 서부지역의 산업구조 조정이 활발하게 진행되

〈표 2-6〉 지역별 1인당 GDP 및 상대격차

연도	1인당 GDP(元)				1인당 GDP 상대격차(%)[6]			상대 수준[7]
	전국	동부	중부	서부	서부/전국	서부/동부	서부/중부	
1998	6,691.5	10,022.6	5,200.3	4,122.5	38.4	58.9	20.7	61.6
1999	7,048.3	10,693.4	5,380.8	4,283.3	39.2	59.9	20.4	60.8
2000	7,701.1	11,334.5	5,932.4	4,687.3	39.1	58.6	21.6	60.9
2001	8,421.2	12,811.1	6,395.2	5,006.8	40.5	60.9	21.7	59.5
2002	9,250.7	14,170.7	6,954.8	5,462.0	41.0	61.5	21.5	59.0

* 자료 : 『中國統計年鑒』(1999~2003)

6) 예를 들어 서부/전국의 상대격차는 (전국-서부)/전국의 계산으로 구한다.
7) 상대 수준은 전국 1인당 GDP 수준을 100으로 했을 때 서부지역의 1인당 GDP 수준이다.

고 있다. 1999년 서부지역의 산업별 구성 비율은 23.8 : 41.0 : 35.2였는데 2002
년에 와서 그 비율이 20.0 : 41.5 : 38.5로 조정되었다. 이 기간 중 1차산업은
3.8%포인트 비중 하락을 보인 반면 2차산업과 3차산업은 각각 0.5%, 3.3%포
인트 구성 비율이 증가하였다.

지역개발 사업 중에서 대규모 사회기반시설 조성 사업이 서부지역에서 3차
산업의 발전에 중요한 기여를 하고 있는 것으로 보인다. 그중에서도 교통운수
업, 여행업 등의 업종이 빠른 속도로 성장하고 있는 것으로 나타나고 있다. 현
재 서부지역에서 3차산업의 성장 속도는 중부지역의 3차산업 성장 속도를 초
과하여 동부지역의 발전 속도와 비슷해지고 있다. 이 외에 서부지역에서는 1차
산업 중 농업 부문, 특히 특수농업의 발전이 주목되고 있다. 2002년 서부지역의
농업성장률은 3.8%로 동부지역의 3.1%를 초과하고 있다.

서부지역의 공업구조는 총량 규모가 작고 발전 수준이 낙후되어 있으며 공
업화 진행 과정이 느린 특징을 지니고 있다. 2002년 서부지역 공업 부문에서 발
생한 부가가치가 GDP에서 차지하는 비중은 32.1%로 동부지역의 43.1%와 중
부지역의 39.6%에 비해 저조한 실정이다. 서부대개발 실시 이후 서부지역에서
공업의 빠른 성장이 이루어지고 있기는 하지만, 상대적 측면에서 보면 그 성장
속도가 동부와 중부지역에 미치지 못하고 있다. 2000~2002년 서부지역 연평

〈표 2-7〉 지역별 산업구조(%)

지역	1999년			2002년		
	1차산업	2차산업	3차산업	1차산업	2차산업	3차산업
동부	12.6	48.7	38.7	10.2	48.9	40.9
중부	20.8	45.4	33.8	17.7	46.7	35.7
서부	23.8	41.0	35.2	20.0	41.5	38.5

* 자료 : 『中國統計年鑒』(2000, 2003)

균 공업 부문 성장률은 8.1%로 매우 높기는 하지만 동부지역의 11.5%, 중부지역의 9.5%에는 역시 미치지 못하고 있다. 공업 부문의 성장에서 서부지역이 다른 지역에 비해 저조하기 때문에 서부지역 공업 부문이 중국 전체 공업 부문 생산액에서 차지하는 비중 역시 계속 하락하고 있다. 1998~2002년 사이 서부지역 공업생산액이 전국에서 차지하는 비중은 14.7%에서 13.4%로 떨어졌다. 같은 기간 동부지역은 59.1%에서 61.8%로 증가하였다.

이러한 사실은 서부대개발 수행 이후에도 공업 생산의 중심이 계속 동부지역으로 집중하고 있음을 보여준다. 공업 중에서 석탄, 석유, 천연가스, 전력 등 에너지공업은 꾸준히 서부지역으로 이동하고 있으나 제조업은 계속 동부지역으로 집중하고 있다. 서부지역의 제조업은 경쟁력이 부족하고 성장 속도가 상대적으로 떨어지기 때문에 전국에서 차지하는 비중 또한 계속해서 하락하고 있다. 서부지역이 전국 제조업 생산액에서 차지하는 비중은 1998년 12.26%에서 2000년 10.81%, 2002년 10.08%로 계속 낮아지고 있다.

현재 서부지역에서 기업 성장이 기대에 못 미치는 이유로 3가지를 꼽을 수 있다. 첫째, 시장 형성이 불완전하고 비국유 경제 부문의 발전이 느리다는 사실이다. 더불어 기술, 정보, 컨설팅, 교육 등 지원 부문이 성장하지 못했고 기업 설립의 편리성 등 투자유치 환경이 충분한 유인동기를 마련해 주지 못하기 때

〈표 2-8〉 지역별 공업 생산액 비중(%)

연도	동부	중부	서부
1998	59.1	26.2	14.7
1999	60.1	25.5	14.4
2000	61.1	25.0	13.9
2001	61.4	25.0	13.6
2002	61.8	24.8	13.4

* 자료: 『中國統計年鑒』(1999~2003)

〈표 2—9〉 지역별 제조업 생산 비중(%)

연도	동부	중부	서부
1998	66.00	21.74	12.26
2000	71.67	17.52	10.81
2002	73.46	16.46	10.08

* 자료: 『中國統計年鑒』(1999, 2001, 2003)

문에 민간기업의 발전이 더디게 나타나고 있다. 둘째, 생산구조의 경직성 문제이다. 날로 치열해지는 경쟁시대에 기업이 생존하기 위해서는 유연한 생산구조를 유지해야 하지만, 사회서비스 시스템이나 산업간·산업 내 협력체제가 갖추어지지 못하기 때문에 환경 변화에 즉시적으로 대응하기 어렵게 하고 투자위험을 증가시키고 있다. 셋째, 정부의 기업 지원체제가 불완전하다. 특히 기업담보기금, 모험투자기금 등 공공서비스가 확립되어 있지 않고 공공 부문의 효율성도 떨어지기 때문에 기업이 융자 부분에서 어려움을 겪고 있으며 생산비용도 높아 경쟁력 확보에 어려움이 있다.

6) 무역 및 외자 유치 분석

서부대개발 시행 이후 서부지역의 대외개방 정도가 크게 높아졌지만 여전히 동부지역에 비해서는 큰 차이를 보이고 있다. 2002년 서부지역 무역기여도와 외자기여도는 각각 8.51%와 0.83%로 동부지역은 물론이고 전국 평균보다도 상당히 낮은 수준이다. 이와 더불어 최근 들어 서부지역이 전국에서 차지하는 수출액 비중이 계속 하락하고 있는 추세를 보이고 있다. 1998~2002년 기간 동안 서부지역의 전국 대비 총 수출액 비중은 4.44%에서 3.80%로 하락한 반면 동부지역은 90.53%에서 91.75%로 꾸준히 증가하고 있다. 전국에서 차지하는 서부지역의 수출 비중 하락은 서부지역의 대외수출 능력의 상대적 하락을 의미하며 이는 국제경쟁력이 다른 지역에 비해 상대적으로 뒤처지고 있고 지역경제 발전에서 차지하는 수출 기능이 다른 지역에 비해 떨어지고 있는 것을 설명하고 있다. 그러나 이와는 반대로 동부지역에 있어서는 대외무역 중 수출 부문의 증가가 고속 경제성장에 중요한 역할을 하고 있다.

외자 도입에 있어서 서부대개발 정책 시행 이후 최근 서부지역에 대한 해외 투자가 빠르게 성장하고 있는 것은 사실이지만 총량 규모에 있어서 여전히 적고 전국에서 차지하는 비중 또한 약간씩 감소하고 있는 것으로 분석된다. 1983 ~1999년 기간 동안 서부지역의 실질 해외 직접투자와 기타투자액은 162.7억 달러로 전국 총액의 5.32%를 차지했지만 2000~2002년 서부지역 실질 외자 직접투자액 전국 대비 비중은 4.55%에서 3.80%로 하락하였다. WTO 가입 이후 해외자본의 중국투자가 연해지역, 특히 창장삼각주(長江三角洲)에 집중되는 것으로 보인다.

해외투자의 지역간 불균형은 각 지역의 자본 형성, 공업화와 대외 지향성 경제발전에 중요한 영향을 미친다. 자본 형성을 보면 2002년 전국 고정자산 투자액 비중에서 실질 해외 직접투자액이 미치는 비중이 16.3%에 해당하고 있으나 중부와 서부지역은 각각 4.3%와 2.0%에 머무르고 있다. 공업 발전에 있어

〈표 2-10〉 지역별 수출액 비중(%)

연도	동부	중부	서부
1998	90.53	5.04	4.44
1999	91.26	4.78	3.96
2000	91.04	4.98	3.98
2001	91.67	4.93	3.40
2002	91.75	4.45	3.80

* 자료: 『中國統計年鑑』(1999~2003)

〈표 2-11〉 서부지역 실질 해외 직접투자액

연도	전국	서부	
	금액(억 달러)	금액(억 달러)	비중(%)
2000	407.15	18.52	4.55
2001	468.78	19.22	4.10
2002	527.43	20.05	3.80

* 자료: 『中國統計年鑒』(2001~2003)

서는 2002년 해외투자기업이 전국에서 차지하는 공업생산액 비중이 동부지역은 33.9%에 달하고 있으나 중부와 서부지역은 겨우 9.0%와 6.7%에 미치고 있다. 대외 지향성 경제발전에서는 2002년 해외투자기업이 지역별 총 수출액에서 차지하는 비중이 동부지역의 경우 53.6%인 반면 중·서부지역은 16.1%와 10%로 나타나고 있다.

최근 동부지역이 지역 공업화에 해외투자를 적극적으로 활용하고 있는 것에 비해 중·서부지역은 이러한 기능이 상대적으로 미흡하다.

서부대개발 정책 시행 이후 서부지역에 대한 국가재정 투입이 계속해서 증가하고 있지만 해외투자는 이러한 추세와는 별개로 움직이고 있다. 이러한 현상에 대해서 3가지 원인으로 설명할 수 있겠다. 첫째, 중국의 WTO 가입 이후

〈표 2-12〉 해외투자기업의 지역별 수출입 기여 비중(%)

지역	2000			2001			2002		
	무역	수출	수입	무역	수출	수입	무역	수출	수입
전국	48.4	45.4	51.8	49.9	47.9	52.1	50.8	50.1	51.7
동부	51.4	48.7	54.6	53.0	51.4	54.8	54.0	53.6	54.4
중부	22.2	15.4	30.6	19.9	15.7	25.3	21.1	16.1	27.2
서부	12.0	9.1	14.9	12.9	10.0	16.3	12.3	10.0	14.7

* 자료: 『中國統計年鑒』(2001~2003)

세계화를 추구하는 기업들이 기업 자체의 국제화 체제와 본부와의 연결을 용이하게 할 수 있고 원료, 설비, 상품의 수출입이 유리한 연해지역에 집중하는 경향이 있기 때문이다. 둘째, 교통 설비, 정부 효율, 투자 환경, 시장 분위기, 산업 연관구조 등에서 중·서부지역이 동부 연해지역에 비해 관심을 끌 만한 조건이 형성되어 있지 않기 때문이다. 셋째, 해외자본이 투자를 결정하기 위해 해당 지역에 대한 선행조사와 사업 타당성 조사를 하게 되는데 현재 중·서부지역에 대한 조사는 아직 결정적인 신호들을 제시하지 못하고 있는 것으로 보인다.

4. 서부대개발 정책의 현행 문제점과 향후 전망

1) 서부대개발 정책의 현행 문제점

지역개발 정책의 실시 이후 중국정부의 적극적인 지원에 힘입어 중·서부지역은 계획대로 순조롭게 정책들을 수행해 나가고 있으며 이 지역에 대한 투자환경도 서서히 개선되고 있다. 특히 사회기반시설과 생태환경 건설사업이 가시적인 성과를 보이고 있고 이를 토대로 경제성장 속도도 점진적으로 빨라지고 있다. 그러나 여러 원인들로 인하여 지역개발 정책도 여러 난관에 부딪치고 있는 중이다. 현재 서부대개발 정책을 진행하면서 나타나고 있는 문제는 다음과 같다.

첫째, 국가재정의 투입이 꾸준히 증가하고 있음에도 불구하고 민간투자와 해외투자는 아직 이러한 속도를 따라가지 못하고 있다. 현재 많은 투자기관들이 투자를 저울질하고 있는 것으로 보이며 점차 이러한 문제는 해결될 것으로 판단된다.

둘째, 현재 정부 중심의 투자가 사회기반시설과 생태환경 건설에 집중됨으로써 지역 특색의 산업구조가 형성되지 못하고 있고 이에 따라 지역 공업화도 예상보다 늦어지고 있으며 지역 경쟁력과 시장에서의 점유율도 하락하는 추세를 보이고 있다. 이런 추세는 지역경제의 장기적 발전에도 먹구름이 끼게 하고 있다.

셋째, WTO 체제하의 세계화 추세 속에서 볼 때 중·서부지역의 경제·사회 환경이 동부지역에 비해 큰 차이를 나타내고 있다. 이러한 환경 결핍은 지역경제 발전에 매우 불리한 환경으로서 해외투자와 전국에서 이 지역들이 차지하는 수출 비중이 계속해서 하락하게 만들고 있다.

넷째, 정부의 투자가 대형 사업에 집중되어 있기 때문에 규모가 작은 지역 기업들이 참여하기가 어려운 상황이고 이에 따라 지역경제와의 연결성이 높지 않다. 일부 사업에서는 구매나 입찰에서 지역 외부, 즉 주로 동부지역의 기업들만이 참여할 수 있기 때문에 해당 지역에 대한 경제 파급효과와 지역에 대한 기여도가 예상한 정도에 훨씬 못 미치고 있다.

다섯째, 동·중·서부지역 간의 지역불균형 격차가 더욱 심각해지고 있다. 경제성장의 관성, 경제 운행 기제와 사회기반시설 격차 등으로 동부지역은 자본과 노동 부문에서의 비교우위가 절대적으로 강하므로 앞으로도 계속 국내외 자금, 인재, 기술 등 생산요소의 유치에 유리한 위치에 있을 것이다. 그러므로 동·서부간 경제발전의 절대적 격차는 앞으로 일정 기간 내에는 계속해서 유지될 것이다(李靑, 2003, p. 421).

2) 서부대개발 정책의 향후 전망

2006년부터 시작되는 11차 5개년계획 기간에서는 이전의 경험을 교훈삼아 다음과 같은 방향으로 지역개발 정책을 수행해 나갈 것으로 보인다.

첫째, 정부의 지역개발 정책 목표에 대한 모니터링을 더욱 유연하게 함으로써 조정기능을 강화해 나갈 것으로 보인다. 중국정부의 지역개발 목표도 지역주민의 실질적 혜택의 확대 쪽으로 조정됨으로써 지역주민의 소득 증대나 공공서비스 수준의 제고를 중요한 목표로 하고 있다. 국가재정의 투입에 있어서도 대형 프로젝트의 수행은 계획대로 진행되겠지만 이와 더불어 지역주민의 소득 확대, 특히 농촌 기초생활시설, 기초교육 환경과 의료복지 등의 확대를 통한 지역주민에 대한 공공지출을 계속 확대할 것이다.

둘째, 국제협력을 계속 강조하고 투자 환경의 개선에 역점을 둘 것이다. 진행하고 있는 사회기반시설의 확충이라는 기초 위에서 대외개방을 더욱 확대하고 민간 및 해외자본이 더욱 쉽게 들어올 수 있도록 홍보 및 지원, 우대 정책 등 투자 환경을 대폭적으로 개선한다. 윈난, 광시(廣西), 네이멍구 등 조건이 갖추어진 지역에 대해서는 국경자유무역지대로 지정하고 기존의 국경경제합작지구는 국경수출가공지구로 더욱 유연한 환경을 조성해 줌으로써 국경지역 주민 소득 증대를 도모한다.

셋째, 지역투자 유인 정책을 수행함으로서 국가재정을 통한 적극적 유인기능을 활성화하고 조세 감면, 대출 우대, 투자 보조 등의 정책으로 국내외 민간자본의 중·서부지역에 대한 투자를 적극적으로 유치한다.

넷째, 지역에 대한 공업화를 지원함으로써 산업구조의 개선을 도모하여 지역 경쟁력을 확보할 수 있게 한다. 중국정부는 공업화를 추진함으로서 농업 산업화와 도시화를 달성할 수 있을 것으로 보고 있다. 이 과정에서 주요 재원은 국내외 민간자본이 될 것이며 정부는 외부 환경의 확충을 담당할 것이다. 지역 공업화 과정은 산업 클러스터화, 지방산업의 상호보완성, 중소기업의 육성과 비공유 경제가 중요 위치를 차지하는 과정으로 진행될 것이다.

다섯째, 중앙정부의 재정 투입을 확대하는 기본선에서 생태환경 건설에 소요되는 보상체계를 더욱 공고화할 것이다. 생태건설 복권의 발행 확대 등 재정투·융자 방법을 다원화하면서 지속가능한 생태환경의 건설을 지속적으로 추진할 것이다.

여섯째, 재정교부·재정전이 제도를 확대하여 중앙과 지방정부 간의 재정지원을 확대할 것이다. 이런 과정을 통하여 특히 지방교육에 대한 중앙의 재정지원을 확대하고 중·서부지역의 기초교육시설을 확충하여 지역간 격차의 해소에 나설 것이다.

5. 결론

지역 균형발전 전략의 핵심은 통합적 균형의 실현과 지역의 잠재력과 비교우위를 극대화하는 역동적 균형을 병행 추진해 나가는 일이다. 내생형 지역혁신을 위해서는 지방정부의 자율권을 신장하고 지방사회의 혁신 능력을 제고하여 모든 지방의 발전을 촉발하는 역동적 균형이 필요하다. 이러한 역동적 균형은 '기회의 균형'에 기초한 것이지 '결과의 균형'을 의미하는 것은 아니다. 결과를 동일하게 만드는 기계적 균형에 머물 경우 진정한 지역혁신이 이루어질 수 없기 때문이다.

그러나 역동적 발전 과정에는 불가피하게 지역 격차가 확대될 수밖에 없다. 따라서 각 지역이 이러한 격차를 스스로 인정할 수 있도록 하기 위해서는 초기 조건의 균형이 필요하다. 즉, 출발 조건이 열악한 낙후지역에 대해서는 정부투자 확대 등 통합적 균형을 통한 기회균등이 어느 정도 보장되어야 하는 것이다. 따라서 지역 균형발전 전략은 기본을 보장하면서도 차이를 인정하는 '통합적 균형과 역동적 균형의 병행 전략'이라고 말할 수 있다.

이러한 중국의 지역 균형발전 정책은 우리와도 직접적인 관련을 맺고 있다. 서부대개발 사업만 하더라도 향후 50년을 내다보는 총 투자 규모 5백억 달러가 넘는 다목적 장기 사업이다. 많은 한국기업들이 중국측으로부터 다양한 통로를 통해 서부 진출을 권유받고 있지만 여러 가지 이유로 서부 진출 권유에 곤혹스러워하고 있는 실정이다. 예를 들어 우리 기업들은 중국의 저임노동력을 활용한 제3국시장 확보에만 주력한 결과 변화된 중국시장에 능동적으로 대응하지 못했다. 이 밖에도 투자의 절대량이 동부지역에 편중된 것을 들 수 있다. 이러한 투자구조는 확대되고 있는 중국의 넓은 내수시장 진출에 제한을 받고 있을 뿐 아니라 동부지역의 임금 상승으로 저임의 이점을 상실하고 있어 기업이윤을 제고시키는 데 한계로 작용하고 있다. 따라서 새로운 진출 대상지로 나타나고 있는 서부지역의 진출은 기존 진출의 문제점을 면밀히 분석한 후 동일한 문제가 재발하지 않도록 서부지역의 특성과 시장 환경에 맞는 전략을 추진해야 할 것이다(이재유·허흥호, 2003, pp. 67~69). 그리고 서부대개발, 올림픽 관련 건설사업으로 이어지는 대규모 사회간접자본 투자와 병행하여 진출 타당성을 검토해야 할 것이다(박승록, 2002, pp. 21~22).

이와 관련하여 한국의 입장에서는 과연 기회가 어디에 언제 어떤 경로로 존재하는지 적극적으로 사고하고 대처해야 한다(玄東日, 2003, pp. 22~23)는 입장과 서부대개발에 대한 한국의 적극적인 참여 유도는 한국 카드를 활용한 다른 투자국의 자본을 유치하려는 목적이 크다(박상수, 2003, pp. 476~477)는 신중론 등이 중국의 지역 균형발전 정책에 우리가 어떻게 대처해야 하는지 검토하는 데 출발점이 되고 있다.

〈참고문헌〉

박동, "지역혁신체계의 개념과 사례분석", 『세계의 지역혁신체계』, 한울아카데미, 2004.

박상수, "중국의 지역별 경제구조와 서부대개발에 대한 연구", 『현대중국의 이해 2』, 한울아카데미, 2003.

박승록, 『중국의 10차 5개년 산업 부문 경제계획과 한국경제』, 한국경제연구원, 2002.

서울신문특별취재팀, 『중국의 미래를 읽는다』, 일빛, 2005.

이재유, 허홍호, 『중국의 서부대개발과 한국기업의 진출 전략』, 국제무역경영연구원, 2003.

李靑, "개혁개방 이래 중국 지역경제발전의 배경과 구조의 변천", 『현대중국의 이해 2』, 한울아카데미, 2003.

오용석, 『현대 중국의 대외경제정책』, 나남출판, 2004.

王靑云, "중국의 서부대개발 전략 개황", 『현대중국의 이해 2』, 한울아카데미, 2003.

陳秀山·徐瑛, "중국 지역경제구조 변천의 역사와 현황", 『현대중국』, 이채, 2005.

玄東日, "WTO 가입 후 중한 경제협력 현황과 향후 추진방향", 『한중사회과학연구』 1(1), 2003.

陳棟生, "東中西協力聯動推進西部大開發", 「深圳大學學報」 4, 2004.

戴輝·李莉·万威武, "振興東北老工業基地的一種創新思考—以産業群戰略整合區域經濟發展政策的啓示", 「當代經濟研究」 4, 2004.

鄧水蘭, "制度和政策創新是實現共同富裕的根本途徑", 「求實」 3, 2002.

鄧小平, 『鄧小平文選 第3卷』, 人民出版社, 1993.

戈銀慶, "中國區域經濟問題研究綜述", 「甘肅社會科學」 1, 2004.

國家統計局, 『中國統計年鑑』, 統計出版社, 1999~2003.

國家統計局, 『中國工業年報』, 統計出版社, 1999, 2001, 2003.

國家統計局課題組, "我國區域發展差距的實證分析", 『中國國情國力』 3, 2004.

國務院西部地區開發領導小組辦公室, http://www.chinawest.gov.cn

河南省价格學會, "中國中部地區走新型工業化道路研究", 『河南社會科學』 3, 2004.

黃乾, "區域創新政策支持系統的研究", 『中州學刊』 2, 2001.

經濟時報, 「區域協調發展防止平均主義」, 2005. 3. 11.

李合敏, "鄧小平的西部開發戰略構想與江澤民的豊富和發展", 『柳州師專學報』 4,
    2002.

劉澄・祁衛士, "實施綜合開發振興東北老工業基地", 『中國發展』 1, 2004.

歐燦, "世紀大戰略ー西部大開發的經濟意義述評", 『解放軍報』, 2000. 2. 17.

人民日報, "江澤民主持西北五省區經濟工作座談會研究進一步深化改革擴大開放, 促
    進西北經濟發展", 1993. 6. 19.

盛昭瀚, "國家創新系統的演化經濟學分析", 『中外管理導報』 10, 2002.

王家斌・張德四, "鄧小平共同富裕思想與西部大開發戰略", 『沈陽師范學院學報』 6,
    2001.

王勝令, "東北老工業基地振興與東北亞區域合作", 『東北亞論壇』 2, 2004.

溫軍, "中國少數民族地區經濟發展戰略的選擇", 『中央民族大學學報』 2, 2002.

吳利學・魏后凱, "産業集群研究的最新進展及理論前沿", 『上海行政學院學報』 3,
    2004.

中國社會科學院 '社會形勢分析與預測' 課題組, "走向全面, 協調, 可持續發展的中國
    社會", 『管理世界』 1, 2004.

中國社會科學院西部發展研究中心課題組, "'十五'西部開發總體規劃實施效果評价",
    『經濟參考報』, 2003. 11. 12.

제3장 중국 민영경제 성장과 발전의 정치경제

이상만

1. 서론: 의식 형태의 변화

중국 사회주의 민영경제의 성장과 발전은 교조적 이데올로기의 타파와 사회주의 개혁이론의 뒷받침 덕분이라 할 수 있다. 또한 신소유제 형성 배경은 공산혁명 과정에서 나타난 중국 사회주의의 실천적 이데올로기 속성에 기인한다. 중국 사회주의의 본질은 중국공산당 역사의 전체적인 흐름을 통해서 이해되어야 하며, 그 사상적 연원인 실천론과 모순론, 농민론, 평등론과 실천의 문제인 공유제와 계획경제의 상호작용을 변증법적 관점에서 보아야 한다. 또한 중국 사회주의의 본질은 공동부유(貧窮不是社會主義)이지만 전제조건은 공산당의 계속적인 집권이 보장되는 상황하에서 논의가 가능하다. 결과적으로 '경제건설 중심과 개혁개방을 통한 자본주의 세계체제로의 재편입 및 공산당 영도의 사회주의 4개항의 견지'라는 측면에서 중국 특색의 사회주의 본질을 파악해야 하는 것이다. 즉, 중국공산당이 정치경제적인 현실 상황으로부터 공유제/계획경제의 경제계획을 검토해 보고 모순론과 실천론의 이중성과 융통성을 활용해서 어느 정도 평등주의가 시행되어야 하는지를 평가하고 농민들과 노동자들과 공산당과의 관계를 고려하여 정치구조에 모순이 있는지 경제구조에 모순이 있는지를 결정함으로써 새로운 사회주의이론이 형성되는 것이다.

　중국 공산혁명 과정에서 사회주의 개조의 속도와 범위에 대한 중국 지도부 내부의 사회주의 급진개조파는, 공업 부문 자기축적을 통해서는 신속한 공업화를 실현하기 어렵다고 봄으로써 반드시 국가의 역량을 집중하여 공업화의 애로점을 돌파해야 한다고 주장했던 것이다. 그들의 주장은 농산품 가격을 통제하고, 공산품과 농산품의 가격차를 이용하여 공업화에 필요한 지금을 충당해야 한다고 했고, 동시에 비사회주의 부문에 대해서 고액의 과세를 징수함으로써 강제적인 공업화 자금축적을 진행시켰다. 이와 같은 2가지 노선상의 대립을 보더라도 사회주의 건설에 있어서 노선의 잘못된 선택이 그 체제에 가져다주는 폐해는 대단히 크다고 하겠다. 결국은 중국의 사회주의 건설 과정에서 보면 마오쩌둥(毛澤東) 시기의 정책 적용 실패가 중국사회 전체에 가져다준 영향은 대단히 컸으며, 덩샤오핑(鄧小平) 시대의 개혁과 개방이라는 정책적 전환을 가져올 수밖에 없었다. 오른쪽 〈표 3-1〉에서 보듯이 중국 사회주의 개혁은 '78년의 대전환'을 통해 가능했으며 이러한 체제 전환 과정 중 중국 사회주의의 축적 메커니즘의 변화를 초래한 시장경제의 부활과 함께 민영경제는 급속도로 성장할 수 있었다.

〈표 3–1〉 중국 사회주의 체제 개혁의 정치경제적 주기

연도	정치적 주요 사건	개혁 목표	개혁 단계	경제 주기	무역 개혁
1978	11기 3중전회 -중대 역사 결의	사회주의 가치법칙에 따른 계획경제	초기단계 -농촌경제 개혁	제1주기	변방 개방
1979					
1980		계획경제 위주 시장경제 보충			
1981					
1982					
1983				제2주기	
1984	12차 당대회	유계획적 상품경제	과열단계 -도시경제 개혁		특별경제특구
1985					
1986					
1987	13차 당대회 -톈안먼사건 -소련제국 해체	국가는 시장 조절 시장은 기업 조절		제3주기	해안경제특구
1988					
1989		계획경제와 시장의 유기적 결합	정체단계 -치리정돈		
1990					
1991					
1992	14차 당대회 -남순강화	중국 특색의 사회주의 시장경제 -다종소유제 인정 -비공유경제도 사회주의 시장경제의 중요 구성성분	심화단계 -전면 시장화	제4주기	내륙경제특구
1993					
1994					
1995					
1996					
1997					전면 무역자유화
1998					
1999	15차 당대회 -WTO 가입				
2000					
2001					
2002	16차 당대회 -G-9 인정	사영경제의 합법화 -민법상 사유재산권 보장	완성단계	제5주기	
2003					
2004					
2005					

2. 중국 민영경제의 발전 모델과 유형 분석

1) 민영경제의 5종 발전 모델

개혁개방 이후 중국 민영경제 발전의 과정 중에 원저우(溫州) 모델, 쑤난(蘇南) 모델, 주장(朱江) 모델, 중관춘(中關村) 모델과 싼청(海城, 興城, 諸城) 모델이 순차적으로 출현하였다(李相萬, 1997, 中國人民大博士學位論文). 이 5가지 모델은 형성 시기, 형성 기초, 기업제도 및 형태, 정부 역할 면에서 서로 다른 특징을 보여주고 있다.

(1) 원저우 모델

원저우 모델은 1980년대 개혁개방 초기의 산물이다. 개혁개방 이후 원저우 농민은 상대적으로 국가의 투자가 빈약하고 미발달된 도시구조, 집단경제가 박약한 조건하에 가정 위주 농촌기업의 발전과 확장으로 일거에 '정부본위'의 경제구조를 타파했고, 솔선하여 시장경제 방식으로 농촌의 공업화와 도시화를 추진하였으며, 개별적 사유경제를 기초로 한 '소상품·대시장'의 발전구조를 형성했다.

원저우의 위치 조건은 쑤난 지역에 비교하면 크게 떨어진다. 저장(浙江)성 동남의 산간지역에 위치하는 원저우 지역은 대중형 공업도시와 전국적 시장 중심에서 크게 떨어져 있다. 운수와 정보에 처져 사람은 많으나 경작지가 적고, 농촌집단경제 또한 박약하며, 계획경제체제에서 농촌의 사대기업[社隊企業, 인민공사(人民公社)와 생산대대(生産大隊)를 모태로 발전한 기업]이 어느 정도의 발전이 있었다고 할지라도 원저우는 쑤난과 같은 집단 농촌공업을 발전하는 것을 주된 길로 생각할 수 없다. 그러나 원저우는 가내수공업에 종사한 역사와 전통이 있고, 원저우 사람들은 계획경제 시기에 생활의 압박으로 발로 뛰어 생계를 이어 가던 습관이 있다. 이것들은 원저우 농민이 개혁개방 후에 빠르게 가내공업과 전문업 위주의 시장 방식으로 비농업을 발전시키는 길을 개척하게 하였다. 외부 환경의 제약으로 원저우 향진기업(鄕鎭企業)은 비농업을 발전하는 도중에 비교적 빠르게 개방하고, 이와 함께 시장 조절을 하는 일용 소상품을 생산하는 것을 주도산업으로 선택하였다. 소상품의 생산액은 향진기업의 생산액의 70% 정도를 차지하며, 이로써 특색 있는 '소상품·대시장'의 발전 형식을 형성하였다.

그러나 원저우의 민영기업은 개인 사유경제로부터 발전한 것이다. 개인 독자기업은 주요한 제도 형식이다. 개체기업뿐만이 아니라 사영기업 또한 독자기업이다. 많은 주식합작제 기업과 유한책임회사는 실제로 민간인이나 가정 단위에서 독립적으로 투자한 것이며, 그 외 일부분의 기업은 민간이 공동출자한 합자회사, 주식합작회사 및 유한책임회사이다. 그렇기 때문에 원저우 민영기업제도의 최대 특징은 재산권이 분명하고 운영기제가 원활하다.

정부와 민영기업의 관계의 밀접한 정도로 보자면 원저우 모식이 가장 약하다. 이 원인은 원저우의 경제발전은 자력에 의한 것으로 원저우의 민영기업은 모두 개인의 경제발전에 따른 것이기 때문이다. 이것은 사유제의 범주에 속한다. 원저우 모델은 수긍을 받지 못할 뿐만 아니라, 정부도 기본적으로 '무위'의 관리 방식으로 이 경제 형태를 대하고 있다. 정부 초기의 '무위' 관리는 주로 육성 능력의 결핍, 또한 시장경제 경험이 없어서 초래되었다. 그러나 후의 '무위'는 원저우 시정부가 자각하여 이 상태를 만들었으며, 최소한의 관여를 하고 있다. 원저우의 민영경제의 발전은 지역 자체에 동력과 내재 원인이 있으며, 정부의 '무위'는 그에 중요한 외부 환경이 되었다. 원저우 모델의 생성과 형성 발전은 중국 사회주의 시장경제 발전의 선구이고, 없어서는 안 될 완충과 보호의 작용을 해 왔으며, 민영경제의 생성과 발전의 위험을 감소시켰다.

원저우의 민영경제는 1980년대 초중기의 농촌 가내공업을 경험하였다. 1980~1990년대 초기에 주식합작제 경제가 1990년대 중기에 진입하면서, 장기간 원저우의 민영경제 발전을 괴롭혀 온 '성자성사(姓資姓社)' 문제를 철저하게 해결하였다. 원저우의 민영기업이 정식 명칭을 획득하였고, 민영경제의 발전이 새로운 빠른 발전의 궤도에 올랐다. 재산권제도에서, 일원화된 자본구조가 다원화로 바뀌어 갔다. 기업의 조직 형식상 특수한 역사 환경하에 생산된 주식합작제 기업이 주식제 기업으로 대량 전환하여, 전문분업화를 주로 하는 민영기업집단을 형성하였다. 기업의 경영 모델면에서 점차 전통적인 전문화시장에 의탁하는 소상품 발전 모델을 탈피하고, 브랜드 경영과 자본 경영의 종합 발전 도로에 올라섰다. 농촌경제에 기술자를 주체로 한 민영기업 경영자는 자질 향상을 통해 점차 하나의 새로운 것을 만들려는 정신을 가지고 있는 기업가집단이 형성되었다. 원저우 민영기업 발전의 이러한 특징은, 이론계에서는 '신원저우 모델'이라고 불린다. 실제상 신원저우 모델의 제기는 원저우 모식에 대한 부정이 아니라 원저우 모식의 발전 추세에 대한 전망이다. 그리하여 지난 세기 말부터 본 세기 초까지, 민영경제의 각종 발전 모식은 연이어 곤경에 빠지거나 분열과 변화를 겪는 동시에도 원저우의 경제는 그 거대한 활력이 퇴색하지 않았다. 원저우 모델은 다시 사람들의 보편적 주목과 고도의 주목을 받았다. 원저우 모델이든 신원저우 모델이든 모두 대도시에서 멀리 떨어진 연해지방의 중형 도시가 중국식 민영경제의 길을 걸어왔다는 것을 의미한다. 이뿐만이 아니라 원저우 모델은 아직도 계속 확장, 발전하는 중에 있다. 원저우 모델은 이미 일종의 발전 가속 상태에 있고, 원저우에서부터 저장성 남부지역, 저장성 전역 및 전국으로 확산되고 있다. '원저우—타이완 모델', '저장 모델'은 모두 원저우 모델로부터 연유하여 출현한 것이다.

(2) 쑤난 모델

쑤난 모델의 형성 시기가 가장 빠르다, 쑤난 모델의 기초적 모양은 계획경제 시대에 만들어졌다. 1953~1978년, 쑤난 농촌공업은 이미 어느 정도의 기초가 형성되어 있었고, 개혁개방 이후에 향진기업이 급속히 발전하여, 1980년대 중기에는 특별한 특징을 가지고 있는 집단소유제의 향진기업 발전 모식을 형성했다. 향진기업이 먼저 쑤난 지역에서 나타나 '쑤난 모델'을 형성한 이유는 이곳의 천혜의 지역 환경과 역사 전통에 있다. 쑤난 농촌은 중국의 제일 큰 경제 중심 상하이(上海)와 쑤저우(蘇州), 우시(無錫), 창저우(常州) 등 발달한 대중 공업도시에 인접해 있어, 경제·기술 등의 파급효과를 받아들이는 능력이 강하다. 동시에 시장 중심에 가까운 이유로 운송료가 비교적 싸고, 산업과 상품의 선택 범위가 비교적 넓다. 이것은 쑤난 농촌이 비농업산업을 발전시키고, 특히 향진 공업의 발전에 좋은 조건을 만들어 주었다.

쑤난 모델은 전형적인 향진 집단기업 발전 모델이다. 쑤난의 대부분 향진기업의 창업자본은 농민지역 범위 내의 집단 투입으로 형성되었다. 이 소유제의 기초 속성은 농촌지역 정부를 대표로 하는 집단경제이다. 당시 중소기업의 대다수 부분은 촌이 운영하는 기업이었다. 도시지역의 기업과 다른 것은 쑤난의 읍촌양급 당원 조직과 그 대리인은 향진기업의 행정지도자이면서 또한 집단자산의 대표이다. 그 결과는 재산권 분쟁을 때때로 초래하였고 정부와 기업의 미분리, '내부인 통제' 등의 문제를 발생시켰다.

쑤난 모델의 발전 초기 대부분의 향진기업은 향진정부, 기존 집단, 정부의 동원력, 아니면 정부가 나서서 은행대출을 받아 만든 것이다. 그래서 경제학자들은 쑤난의 모델을 정부 추진의 모식으로 보고 있다. 정부의 간섭이 쑤난 향진기업들이 정경유착 문제를 있게 하고 동시에 주민에 낮은 격려, 또는 그 부작용을 낳고 있다. 그러나 개혁 초기 대량의 경제의 빈 공간은 쑤난 지역을 포괄하는 향진기업의 두드러지는 발전에 좋은 기회를 만들어 주었고, 긴 시간 안에서도 쑤난 지역 정부의 강한 간섭의 모델은 휘황찬란한 성과를 만들어 내었다. 정부 간섭의 결과로, 향진기업이 대량의 사회 정책기능과 공공기업가의 직능을 담당하게 하였다. 이러한 결과는 일정한 시간 내에는 적극적인 것일 것이다. 그러나 정경유착의 집단재산권제도가 만든 병폐는 결국 거시적인 외부 환경과 경쟁(구매자 시장, buyers' market) 변화로 인하여 쑤난경제를 추락하게 하는 것이다.

쑤난 모델은 중국 특색을 가진 농촌의 잔여 노동력을 옮기는 하나의 길로서, 개혁개방 초기에 생성한 작용은 매우 선명한 것이다. 그러나 그 국한성 또한 매우 선명하다. 쑤난 모델의 국한성은 실제상 그것은 바로 집단경제제도의 결함이다. 그로 인해 나타나는 것은 주로 기업 재산권의 불분명, 정경 미분화, 수입 분배의 불합리 등이다. 사회 배경의 변화로서 쑤난 모델의 내재 모순은 점차 나타나고 있다. 실례가 증명하듯이 쑤난 모델은 시간이 가면 갈수록 시장경제 발전의 요구에 적응하지 못하고 있다. 1990년대 중후기에 쑤난 지역은 전국의 선두 지위를 빼앗겼으며, 1996년부터 시작해 쑤난 각지는 연이어 2차례 향진기업의 소유제 개혁을 꾀했다. 그러나 개조의 핵심은 재산권의 집중화여서 모든 소유재산권을 경영자 개인, 혹은 소수의 경영층에게 집중하게 되어, 최후에 철저하게 기업의 재산권을 집단이 소유하는 것을 명백히 했으며, 초보적으로 현대 기업제도를 건립하였다. 기본적으로 향진정부가 향진기업에 대한 직접 지배권을 기업에서 퇴출함으로써 쑤난 모델은 자연스럽게 종결되었다.

(3) 주장 모델
주장 모델의 형성은 중기의 개방 정책에 혜택을 입었다. 1980년대 중기, 국무원은 '주강삼각주경제발전구'를 비준 성립하였고, 동완(東莞)·바오안(寶安)

등지를 대표로 하는 주장삼각주 동부지역이 홍콩 공업의 주변지역이 되었다. '삼래일보(三來一補)'가 이 향진기업 발전의 중요 형식이 되었고, 마카오와 홍콩의 인접지, 화교가 많고 국가의 특혜를 많이 받는 우위로, 빠르게 세계가 주목하는 '주장삼각경제 모델(줄여서 주장 모델)'을 형성하였다.

주장 모델의 사회 조건은 쑤난과 원저우와는 또 다르다. 주장삼각주는 홍콩과 마카오에 인접하며 철도, 도로, 수로교통이 매우 편리하다. 전구의 화교는 250만이 넘으며, 홍콩과 마카오 동포 278만 인이 거주한다. 이러한 독특한 우위로 외래 정보의 흡수, 기술, 자금, 설비 등에 아주 유리한 조건이 되었다. 향진기업이 외자를 유치하고 외향형 기업을 발전하는 데는 홍콩, 마카오 지역 및 주장삼각주의 경제와 아주 밀접한 관계가 있다. 외자 구성은 홍콩, 마카오의 자본이 대부분을 차지하고, 소부분은 화교와 국제자본이다. 주장삼각주는 국외 소식을 이해하고, 각종 기술설비 등을 유입하는 데도 주로 홍콩과 마카오 지역을 통한다. 해외기업과의 동업은 삼각주지역의 인재에 대한 기술교육과 경영교육 이외에도 새로운 설비 유입에 유리하게 작용하였다. 이것은 주장삼각주 향진기업 발전의 중요한 조건이다.

주장삼각주 지역의 향진기업은 대외개방을 통해 신속하게 발전했기 때문에 주강지역의 향진기업의 외부 의존도는 매우 높다. 최초 삼래일보 기업으로부터 대규모 마카오와 홍콩자본을 이용하여 설립된 '3자' 기업은 향진기업이 외부자본을 유치하는 동시에 외국의 선진 경영관리 기법을 배우는 데 큰 역할을 했다. 따라서 1980년대의 주장삼각주 향진기업의 경영관리 방식은 쑤난 모델과 원저우 모델형 향진기업보다 그 제도적 측면에서 훨씬 발달하였다. 원저우의 민영기업이 1990년대에 대규모 집단화하여 발전한 것과 달리, 1980년대 중후반기 주장삼각주의 향진기업은 이미 대외개방을 통해 대량의 국내외 자본과 기술, 인재 등을 흡수하여 기업집단을 형성하고 규모의 경제를 운영하였다.

주삼각의 향진기업도 시작 당시에는 향진정부가 참여하거나 지지하여 창립한 것이다. 그러나 쑤난의 향진기업과 다른 것은, 주삼각의 향진정부가 향진기업의 시작 후 곧바로 공장장경리책임제, 이윤담당책임제 등을 추진하여 향진기업에게 가하는 직접적 간섭을 최소화하고, 반면에 주요 재력을 교통·자원·통신·교육 등 기초 항목의 발전에 사용하여, 좋은 경제발전 환경을 창조했다는데 있다. 그리하여 정부가 민영기업에 대한 영향과 작용으로 보자면, 쑤난 모델은 '강정부', 반면에 원저우 모델은 '약정부'인 것이다. 주장 모델은 이 양자간의 중간에 위치한다.

창장(長江)삼각주 경제의 빠른 발전과 홍콩, 마카오의 중국으로의 귀속과 함께, 주장 모델은 매일같이 도전을 맞고 있다. 첫 번째로 주장삼각주 경제 외자의 비중이 높아지고 수출 구조상 일반 무역수출액의 비중은 저하되고 있다. 그러나 자국 무역수출액의 비중은 높아지고 있으며, 수출무역 중 상당히 큰 비율은 국외의 자금과 원자재를 이용, 외부에서 가공하여 상품으로 만들고 다시 해외로 수출된다. 그러나 광둥(廣東)의 민영중소기업은 그중에서 적은 가공비를 벌고 있다. 가공무역이 주강삼각주 경제에 공헌하는 바가 크지만, 장기간의 발전 각도로 보자면 중소기업의 발전에 불이익이 크다. 기업자본이 다원화되는 오늘, 동남연해의 일부 성(省)들은 민영기업을 전력 개발하여 브랜드를 크고 확고하게 만들고 있고, 또한 실제로 수출액이 증가하여 주장삼각 민영기업과 선명한 대조를 이루고 있다. 두 번째로는 주장삼각주 경제의 외향 정도가 높아 국제경제 파동의 영향을 비교적 많이 받는다. 예로 아시아 금융위기, 미국 9·11사건이 주장삼각주 경제에 준 영향을 과소평가해서는 안 된다. 세 번째로는 대량의 재가공제조 민영기업이 적은 일거리에 집착하여 기업간의 지나친 경쟁을 유발하였다.

(4) 중관춘 모델

중관춘 모델은 1980년대 중기 전자거리의 출현으로 형성된 특징이 있다. 1980년 중국과학원은 '선진기술발전복무부'를 조성하였는데, 이것이 중관춘 전자거리 최초의 형태이다. 후에 쓰통공사, 롄샹공사 등의 회사의 뒤이은 성립으로 중관춘은 이미 중국 민영 하이테크놀로지 기업의 집합체가 되었다. 1988년 국무원은 중국 최초의 국가급 하이테크놀로지개발구 베이징신기술산업개발구를 비준 성립하였다. 이것은 '중관춘 모델'을 대표로 하는 민영 하이테크놀로지의 발전이 고도의 중시를 받았다는 것을 뜻한다. 쑤난, 원저우와 주장삼각주의 민영기업은 모두 농촌 향전기업의 형태에서 탈피하여 농촌 공업화의 길을 걸었다. 그들의 차이는 공업화의 방향의 다름이다. 그러나 중관춘 모델은 중국 과학연구의 최고 전당—중국과학원과 저명 고등학부의 연구의 힘에 의한 것이다. 중관춘의 핵심, 전자거리를 예로 들면, 전체 길이가 몇 킬로미터밖에 되지 않는 거리에 줄지어 30여 개의 대학, 80여 개의 연구기관이 있고, 4만5천여 명의 연구인원과 고등 교육교사가 있다. 이 지력 밀집 정도는 상상을 불허한다. 1980년대 초, 중관춘의 과학기술 인원이 사회로 나와 과학기업을 창립하는 방식으로, 무역과 컴퓨터 응용개발과 집적 서비스로 시작하여 연구와 개발을 이끌고 기술 관리와 시장 3대 요소의 유기결합을 실현하였다. 그리하여 과학 성과가 현실 속의 생산력으로 전환되는 속도를 더욱 빠르게 하였다. 1987년 중관춘은 법인지역의 민영 과기기업 148개가 있으며, 그 안의 인력은 3천8백여 명이며 공업의 생산액은 2.2억 위안, 영업액은 9억 위안을 초과한다.

중관춘의 하이테크놀로지 민영기업의 성립 초기에, 이들은 종종 정부기관의 이름하에 부속되어 있거나 청이 경영하는 모습으로 출현했었다. 그러나 상업적 대출이든지 아니면 상급기관이 한 창업 기동자금이든지 경영 후 몇 년이 지나면 기업의 재산권은 이전의 모습을 찾아볼 수가 없어져 자산의 귀속을 전혀 알 수가 없어진다. 기업 발전이 빠르면 빠를수록 재산권 문제는 두드러지게 된다. 재산권 문제는 마지막에 하이테크놀로지 기술기업을 제약하는 문제의 근본 원인이 된다. 다른 방면으로 하이테크놀로지 기업의 특징으로 지력 요소가 관건 작용을 한다. 몇 사람만 같이 모이면 회사 하나를 차릴 수 있다. 때때로 한때의 열정으로 회사를 만든다. 명백한 재산권 제도와 규범의 관리제도가 결핍된 이유로, 기업의 창업 시 마음을 맞추기가 어렵다. 그러나 약간 나아지는 기미가 보이면 분가를 해 버리거나 심지어 회사와 법정에서 만난다.

중관춘의 민영화 하이테크놀로지 기업이 대부분 재산권 불명의 문제가 있고 국가와 지방정부와도 각종 관계가 있지만, 과기원의 중심에 관리위원회를 설립하였고, 관리위원회에는 행정부처가 즐비하게 들어서 있어 기술개발구의 발전 방향을 행정구역식으로 관리하고 있다. 그러나 중관춘의 민영 하이테크놀로지 기업의 창립과 발전은 기본적으로 자발적이고, 경영구조는 원활하며 정부의 큰 간섭을 받지 않는다.

우리나라 하이테크놀로지 기업의 전형적 발전 모델로 중관춘 민영 과학기술기업 중에도 많은 문제들이 있다. 그중에 재산권 문제는 발전에 가장 큰 제약으로 작용한다. 국무원 발전연구중심이 중관춘에 있는 하이딘앤 하이테크 실험구에서 조사연구한 결과, 중관춘 하이테크 산업은 중소기업이 대부분이며 이것은 미국의 실리콘밸리, 대만지역의 신쭈(新竹)와 유사하다. 그러나 기타 국가와 지역에서는 하이테크기업의 10년 지속 확률이 5~10%였지만, 중관춘의 하이테크 기술산업의 안정성은 비교적 높아 경제가 과열된 1992~1993년 2년 외에는 신규 기업과 퇴출 기업 모두 비교적 낮은 수준을 유지하고 있다. 다시 말하면 중관춘의 대다수 기업은 수명이 길고, 웬만해서는 망하지 않는 유지 상태를 보여주고 있다. 1994년 우리나라 '회사법'이 반포될 시, 중관춘에는 4,229개의 하이테크 기술기업이 자리하고 있었고, 기업 발전이 빠르면 빠를수록 재산권 문제는 더욱 두드러져 재산권 문제가 마지막에는 우리나라 하이테크 기업을 제약하는 가장 큰 근본적 문제가 되었다.

(5) 싼청 모델

5가지 모델 중 싼청 모델의 형성이 가장 늦다. 싼청 모델은 산동의 주청(諸城) 모델, 랴오닝의 하이청(海城) 모델과 싱청(興城) 모델의 총칭이며, 1990년대 국유단체 중소기업 개혁개제의 전형적 모델이다. 싼청 모델 중 제일 빠르게 출현한 것이 주식합작제를 특징으로 하는 주청 모델이며, 이것 또한 개혁개방의 '제2의 봄'이 도래한 1992~1994년 사이에 형성된 것이다. 그리고 사영 독자기업을 주요 개제 방향으로 하는 하이청 모델과, 사영동업기업을 주요 개제 방향으로 하는 싱청 모델은 1993~1996년 사이, 1996~1997년 사이에 연이어 형성되었다.

국유집단인 중소기업 민영화개제의 싼청 모델은 1990년대 개혁개방 시에 생성되었다. 1990년대는 중국의 심화 개혁 시기이다. 한 방면으로 민영경제의 큰 발전은 국민경제가 경제개발의 고속도로로 진입을 촉진했지만, 또 다른 방면으로 국유기업의 경영 상황은 날이 갈수록 악화되어 효율성과 이익이 저하되는 문제는 매우 컸다. 그래서 국유기업의 개조는 필연적인 것이었다. 특히 국유 중소기업은 그 수가 매우 많고 포괄하는 방면이 매우 커서 이들의 개조와 개혁은 그들 자신의 문제일 뿐만이 아니라 대중형 기업의 개혁 실험을 하고 그 조건을 만들어 주는 것이었다. 1995년 14차 5중전회는 명백히 "큰 것을 잡고 작은 것은 놓는다"는 전략을 제의하였다. 그리하여 중소기업의 개조는 전면 전개의 단계에 진입하였다. 국유 중소기업을 살리는 지시에 따르면 각지는 국유 소기업의 개혁에 개조, 연합, 합체, 주식합작제, 토지나 건물의 임대, 책임경영과 매각 등의 20여 개의 형식을 채택하고 비교적 전형적인 싼청 모델을 형성하였다.

쌴청 모델은 국유 중소기업 개조의 전형적 모델이다. 그렇게 형성된 민영기업은 선명한 개조기업의 특색을 가지고 있고, 그 기업제도 또한 원래 있던 기업제도의 낙인이 달려 있다. 바꿔 말하면, 쌴청 모델의 민영기업의 민영화는 철저하지 않은 것이다. 표면적으로 보면 기업의 재산권은 그 명백한 정도가 개인(예로 주청지역의 대부분 국유집단 중소기업은 전원이 지분을 가지고 있는 지분 합작 형식으로 개조되었고, 하이청은 개인에게 매매했으며, 싱청은 소수의 몇 사람에게 매매하였다)까지 갔지만, 기업제도는 완전하지 못하다.

쌴청 모델은 일정한 기간 내에는 비교적 좋은 성과를 냈다. 개조 후의 기업 모두 양호한 발전 추세를 보이고 있다. 단기간에 전국의 많은 국유집단 중소기업들이 배우고 추진하였다. 그러나 머지 않아서 '공평'과 '효율'의 평행문제는 점차 불거져 나왔다. 주청 모델은 기업자산이 기본 균등한 방식으로 기업의 모든 직원에게 매각하는 것이지만 사람들의 자기 기업 중심의 마인드를 초래하였고, 기업이 일정한 발전 기초가 있은 후에 직원들은 기업 초기 개조 당시의 고생을 참고 창업하는 정신을 잃어 갔다. 작은 부로서 만족하고 생각하지 않고 나아가려는 현상이 출현하기 시작했다. 하이청 모델은 기업자산을 소수의 경영자에게 매각하는 것으로, 기업의 제도는 변했지만 직원들의 관념은 때맞춰 변하지 않았다. 특히 기업 발전이 양호한 추세를 보이면 경영자는 기업의 소유자로서 그 부가 크게 커졌고 수입과 부의 차이를 한보 더 크게 만들어, 기업 직원들이 크게 불만이 생기도록 하였다. 원래 국유집단의 직원으로서 그 우월한 감정은 그들이 기업 경영자에 대해서 위화감이 생기도록 하였고, 노동자와 자본가의 대립이 심해져 기업의 운행 효율에 영향을 주었다. 싱청 모델의 경우 기업자산이 소수의 경영자들이 합작 경영을 하게 하였지만, 합작기업의 국한성으로 기업 규모를 넓히기가 어려웠다. 개혁 전에 생각지 못한 이 모순을 해결하기 위해, 쌴청은 최후에 모두 자신들의 모델을 포기하였고 주청·하이청으로 전환하여 직원들에게 분산되어 있는 자본을 개별적 경영자에게 집중하고, 경영자의 적극성을 살리는 것을 도모, 기업의 성장과 확장을 추진하였다. 하이청은 하이청을 유지하여 개별적 자본의 폐단을 극복하고자 직원이 아직 지분을 사려는 의사가 없는 상황에서, '하이청 모델'을 과도기적 모델로 선택하였다. 싱청은 주청으로 전환하였다. 그 이유는 직원들이 자신들과 경영자 간의 부의 분배에 큰 차이가 있는 것을 자신들이 지분이 없기 때문이라 판단해, 지분을 소유하고픈 바람이 생겼기 때문이다. 이론계에서는 이것을 바로 "싼청 모델이 상호 순환되는 이유"라고 칭하고 있다.

2) 민영경제의 7종 유형

(1) 개체경제

개혁개방 이전에는 주로 구두수선공, 재봉기술자, 미용업 등 그다지 많은 부를 창출하지 못하는 부문에 잠재적으로 남아 있었으나, 개혁개방 후 국가 정책의 유연함을 틈타 새롭게 개체공상호로 등장하기 시작했다. 전국의 개체공상호는 대략 2천5백만 호, 총 종사인원은 4천8백만, 총 등록자본은 RMB(인민폐) 약 3,450억 위안 정도에 달하며, 중국 사회주의 비공유경제의 주체이자 국민경제 발전의 중요 구성 성분이다.

(2) 노동고용형 사영경제

1950년대 중반 사회주의 개조 시기 자본주의 상공업의 소멸로 사회주의체제에서는 노동 고용관계가 사라졌으나, 1980년대 농촌가정청부제의 등장과 더불어 가정청부제의 전문화, 겸업화의 기초 위에 도시에서 청년실업 해소, 경영규모의 확대, 개체공상업자의 발전 등에 의해 폭발적으로 도입되었다. 특히

1992년 덩샤오핑의 남순강화(南巡講話) 이후 '성공성사(姓公姓私)' 이념을 타파하면서 주로 개혁개방 후 동부 연안지방에서 확대 발전하였다.

(3) 외자경제

홍콩, 마카오, 대만 등 외상에 의해 대륙에 투지한 기업으로 중외합자, 중외합작 혹은 외상 독자투자의 '3자' 기업을 칭한다. 외자기업은 사유경제로서 외자유치 정책에 의해 발전된 기업들이다. 또한 이들 기업은 선진기술과 경영 방식을 중국에 이식하고 주로 수출지향형의 경제 운영을 통해 고용 창출과 지방의 경제 운용 능력을 제고해 왔다. 외자기업 총수는 대략 28만개, 외상 중국투자 총액의 약 13%, 공업생산량 14%, 수출 총액 47% 정도의 비중을 차지하고 있다.

(4) 민영 과학기술기업

하이테크 과학기술을 소유한 전문가들이 대학과 연구기관을 나와 창업한 벤처기업 형태로서 사회주의 시장경제하에서 유연한 경영 메커니즘을 가지고 있는 기업이다. 현재 이러한 형태의 기업은 약 15만 개 정도로 중국의 새로운 경제성장의 동력이며, 중국경제의 지속가능한 발전을 가능케 하며, 중대도시의 개발구에 집중되어 있다. 비교적 제도화된 주식제 기업으로 상하이와 선전(深圳)의 증권시장에 상장되었으며, 렌샹(聯想), 쓰통(四通), 베이다팡정(北大方正), 칭화쯔광(淸華紫光) 등이 대표적이다.

(5) 향진기업

향진기업은 국가의 계획과 통제를 받지 않고 주로 향(鄕)과 진(鎭)의 농촌지역에서 비농업인인 농민에 의해서 창업된 체제 외의 경제 부문이다. 이는 인민공사(人民公社) 시기 사대기업으로부터 출발한다. 1980년대 초 사대기업의 개념은 농민, 농가, 농민연합으로 기업을 창업하는 것을 의미하지 않았으나 중앙정부의 동의 후 향진기업으로 칭하게 되었다. 당시에는 향정부와 진정부, 촌민위원회, 협동조합과 같은 합작사의 형태였다. 이러한 향진기업은 국가의 통제를 벗어나 초기 사회주의 시장경제에 부합하면서 철저하게 시장 위주의 경영을 하게 되었다.

(6) 주식합작제기업

주식합작기업은 과거 사회주의 집체경제를 타파하고 사회주의 시장경제에 부합하는 과도기 민영경제의 한 유형이다. 이는 과거의 사회주의 집체소유제와는 달리 정부와 기업이 분리되어 비교적 경영권과 재산권 구분이 상대적으로 분명하다.

(7) 국유 민영기업

국유 민영기업의 수는 많지 않지만 기업소유제는 변하지 않는 국유제이며, 민간인 또는 민간조직에 의해 경영되는 기업이다. 경영 형식은 임대, 청부, 위탁, 대리 등의 형식을 띠며 1990년대 초 안후이(安徽)성 퉁링(銅陵)시에서 최초로 출현하여 그후 여러 지방의 중대형 국유기업이 이 방식을 수용하여 국유기업의 체질 개선에 활용하였다. 가령 선전시의 국유기업 중싱꿍쓰(中興公司)는 민간기업가를 사장으로 고용하여 커다란 경영이익을 창출하였다.

3. 당대 중국의 자본축적과 사영경제의 역할

사영경제는 고용노동이 기초가 되는 사유제 경제이다. 중국의 사영경제는 공유제를 전제로 할 때 그 논의가 가능하다. 따라서 사유경제의 지위는 점차적으로 공유제로부터 해방이 되었다. 사회주의 경제하에서 사영경제는 '초기 존재 불허(압살)—중기 보충 지위 인정—후기 장기 공존 발전'에 이르는 중국 사회주의 경제의 주요성분의 지위를 회복하게 되었다. 따라서 사영경제는 사회주의 시장경제 발전에 필요하고 유익한 주역량이자 새로운 생산력의 성장 동력으로 작용하게 되었다.[1]

해방 초기 사영경제의 존재는 사회주의 생산과 생활 방면에서 중요한 작용을 하였다. 1952년 사회주의 운동이 시작된 후 사영경제의 규모는 대폭 축소되어 1956년 도시지역의 개체 상공업 종사자는 16만여 명 정도였고, 8차 당대회 이후 국가 차원에서 개체경제의 발전이 용인되어 1957년 말 전국 도시지역의 개체상공업 종사자 수는 104만 명에 이르렀다. 문화혁명 기간 중 사회주의하에서 자본주의적 요소는 '자본주의 꼬리'로 인식되어 타도의 대상이었다. 1976년 개체호는 18만 명이었고, 1978년에는 전국적으로 개체 노동자가 약 14만 명에 이르러 당시 사회주의하에서는 개인 사업이 법률상 허용되지 않았으나 당국의 묵인하에 성행하기 시작했다.[2]

1980년대 초 급진적인 사회주의화를 시도했던 인민공사가 해체되고 농촌지역에서 가정생산청부제(家庭承包責任制)가 시행되었고, 1980년대 후반 향진기업의 출현은 중국경제의 중요한 추동력이 되었으며, 그후 사영기업의 성장과

---

1) 李如鵬, 『私有經濟的多樣性與可變性』, (北京 : 中國工商出版社, 2003), p.178.

2) "中國私營經濟的歷程回顧", 『中國私營經濟網』, http://www.cpe.com.cn/summarize/licheng.htm
검색일 : 2004.3.10.

발전은 중국경제 성장의 핵심적 견인차가 되었다. 특히 1999년 전인대에서 헌법 수정안이 통과되어 중국 사회주의 경제에서 역설적으로 자본주의적 특징을 갖고 있는 사영경제의 중요성이 강조되었다. 사영경제는 개혁개방 이래 중국 사회주의 경제체제 운영 과정에서 자본주의적 요소와 사회주의적 요소가 공존하는 특이한 현상이다. 또한 사영경제는 공유제 위주의 혼합경제체제에서 일자리 창출, 경제성장의 촉진, 시장 운영 주체의 육성, 시장 확대의 촉진 등 나날이 그 역할이 증대되어 중국 사회주의 국가와 사회 간의 연합 자본축적 메커니즘 형성에 상당한 공헌을 하고 있다.[3]

물론 사유경제가 처음부터 국가의 보호를 받으면서 성장한 것은 아니다. 사회주의 생산관계가 생산력의 향상에 질곡으로 작용하여 중국경제가 생산력이

〈표 3-2〉 중국의 헌법 수정 약사

구분	시기	주요내용
제헌헌법	1954년 9월 제1기 전인대 1차회의	공산주의, 생산수단의 국유화
1차 수정헌법	1975년 1월 제4기 전인대 1차회의	문화혁명 정당화, 정치적 계급투쟁 강조
2차 수정헌법	1978년 2월 제5기 전인대 1차회의	계급투쟁 완화, 인민검찰원 기능 정상화
3차 수정헌법	1982년 11월 제5기 전인대 1차회의	부분적 시장경제제도 도입
부분 개정	1988년 3월 제7기 전인대 1차회의 1993년 3월 제8기 전인대 1차회의 1999년 3월 제9기 전인대 1차회의 2004년 3월 제10기 전인대 2차회의	토지 사용권 양도의 허용 사회주의 초급단계론 삽입 덩샤오핑 이론 삽입 3개대표론, 사유재산권 보호, 인권 보장 등 14개 조항 삽입 및 수정

* 자료: 『中華人民共和國法律匯編(1979~1984/1985~1989)』, 인민출판사, 1985/1991. 10期 全人大 2次會議 中華人民共和國憲法修正案(2004. 3), 인민일보 2004. 3. 8. 등 중공중앙 역대 발표 문헌 참고 작성.

3) 胡家勇, "中國私營經濟: 貢獻與前景", 『管理世界』, 2000. 5, p. 41.

낙후된 상황에서 이러한 질곡으로부터 생산력 해방을 모색하는 과정에서 자연스럽게 등장한 것이다. 정치경제학적 의미에서 보면 생산관계가 생산력 발전에 조응하지 못할 때 사회혁명은 시작된다.[4] 그러나 중국에서는 공산혁명 자체도 마르크시즘의 정통논리를 위배하고 민족해방이라는 이데올로기로 무장하여 '작위적'으로 생산관계의 변혁을 통해 공산혁명을 성공시켰다. 이와 같이 중국 사회주의는 마르크시즘의 허울을 쓴 국가자본주의에 불과하였고, 이러한 국가자본주의는 국가 주도의 자본축적을 가능케 하였다. 하지만 작위적인 생산관계의 변혁은 혁명적 변화를 수반하며 중국의 개혁개방은 제2의 중국 사회혁명의 시발점이라 할 수 있다. 공산혁명 이후 중국의 사영경제는 중국현대사에 있어 제2의 혁명인 '78년의 대전환'(11기 3중전회)을 거쳐 급속하게 성장하였으며, 사영경제는 초보 단계(1979~1981), 제1고속발전 단계(1982~1985), 안정적 발전 단계(1986~1989), 조정확정 단계(1990~1992), 제2고속발전 단계(1993~1996), 지속적 고속발전 단계(1998~현재)로 법률적인 보호를 받으면서 성장하고 있다.

한편 중국 사영경제 부문의 자금 조달 경로는 대부분 소규모 장사, 민간 차용, 임금과 농업 소득, 은행대출, 소규모 생산, 친지 보조, 기타 상속 순으로 나타났다. 따라서 초기 중국 사영경제의 자본축적은 원시적인 방법으로 진행되었다고 할 수 있다. 그러나 사영경제의 규모가 커지고 경제 활동이 활발해지면 은행대출을 통한 자금 조달이 늘어날 것으로 보인다.

개혁개방 이후 중국의 사영경제 부문은 비약적인 발전을 보여 주고 있다. 아래의 각종 소유제 기업 현황표에서 보는 바와 같이 국유기업과 집체기업의 성장은 줄어드는 반면 외상투자기업과 사영기업의 수는 현저하게 증가하고 있

---

4) 馬克思, "政治經濟學批判序文", 『馬克思恩格斯選集』(II), 北京 : 人民出版社 1995, p. 38.

〈표 3-3〉 중국 사영기업의 발전 과정 시기 구분

구분	발전 과정	주요내용
1949~1956년	해체기	· 사회주의 3대 개조로 자본주의 공상업의 사회주의 개조 · 1957년 개체호 9만여 호, 종업원 수 16만
1979~1982년 12월	맹아기	· 농촌연산승포책임제로 개체경제 출현 · 5기전인대 5차회의 '개체경제 발전과 보호 결정'을 통해 합법적 권리와 이익을 보호 * "법률규정 범위 내의 도시와 농촌 노동자의 개체경제는 사회주의 공유제경제를 보충한다."
1982~1988년	관망기	· 사영경제의 출현, 8명을 초과하는 사영기업 제한 · 3불원칙 실행(不提倡, 不宣傳, 不抵制)
1988년 2차 헌법 수정	승인기	· 사영경제는 "사회주의 공유경제의 보충"(1988)-8만호 · 비공유경제는 "사회주의 시장경제의 중요 구성 부분"(1992~1997)
1997년 15차 당대회	확인기	· "공유제가 주체가 되고 다중소유제경제의 공동 발전"은 사회주의 초급단계의 기본 경제구조
2001년 7월 1일 당 80주년 기념대회	고무기	· 사영기업주는 중국 특색 사회주의사업의 건설자
2002년 11월 16차 당대회 이후	구애기	· 중국공산당 민영기업가 입당 허용 · 사회변혁 과정에서 출현한 민영기업 창업자와 민간 과학기술인원, 외자기업의 관리자, 개체호, 사영기업주, 중개조직의 종업인원, 자유직업인 등 사회계층 모두 중국 특색 사회주의 사업의 건설자

* 자료 : 今日東方, 2003년 7월 3일.

음을 볼 수 있다. 특히 1992년 덩샤오핑의 남순강화와 제14차 당대회 이후 이러한 발전 경향은 뚜렷하게 나타난다. 또한 아래 중국 사영경제 발전 현황표에서 보듯이 사영경제는 1993년과 1994년에 사영기업의 호수가 각각 237,919호에서 432,240호로 무려 70.39%에서 81.68%로 증가했으며 그후 지속적으로 증가하여 전체 평균증가율이 34.64%에 달했다. 그 외에도 연평균 취업공헌도

〈표 3-4〉 사영기업주 자본 조달 분포도

구분	소규모 장사	소규모 생산	친지 보조	임금/농업 소득	민간 차용	은행대출	유산 상속	기타
응답	1587	533	460	917	1029	760	42	159
비율	48.8	16.4	14.1	28.2	31.6	23.4	1.3	4.9
총수	3253	3253	3253	3253	3253	3253	3253	3253

* 자료 : 中國民營經濟發展前沿問題硏究(2003~2004), (北京 : 機械工業出版社, 2003), p. 32.

31.43%, 경제적 가치 창출 57.63%, 납세공헌도 80.33%, 총수출 대비 증가도 1997년 0.7%에서 2000년 3.5%로 5백%의 신장, 소비품 시장점유율도 1996년 기준 국유기업이 1996년 27.2%에서 2000년 19.8%로 집체기업이 18.4%에서 16.0%로 하락한 데 비해 사영기업은 1996년 4.1%에서 2000년 17.0%로 상승하여 지속적인 증가를 보여주고 있다.

현재 중국경제에서 비국유경제가 차지하는 비중은 70%에 달하고 그중 순수한 사영기업과 집체기업의 구분이 모호하지만 농업생산 중 가정생산을 포함한 사영경제의 비중이 50%를 상회하고 있다. 중국경제에 있어 사영경제의 잠재력은 대단히 크다고 할 수 있다. 물론 사영경제의 폭발적 성장은 수정헌법과 국가의 정책, 그리고 체제 개혁 과정에서 대량의 중소형 국유기업이 시장논리에 의해 구조조정(重組)을 거친 결과이기도 하다. 사영기업은 이 과정에서 조용한 혁명을 일으켜 중국 사회주의 자본축적 과정에서 중요한 작용을 하고 있다.

15대 이래 사영경제의 발전은 폭발적 성장을 보여주고 있다. 1996년에서 2001년까지 사영기업의 단위 수는 44.3만 호에서 132.3만 호로 연평균 24.5% 성장률을 보여주고, 종업원 수도 802.2만 명에서 3170.3만 명으로 증가하여 31.6%의 증가율을 보여주었고, 자본금 면에서도 3043억 RMB에서 14068억 RMB로 증가하여 연평균 증가율 35.8%, 경영수익 면에서도 4,110억 RMB에서

〈표 3–5〉 1990~2001년도 각종 소유제 기업의 발전 상황

연도	국유기업		집체기업		외상투자기업		사영기업	
	호수(호)	증가율(%)	호수(호)	증가율(%)	호수(호)	증가율(%)	호수(호)	증가율(%)
1990	1,152,472	0.40	3,381,937	-11.69	25,389	59.49	98,141	8.35
1991	1,253,725	8.88	3,479,971	2.90	37,215	46.58	107,843	9.89
1992	1,547,190	23.41	4,159,417	19.52	84,371	126.71	139,633	29.48
1993	1,951,659	26.14	5,156,519	23.97	167,507	98.54	237,919	70.39
1994	2,166,331	11.00	5,456,818	5.82	206,096	23.04	432,240	81.68
1995	2,218,612	2.41	5,337,737	-2.18	233,564	13.33	654,531	51.43
1996	2,163,346	-2.49	5,013,416	-6.08	240,447	2.95	819,252	25.17
1997	2,078,348	-3.93	4,470,469	-10.83	235,681	-1.98	960,726	17.27
1998	1,836,289	-11.65	3,736,365	-16.42	227,807	-3.34	1,200,978	25.01
1999	1,649,870	-10.15	3,172,417	-15.09	212,436	-6.75	1,508,857	25.64
2000	1,492,164	-9.56	2,627,061	-17.19	203,208	-4.34	1,761,769	16.76
2001	1,317,822	-11.68	2,209,516	-15.93	202,306	-0.44	2,028,548	15.14
평균성장		-1.76		-0.71		10.21		34.63

* 자료: 張厚義·明立志, 梁傳運主編, 『中國私營企業發展報告 no. 4(2002)』, 社會科學文獻出版社, 2003年.

31,883억 RMB로 연평균 성장 50.6%로 증가하여 5년간 기준년도 대비 3배로 증가했다. 한편 사영기업은 전체적인 규모가 확대되어 국민경제에서 차지하는 비중이 점점 높아져 2001년 말 전국 총 기업 단위 수 기준으로 사영기업이 차지하는 비중은 43.7%를 차지하여 1996년 대비 26.9% 증가하였고, 종업원 수도 전체 기업 종업원의 19.2%를 점유하여 1996년 대비 14.8%, 자본금도 10.3%로 1996년 대비 7.0%, 영업수익 13.2%로 1996년 대비 11.2% 증가하여 사영기업은 중국경제에서 중요한 역할을 하고 있다.[5]

한편 16기 3중전회 이래 '결정'은 "진일보하여 공유경제를 확고하게 발전시킴은 물론 비공유경제를 고무·지원·인도한다"고 함으로써 대단히 긍정적으

---

5) "國家統計局: 中國私營企業步入快速發展時期", 中國新聞網, 2003. 7. 30.

구분	호수(호) 증가율(%)	총 종업원 수 (만 명) 증가율%	등록자금 (억 위안) 증가율%	가치 산출 (억 위안) 증가율%	납세 공헌도 (억 위안) 증가율%	수출 현황(억 달러) 사영 부문 / 총수출
1990	98,141	170	95	122	2.00	
1991	107,843 (9.9)	184 (8.2)	123 (29.5)	147 (20.5)	3.38 (69.0)	
1992	139,633 (29.5)	232 (26.1)	221 (79.7)	205 (39.5)	4.55 (34.6)	
1993	237,919 (70.39)	373 (60.8)	681 (208.1)	422 (105.9)	10.46 (129.9)	
1994	432,240 (81.68)	648 (73.7)	1,448 (112.6)	1,140 (170.1)	17.52 (67.5)	
1995	654,531 (51.43)	956 (47.5)	2,622 (81.1)	2,295 (101.3)	35.39 (103.1)	
1996	819,252 (25.17)	1,171 (22.5)	3,752 (43.1)	3,227 (40.6)	60.23 (69.2)	
1997	960,724 (17.27)	1,349 (15.3)	5,140 (37.0)	3,923 (21.6)	90.43 (50.2)	16.9/1828 (0.9)
1998	1,200,978 (25.01)	1,710 (26.7)	7,198 (40.1)	5,853 (49.2)	163.0 (80.13)	22.7/1838 (1.2)
1999	1,508,857 (25.64)	2,022 (18.3)	10,287 (43.0)	7,686 (31.0)	254.96 (56.42)	43.5/1949 (2.2)
2000	1,761,767 (16.76)	2,406 (19.0)	13,308 (29.4)	10,740 (40.0)	414.4 (62.50)	89.6/2492 (3.5)
2001	2,028,548 (15.14)	2,714 (12.8)	18,212 (36.9)	12,317 (15.0)	917.6 (121.43)	
평균 성장	34.6%	31.4%	63.3%	57.6%	80.33%	

* 자료: 張厚義·明立志, 梁傳運主編, 『中國私營企業發展報告 no. 4(2002)』, (北京: 社會科學文獻出版社, 2003年); 『중국통계연감』 및 『중국세무연감』 각년판 참고 작성.

로 사영 등 비공유경제는 사회주의 생산력을 발전시키고 촉진하는 원천이라고 인정하였다. 2002년 중국경제에서 비공유경제가 차지하는 비중은 이미 중국 국민총생산량의 1/3 이상이며, 특히 시장 경쟁성 영역에서 70% 이상 차지하고 있고, 2002년 말 사영기업의 등록자본 총액이 이미 2.85만억 RMB, 전 납세액의 43%, 민간투자 50% 이상, 국유기업 하강인원(下崗人員, 정리해고자를 의미하며, 하강된 후 3년간 재취업을 위한 교육을 받는다. 3년이 지나도 재취업이 되지 않으면 실업자가 된다)의 65% 흡수, 수출액 연평균 증가율 150% 이상을 차지하는 등 지방경제나 향진경제 중 민영기업은 경제발전의 주체로, 사회주의 시장화 개혁의 중요한 동력으로 국민경제에 지대한 영향을 미치고 있다.[6]

중국의 시장경제 전환 과정에서 사영경제의 발전이 중국경제에 미치는 영향은 다음과 같다. 비농업 부문과 국유기업 개혁 과정에서 출현한 실업자(下崗職工)의 재취업, 시장 경쟁력 강화와 기업가 정신의 배양 및 기술혁신의 장려, 사회적 자금의 효율적 활용 및 경제이익과 경제효율의 증대, 사회주의 시장경제체제 수립에 부합하는 구조적 틀을 만들어 국유 및 집체기업의 생산량 증대에 기여, 당대 중국경제 성장의 동력을 하고 새로운 경제성장의 돌파구를 하는 등을 긍정적인 영향을 지적할 수 있다. 가령, 농민 출신 루꽌취(魯冠球)의 완샹그룹(万向集團)은 7명이 가구당 4천 위안을 투자한 철공소가 발전하여 자본금 1백억 RBM, 종업원 2만8천 명으로 성장하였고, 신발수선공 난춘휘(南存輝)가 창업한 정타이그룹(正泰集團)은 공업전기 부문의 주도 기업으로 매출액이 1백억 RMB를 넘어 제품 생산량이 중국시장 점유율 25%를 차지함은 물론 생산제품을 세계시장에 판매하고 있으며, 17년 전 6백 RMB로 시작한 신장더롱그룹(新疆德隆集團)은 직원 6만여 명, 자본금 150억 RMB으로 성장하였고, 장원쭝(張文中)이 창업한 무메이그룹(物美集團)은 원국유기업 하강직원 8천여 명을

---

6) 任文燕, "民營經濟是促進社會生産力發展的重要力量", http://www.people.com.cn/GB/shizheng/1026/2377650.html; 검색일 2004년 3월 7일.

제1부 거시편: 경제이론 및 발전전략 _ 103

재취업시키고 3백여 개의 국유상점을 정상화시켰다. 이와 같이 사영기업의 발전은 인민대중이 공동부유를 실현하는 중요한 수단임과 동시에 사회적 자본을 재축척하는 중요한 원천이라 할 수 있다.

1992년 덩샤오핑의 남순강화 이후 2002년 16차 당대회까지 사영경제의 역할 변화는 가히 놀랄 만하다. 전국 사영기업의 총 가치산출은 1992년 205억 위안에서 2001년 123, 171억 위안으로 57.63% 증가, 사회소비품 소매액 1992년 91억 위안에서 2001년 6,245억 위안으로 59.98% 증가, 수출액 1992년 10억 위안에서 2001년 913억 위안으로 90배 증가, 공상세도 1992년 4.55억 위안에서 2001년 917.6억 위안으로 80.33% 증가, 노동력 흡수도 1992년 232만 명에서 2001년 2,714만 명으로 10.7배로 연평균 31.43%가 증가하여 2004년 현재 중국의 사영경제는 중국경제의 70% 이상, 취업인구의 90%를 점유하는 등 중국경제의 새로운 추동력으로 작용하고 있다.

또한 사영기업은 해가 지나면서 그 규모도 점점 커지고 있다. 1996년 등록자금이 1백~5백만 위안인 기업 개수가 5만6천 호에서 1999년 16만4천 호로 192.9%의 증가율을 보였고, 5백~1천만 위안인 기업 수가 6,289호에서 25,065호로 298.0%의 증가율을 보였으며, 등록자금 1천만 이상인 기업 수가 1999년에는 무려 9,180호나 되었다. 더욱이 기업집단은 1996년 752개에서 1999년 1,689개로 124.6%나 증가했다. 이러한 현상은 중국의 사영경제 붐이 중국경제에서 차지라는 비중이 나날이 증가하여 중국의 축적구조를 변화하는 데 크게 기여하고 있음을 보여주는 것이다.

한편 1999년 초 대외개방 정책에 따라 일부 사영기업(대략 150家 정도)은 1957년 이래 처음으로 자영수출입권(自營進出口權)을 획득하기도 하였다. 하지만 중국경제에서 사영기업이 극복해야 할 제약성 문제도 많이 있다. 가령 지방정부는 사영기업에 대해 무분별한 세금 징수와 근거 없는 세금을 거둬들이고

<표 3−7> 사영기업 발전 규모 비교

기업 규모 (등록자금 : 만RBM)	기업 개수		증가율(%)
	1996	1999	
1백~5백	56,000	164,000	192.9
5백~1천	6,298	25,065	298.0
1천 이상	—	9,180	—
기업집단	752	1,689	124.6

* 자료 : 郭海紅/陳永志, "我國私營企業市場競爭力的實證分析", 『商業經濟與管理』, 2002. 7, p. 46.

있으며, 각종 국유 금융기관으로부터 상업적 융자와 대출담보제, 사영기업 관리자와 종업원의 소질 제고, 회계감사, 회사등록, 금융기관의 융자, 시장 진입과 법집행 과정에서 일부분 제한을 받고 있다.

4. 결론

위에서 보듯이 민영경제의 발전은 중국사회의 사상해방의 결과에 기인하며, 그 결과 농촌지역과 개방경제 지역에서 향진기업의 발전에 크게 영향을 미쳤다. 또한 다른 측면에서 본다면 사회주의 생산관계의 변혁은 소유제구조의 변혁과 깊은 관련이 있기 때문에 소유제 문제를 올바로 인식하지 못하고는 사회주의체제의 변화 과정을 정확하게 파악할 수 없다. 중국 사회주의 소유제의 개혁이 사회주의 자본축적의 새로운 방식을 채택했고, 이러한 자본축적의 새로운 방식은 민영경제의 발전을 가능케 하여 결과적으로는 자본축적 양식의 변화가 중국을 세계의 공장으로 만들어 세계경제의 견인차 역할을 할 수 있게 하였다. 그 과정에서 세계시장의 변화에 가장 효율적으로 적응할 수 있는 민영경제의 역할은 당연히 클 수밖에 없었다.

〈참고문헌〉

李如鵬,『私有經濟的多樣性與可變性』, 北京: 中國工商出版社, 2003.

張厚義, 明立志, 梁傳運主 編,『中國私營企業發展報告 no. 4(2002)』, 北京: 社會科學文獻出版社, 2003.

胡家勇, "中國私營經濟: 貢獻與前景",『管理世界』5, 2000.

郭海紅, 陳永志, "我國私營企業市場爭力的實證分析",『商業經濟與管理』7, 2002.

盛毅, "國有企業資本積累的性質—兼論企業改制中的職工安置",『社會科學研究』3, 2002.

李相萬, "中國社會主義資本積累與擴大再生産研究", 中國人民大博士學位論文, 1997.

『中華人民共和國法律匯編(1979～1984 / 1985～1989)』, 北京: 人民出版社, 1985 / 1991.

"10期 全人大 2次會議 中華人民共和國憲法修正案(2004. 3)", 人民日報, 2004. 3. 8.

任文燕, "民營經濟是促進社會生産力發展的重要力量", http://www.people.com.cn /GB/shizheng/1026/2377650.html; 검색일: 2004. 3. 10.

"中國私營經濟的歷程回顧",『中國私營經濟網』, http://www.cpe.com.cn /summarize/licheng.htm; 검색일: 2004. 3. 10.

사건,「민영경제발전모식비교」, http://www.51paper.net/free/2004523051047. htm; 검색일: 2005. 9. 15.

『中國民營經濟發展前沿問題研究(2003～2004)』, 北京: 機械工業出版社, 2003.

제4장 중국의 기업개혁과 사회주의 지속성

홍정륜(청주대학교 중국통상학과 교수)

1. 서론

최근 수년간 중국의 국유기업 개혁과 관련하여 국유주와 법인주 등 비유통주를 유통주로 전환하기 위한 일련의 정책이 발표되면서 종합주가지수가 지속적으로 하락하고 있다. 국유기업 비유통주의 유통주 전환은 단순히 주식시장을 활성화하기 위한 방안으로 이해할 수도 있으나 기업의 소유권에 근본적인 변화를 가져다주는 조치로 이해할 수 있다. 중국에서 기업이 공유(국유 혹은 집단소유)를 유지하는 것은 사회주의의 정체성을 유지한다는 중대한 의미를 갖는다고 인식되어 왔다. 중국의 기업에서 공유의 비중이 현격하게 줄어들 수 있는 정책들이 발표되고 있는 현 시점에서 기업개혁과 사회주의의 지속성 문제를 살펴보는 것은 의미 있는 일이라 생각된다.

중국에서 자국의 정체성으로 주장하는 사회주의 국가란 무엇인가? 여러 정의가 있을 수 있으나 본고에서는 사회주의 국가란 생산수단이 사회화(혹은 공유화)된 국가로 정의하고자 한다. 1949년 건국 후 중국은 사회주의 계획경제→

계획적 상품경제→사회주의 시장경제 등 경제이념의 변화를 겪어 왔으나 여전히 사회주의를 고수하고 있다. 이 과정 속에서 뜨거운 논쟁의 대상이 되었던 것은 과연 중국경제의 모순이 계획에 있느냐 아니면 공유에 있느냐 하는 것이었다. 이 논쟁은 이론적으로보다 실질적인 경제체제의 개혁 과정 속에서 자연스럽게 결론을 도출해 가고 있는 듯하다. 1992년 중국정부는 사회주의 시장경제 도입으로 계획경제의 비효율성을 스스로 인정하였으며, 공유의 비중을 줄이고 민간 부문의 비중을 높여 감으로써 공유제 중심의 기업체제의 모순을 간접적으로 인정해 가고 있다.

사회주의 시장경제의 개념 및 내용과 관련하여 국내외적으로 다양한 논의가 이루어지고 있다. 브러스(Brus)는 사회주의 시장경제를 생산수단이 국유 혹은 집단소유로 되어 있고, 자원의 분배는 시장의 법칙에 따르는 경제체제로 정의하고 있다(Brus, W. & Laski, K., 1989, p. 337). 사회주의 시장경제에서 사회주의 공유제와 시장경제가 공존할 수 있는가에 대한 논의와 관련하여 웨런너트(Warrennut)는 사회주의 시장경제는 사적소유와 시장경제로 넘어가는 과도기적인 비용을 연장하는 체제에 불과하다고 결론을 지었다(Dorn, 1998, pp. 131~147). 고정식 교수도 사회주의와 시장경제라는 것이 비정합적인 관계임을 언급하고 있다(고정식, 2004, pp. 27~41).

기존의 연구를 기초로 하여 본고는 계획과 소유라는 두 개념을 이용하여 중국의 기업개혁 과정 속에서 사회주의 변화 과정을 분석하고자 한다. 우선 사회주의 계획경제 시기, 중국의 기업을 국유화하고 공유화하는 것을 통해 사회주의 정체성을 강화하는 과정을 살펴보고자 한다. 다음으로 계획적 상품경제 시기를 통해 사회주의하에서 기업에 대한 계획과 공유가 느슨해지면서 시장과 민간 부문이 상대적으로 강화되는 초기단계를 보고자 한다. 마지막으로 1992년대 이후 현재까지 중국의 경제이념으로 자리 잡고 있는 '사회주의 시장경제'하에서 중국기업의 개혁이 어떻게 진행되는지를 살펴본 후, 향후 기업의 소유제 변화가 중국의 사회주의 시장경제를 유지하는 데 어떤 변화를 가져올지 전망해 보고자 한다.

2. 기업개혁과 사회주의 계획경제

1) 계획경제 시기 기업개혁

1949년 중화인민공화국의 수립 초기, 신정부는 전통 중국경제가 유지하고 있던 여건을 급격하게 변혁하기보다는 단계적으로 개혁하여 나갔다. 중국은 먼저 농업 부문의 토지개혁, 상공업 부문의 구조조정, 재정경제 균형 등의 경제정책을 시행하였다.

(1) 국영기업화 개혁

당시 중국의 기업개혁은 민간기업과 국영기업 간의 생산 및 분배 관계의 조정이라는 소위 '상공업 부문 구조조정'의 일환으로 전개되었다. 정부는 국영기업은 물론이고 민간기업에 대한 가공주문 생산의 방식을 통해 민간기업도 국가계획의 관리 안에 포함시켰다. 가공주문 생산이란 생산품의 가공 및 마무리 처리를 위해 국가가 사기업에게 계약에 따라 맡긴 주문생산을 의미한다. 상공업 부문의 구조조정과 관련하여 상공업 등기를 시행하고 물자거래소를 건립하여 주요 물자에 대한 관리를 강화하기도 하였다. 중앙은행인 중국인민은행을 건립하여 인민폐를 발행함으로써 통화의 중앙관리와 투기 근절 및 물가 안정에 치중하였다(유희문, 2000, pp. 12~13).

중국은 1953년부터 경제구조를 사회주의로 개조하기 위한 제1차 5개년계획(1·5계획)을 시행하게 된다. 이 시기 사회주의 개조 역시 민간 상공업자에 대해 기술설비의 이용, 사영화의 제한, 국영으로의 개조 등 비교적 유연한 방식으로 이루어지게 된다. 주문위탁 생산에서 벗어나면서 국가와 자본가가 공동 출자하여 공동 경영하는 형태인 소위 '공사합영(公私合營)'으로 발전하게 된다. 국가는 민간기업에 투자하고 관리자를 파견하여 기업을 감독하였으며 기업의 수익은 국가와 자본가에게 출자지분에 따라 배분되었다. 1·5계획이 시행되기 전 1952년 국가계획위원회와 국가통계국을 설립하여 '지령성(指令性) 계획경제'를 시행하기 위한 기반을 마련하였다. 정부가 각 기업에게 생산량, 임금 등 지령성 지표를 하달하고 기업은 그대로 집행하는 기능만 담당하였다. 기업은 창출되는 이윤을 국가에 상납하고 기업운영에 필요한 자금을 국가로부터 받는 통일적인 정책(統收統支)을 시행하였다(유희문, 2000, p. 16).

1958년 이후 당초 진행 예정이던 2·5계획이 사회주의 건설의 총노선이라는 경제 대약진 정책으로 전환되었다. 경제 부문의 대약진을 이루기 위한 방법으로 인민공사(人民公社)가 설립되었다. 인민공사는 농업, 공업, 상업, 교육, 군대(農工商學兵) 등이 통합된 성격을 띠고 있었으며, 일대이공(一大二公)[1]의 특징을 보여주고 있다. 결국 인민공사 중심의 대약진운동은 초기 무리한 생산수단 공유화와 배급제도 등으로 농민의 근로 의욕을 현저하게 저하시키고 자연재해까지 겹치면서 성공을 거두지 못하게 된다.

대약진 정책이 실패로 끝남에 따라 1961년 '조정, 공고, 충실, 제고'라는 8자 방침하에 공업 부문의 정책을 대폭 수정하게 된다. 계획이 아닌 시장 수요에 따라 공업생산을 조정하고 기업이 손익을 책임지도록 하였다. 즉, 시장기능이

---

1) 大는 기업의 규모와 경영범위를 확대한다는 것을 의미하며, 公은 생산관계를 공유제로 전환한다는 뜻이다.

강화되고 기업의 인센티브 제도가 강화되었다고 할 수 있다. 기업들은 이런 상황하에서 공장장책임제, 기술책임제, 재무책임제 등을 시행하며 일정한 범위 내에서 자율성을 누리게 되었다. 1961~1965년에는 류사오치(劉少奇)와 덩샤오핑(鄧小平)의 경제 정책이 반영되고 있었다.

그후 1966년 문화대혁명이 시작되면서 인민공사와 군대를 통해 농업, 공업, 상업, 교육, 군대(農工商學兵) 등의 통합과 일대이공(一大二公)을 강화하는 정책을 시행하게 된다. 한편 기업의 관리자가 노동에 참여하고 노동자가 관리에 참여하는 기형적인 기업경영이 진행되었다. 기업 내의 공장장 책임제가 취소되고 근로자, 혁명간부, 군인의 대표로 구성된 혁명위원회가 행정관리기구로서 기업관리자의 업무까지 담당하였다. 문화대혁명 중반에 접어들면서 덩샤오핑과 같은 경제행정가가 경제 회복 정책을 시행하자 기업책임제가 부분적으로 다시 시행되기도 하였다.

(2) 농촌의 집체화

신정부는 토지의 소유권을 실질적인 경작자에게 넘기기 위해 지주로부터 토지를 몰수하여 소작농민에게 배분하는 토지개혁을 진행하였다.[2] 토지개혁으로 농촌을 집체화하기 위한 국유화 기반이 조성되었다.

농촌의 경제개혁은 농촌과 농업을 진흥시키기 위한 목적보다는 공업 발전을 지원하기 위한 목적으로 진행되었다. 즉, 급속한 공업화를 통해 빠른 경제성장을 이룩함으로써 단시일 내에 선진국과의 경제적 격차를 축소하고자 하였다. 따라서 농업 부문은 농업잉여를 통해 공업 부문에 식량과 자금을 공급하는 역할을 하였다. 국가는 농민을 조직화하여 농업잉여를 보다 확실하게 흡수함

---

2) 신정부는 농촌 인구를 지주, 부농, 중농, 빈농, 고농(雇農) 등 5단계로 분류하여 지주의 토지를 몰수, 빈농과 고농에게 분배하였다.

으로써 중공업 발전을 지원하고자 하였다. 농촌의 집체화는 호조조(互助組), 초급합작사, 고급합작사 등 3단계를 거치며 완성되어 갔다.

호조조는 농업의 집단화를 위한 가장 초보적인 단계라 할 수 있으며, 기본적으로 독자적인 경영을 하되 일시적 혹은 계절에 따라 집단적인 경영을 하는 조직이다. 호조조는 계절적 실업과 노동력 부족에 대처하기 위한 노동 교환 조직으로 생산수단은 모두 사유였다. 호조조에서 발전된 초급합작사(1953~1955년)는 토지나 농기구, 가축 등 개인 소유의 생산수단을 합작사에 출자하여 집단적으로 경영하고 출자분에 따라 수익을 분배하는 조직을 말한다. 초급합작사에서는 토지 등 사유가 인정되었으며, 토지 사용의 대가로 소유자에게 지대를 지불하였다.

1955년 후반기 이후 초급합작사를 고급합작사로 전환하는 일이 급속도로 진행되었다. 이 과정에서 생산수단에 대한 보상이 이루어지지 않아 농민들의 불만을 야기하였으나 정부의 강력한 의지로 초급합작사는 1956년 말 87.8%가 고급합작사로 전환되었다. 이로써 농업의 사회주의 집체화는 기본적으로 완성되었다고 볼 수 있다. 고급합작사는 토지, 가축, 농기구 등을 모두 집단 소유로 하고 농민은 노동량에 따라 필요한 물자를 배분하는 조직이다. 1958년에는 고급합작사 단계에서 가장 발전된 형태의 조직인 인민공사 건설이 진행되었다. 인민공사의 집행부 위계는 인민공사, 생산대대, 생산대, 생산조의 순으로 설정되었다(이일영, 2000, pp. 114~117).

2) 계획경제하의 사회주의

신중국 성립 후 중국정부는 사회주의 계획경제를 시행하면서 기업을 공유화하고 농촌의 생산조직을 집체화하는 조치를 단계적으로 시행하였다. 계획경제 시기 중국은 소유제구조를 개혁함으로써 사회주의를 완성해 가고자 하였다. 사회주의 국가는 생산수단이 사회화(혹은 공유화)된 국가라는 기본적인 인식하에 개인 소유이던 생산수단을 국유화하고 집단화함으로써 새로운 국가의 모습을 형성해 갔다. 위에서 언급한 바와 같이 생산수단을 사회화하는 것은 단번에 이루어진 것이 아니라 일정한 시간적 간격을 두고 단계적으로 이루어져 갔다. 기업개혁 측면에서 사회주의 국가로서의 성격을 강화하는 과정은 사영기업과 국영기업의 협력→사영기업과 국영기업의 공동경영→사영기업의 국영기업으로의 개조 단계를 거치고 있다. 이 과정 속에서 생산수단의 국유화 내지 집체화가 심화되고 있는 것을 확인할 수 있다. 농촌의 집체화 과정은 호조조→초급합작사→고급합작사(인민공사) 단계를 거치면서 완성되어 가고 있다. 이 과정에서도 토지, 농기구, 가축 등 생산수단이 사유(私有)에서 점차 집체소유로 변해 가고 있는 것을 알 수 있다. 결국 이 시기 사회주의 개혁의 핵심은 생산수단의 개인소유를 없애고 국유 혹은 집체소유를 실현하는 것이라 할 수 있을 것이다. 이 시기 공유제 내에서 국유가 우월한지 아니면 집체소유가 우월한지에 대해서는 표면적으로 크게 부각되지는 않고 있다. 다만 도시의 기업개혁은 주로 국유로 이루어지고 농촌의 개혁은 집체소유로 이루어지고 있다.

생산수단의 공유화 개혁이 진전되면서 정부계획이 사회에 미치는 영향력은 확대되고 심화되고 있다. 바꾸어 말하면 경제에서 시장기능이 점차 약화되고 계획기능이 크게 강화된다고 할 수 있다. 물론 전반적으로 계획기능을 강화하는 가운데서도 특정 시기별로 시장기능을 중시하던 때가 있었던 것은 사실이다. 대약진운동 실패 후 시장기능 강화와 문화대혁명 중반기 이후 시장기능 강화를 그 예로 들 수 있다.

생산수단의 공유화가 계획기능을 강화시켰는지, 아니면 계획기능 강화를 위해 생산수단의 공유화가 이루어졌는지 판단하는 것은 쉽지 않다. 그러나 분명한 것은 생산수단의 공유화가 진전되면 시장기능이 약화되고 계획기능이 강화되었으며, 계획기능이 강화되면 생산수단의 공유화가 더 빨리 이루어지고 있다는 점에서 양자는 보완적인 측면을 가지고 있다. 생산수단이 공유화되고 계획경제가 강화되면서 중국경제는 일시적인 고도성장을 이루기도 하였으나 전반적으로 악화되는 모습을 보이고 있다. 대약진 시기와 문화대혁명 시기에 이 현상은 두드러지게 나타나고 있다. 경제 정책 실패의 원인이 생산수단 공유화에 있는지, 아니면 계획 실패에 있는지에 대한 논쟁도 이런 상황 속에서 부각되었다. 이 논쟁은 개혁개방 초기 시장기능을 강화해야 할지, 사유화를 추진해야할지에 대한 논쟁으로 이어지게 된다.

3. 기업개혁과 계획적 상품경제

1) 개혁개방 전반기 기업개혁

1978년 개혁개방 이후 중국정부는 도시에서는 국영기업에 대한 개혁을 진행하고 농촌에서는 인민공사를 해체하고 향진기업(혹은 향촌기업)을 육성하는 등 사회주의 계획경제 시기와 전혀 다른 기업개혁을 추진하였다.

(1) 국영기업 개혁
개혁개방 이후 1992년 이전까지 국영기업 개혁은 몇 가지 단계로 나누어 볼 수 있다.
제1단계(1979~1983년)에는 기업경영과 관련한 국가의 일부 권한이 기업으로 이양되고 이윤의 일부를 기업에 남기도록 하는 이윤유보제(放權讓利)를 시행하였다. 즉, 기업의 경영 자주권을 확대하고 이윤의 일부를 기업에 유보하여 기업이 지령성 계획에 의한 생산 이외의 경영 활동이나 종업원 복지, 상여금 지급 등에 사용하도록 하였다.

제2단계(1984~1986년)에는 '이개세(利改稅)' 개혁을 시행하였다. 이개세란 기업의 이윤을 정부에 상납하던 것을 세금 납부로 대신하는 것을 말한다. 기본 목적은 기업의 자주 경영권 확대, 정부와 기업의 재무 분리 제도화, 국가와 기업 간 이윤 분배 방식의 규범화, 재정수입의 안정적 확보 등을 위한 것이다. 이개세는 조세제도를 정착시킨다는 의미에서 취지는 좋았으나 전반적인 가격체제의 미확립, 장부상의 이윤과 실질적인 이윤의 불일치 등으로 인해 별다른 성과를 거두지 못하였다.

그후 제3단계(1987~1992년)에는 소유와 경영을 분리하고자 하는 목적으로 경영청부책임제를 시행하였다. 경영청부책임제(經營承包責任制)란 기업이 정부와 일정 기간(3~5년) 청부계약을 체결하여 독립적으로 경영하고 청부계약 상의 의무를 초과하여 획득한 이윤은 기업에 귀속시키는 것을 말한다. 즉, 청부자가 청부지표를 달성하면 종업원 평균 급여의 2~4배까지 높은 급여를 받지만 청부지표를 달성하지 못하면 기본 임금의 절반 이상이 삭감된다(서석홍, 1998, pp. 27~29).

(2) 향진기업 육성

향진기업은 계획경제 시기 인민공사체제에서 인민공사나 생산대대가 운영하던 사대기업(社隊企業)을 그 전신으로 한다. 1978년 이후 중국은 농업 부문에 대한 개혁을 진행하여 1983년에 이르러 거의 전 지역에서 집단농장이 해체되고 농가경영청부제라는 가족농체제가 형성된다. 1983~1984년에는 인민공사 체제가 해체되었는데, 인민공사는 대체로 지방행정 단위인 향(鄉)으로, 생산대대는 촌(村)으로 대체된다. 한편 향과 동급의 행정 단위로 비농업 경제 활동이 발달된 지역을 진(鎭)으로 지정하였다. 이런 체제 변화 과정에서 과거 사대기업이, 향이 경영하는 기업(鄕辦企業)과 촌이 경영하는 기업(村辦企業) 등으로 불리게 되었으며, 사대기업은 향진기업으로 개칭되었다. 향진기업에는 개인기업(個體戶)과 농가가 합작하여 설립한 연호(聯戶)기업도 포함된다. 따라서 향진기업은 농민이 집단적으로, 소수의 동업으로 혹은 개인적으로 소유, 경영하는 다양한 종류의 비국유기업을 총칭하는 개념이다(김시중, 1998, pp. 490~492).

1984~1988년 기간 동안 향진기업은 급속도로 성장하면서 농촌의 경제성장을 견인하게 된다. 이 시기 각급 정부는 향진기업을 당시의 국영기업과 동등하게 대우하고 필요한 지원을 할 수 있도록 하였다. 향진기업은 각급 정부의 지원하에 기업 수와 고용인원 측면에서 모두 〈표 4-1〉과 같이 빠른 속도로 성장하다 1988~1991년 치리정돈(治理整頓)으로 인해 악화된 경영 환경에 직면하게 된다. 그럼에도 불구하고 향진기업은 국영기업에 비해 중앙정부의 영향을 상대적으로 적게 받아 14.4~21.3%의 고성장을 유지하였다(오승렬, 2004, pp. 661~662).

〈표 4-1〉 향진기업의 기업 수 및 고용인원 변화

연도	기업 수(만 개)	고용인원(만 명)
1985	1,222.5	6,979.0
1990	1,873.4	9,264.8
1995	2,202.7	12,862.0
2000	2,984.7	12,819.6

* 자료: 『중국통계연감』

2) 계획적 상품경제와 사회주의

개혁개방 후 중국정부는 개혁개방 전 경제체제의 모순이 어디에 있는지에 대한 논의를 진행하였다. 그 논의는 크게 2가지 입장으로 나누어진다. 우선 경제체제의 모순이 사회주의의 '국유'에 있다는 입장을 들 수 있다. 사회주의는 소유권 측면에서 볼 때 공유제(국유 혹은 집체소유)가 핵심을 이루는 체제라 볼 수 있다. 따라서 이 견해는 사회주의의 소유권 제도에 대한 개혁이 불가피하다는 입장을 취하고 있다. 둘째, 경제체제의 모순이 '계획'에 있다는 입장을 들 수 있다. 당시 중국의 경제가 낙후되게 된 것은 소유제의 문제보다는 정부의 계획 실패에 기인한다는 입장이다. 이 견해에 따르면 중국은 계획 당국에 대한 개혁을 시행하는 것이 불가피하게 된다.

두 입장 중 어느 것이 옳은지에 대해 논하기보다는 개혁개방 초기 중국정부가 시행한 정책을 통해 양자가 어떻게 현실 정책에 반영되고 있는지를 살펴보자. 중국정부는 개혁개방 후 소위 '계획적 상품경제'로써 사회주의 계획경제를 대체하였다. 계획적 상품경제의 의미와 내용을 살펴보면 사회주의 계획경제의 모순이 국유(혹은 집체)에 있는지, 아니면 계획에 있는지를 이해하는 데 도움이 될 것이다.

(1) 계획적 상품경제의 유래와 의미

1978년 이후 중국은 대외적으로 개방을 실시하고 대내적으로는 개혁을 시행하게 된다. 이 과정에서 사회주의 계획경제는 '계획적 상품경제(有計劃的商品經濟)'로 전환되게 된다. '계획적 상품경제'라는 말에는 '사회주의 계획경제'라는 용어와 비교하여 사회주의라는 말이 빠져 있는 반면 계획이라는 말은 여전히 포함되어 있다. 그러나 이 용어만을 근거로 하여 중국이 사회주의를 포기한 것으로 이해하면 큰 오류에 빠지게 된다. 중국은 여전히 사회주의 노선을 유지하고 있으며, 이는 덩샤오핑의 개혁개방 과정에서 등장하는 중국 특색의 사회주의 건설, 사회주의 초급단계론이나 4항원칙[3] 등에 분명히 나타나고 있다. 한편 과거 '계획경제'라는 용어 대신 '계획이 있는(有計劃的)'이라는 말을 사용하고 있다. '계획이 있는(有計劃的)'이라는 말이 의미하는 것은 중국이 여전히 계획을 완전히 포기하지는 않고 있다는 것이다. 그러나 과거 계획경제에 비해 중앙집권적 계획이 상당히 약화된다는 것을 알 수 있다. 마지막으로 주목해야 할 말은 상품경제라는 것이다. 사회주의 계획경제에는 원칙적으로 '산품(産品)'은 존재하지만 '상품(商品)'은 존재하지 않는다. 중국정부는 상품의 존재를 인정함으로써 교환에 의한 가치 창출의 가능성을 열어 놓은 것이다.

'계획적 상품경제'라는 말은 또한 새로운 각도에서 이해할 수 있다. 개혁개방 전 중국정부는 시장경제를 도입하는 것에 대한 많은 반대에 부딪혔으며, 이를 완화하고 개혁개방을 추진하기 위한 방안으로 '계획적 상품경제'를 도입했다고 할 수 있다. 그후 '시장경제'를 도입하기 위한 근거로 '자본주의에도 계획이 있듯이 사회주의에도 시장이 있을 수 있다'는 입장을 내세운 것은 이에 대한 암시를 한다. 다시 말해서 '계획적 상품경제'란 중국정부가 이데올로기적 이유에서 시장경제란 용어 대신 사용한 말로서, 계획과 시장을 적절히 조합하여 국유기업은 계획하에 비국유기업은 시장하에 놓이게 한다는 것을 의미한다.

(2) 계획적 상품경제 시기의 주요 개혁 내용

중국정부는 계획적 상품경제하에서 먼저 농촌을 개혁의 시범지역으로 채택하였으며, 그후 도시로 개혁을 확대해 간다.

---

3) 4항원칙이란 ① 사회주의 노선 견지, ② 인민민주독재 견지, ③ 공산당의 정치와 사회영도 견지, ④ 마르크스-레닌주의, 마오쩌둥(毛澤東) 사상, 덩샤오핑 이론, 삼개대표 중요 사상 견지 등을 의미한다.

개혁의 제1단계(1978~1984년)로 중국정부는 계획경제 시기의 경제조직인 인민공사를 해체하고 집단농업체제를 가족농업으로 전환하였으며, 또한 농산물 가격을 점진적으로 시장화하였다. 농촌은 개별 가족농업의 성장과 농산물 가격의 상향화, 자율화로 인해 농업생산성의 급격한 증가를 거두게 된다. 이 시기 도시개혁과 관련하여 중국은 국영기업이 이윤을 국가에 상납하던 것을 기업에 남기게 하는 이윤유보제를 시행하여 기업의 보너스 및 투자자금으로 사용하게 하였다.

개혁의 제2단계(1984~1989년)에는 중국의 개혁이 도시 전반으로 확대된다. 주요 개혁 내용으로 ① 소형 국영기업의 사영기업에 대한 경매 및 임대 확대, ② 집단소유인 집체기업의 주식회사화, ③ 중대형 국영기업의 청부경영책임제(承包制)와 공장장책임제의 확산을 통한 소유와 경영의 분리, ④ 새로운 사적 소유기업(개체호, 사영기업)의 성장 허용 등이 포함된다. 한편 이 시기 농촌에서는 개체호, 사영기업, 집체기업 등 다양한 유형의 향진기업이 급속도로 성장하게 된다.

개혁의 제3단계(1989~1992년)에는 과도한 인플레이션, 자연환경 파괴, 각종 오염물질 유발 등 고도성장에 따른 후유증을 해소하기 위한 조치가 이루어졌다. 구체적으로 중앙정부 재정의 비중 제고, 국영기업의 비국영기업(특히 향진기업)에 대한 우위 재확인, 주요물자의 계획에 의한 분배 강화, 투자용 대출 통제강화 등 재중앙집권화를 위한 조취를 취하였다(이근, 1994, pp. 4~5).

(3) 계획적 상품경제하의 사회주의
중국은 계획적 상품경제하에서 과거 계획경제 시기 공유화했던 생산수단을 부분적으로 사유화함으로써 상대적으로 느슨한 형태의 사회주의를 시험하고 있다. 계획적 상품경제의 의미와 그 이론을 정책화하는 과정을 보면 개혁개방 이전 사회주의 계획경제 시기의 모순을 소유제에서 찾아야 할지, 계획에서 찾아야 할지 이분법적으로 판단하기 곤란하다. 기업개혁의 관점에서 보면 소유제 부문에서 대한 개혁과 계획기능의 약화가 동시에 나타나고 있다.

기업의 소유제 측면에서 개혁개방 이후 중국은 획일적인 공유제 기업체제에서 벗어나 부분적으로 개체기업, 연호기업, 사영기업 등 새로운 형태의 기업을 육성하였다. 기존의 획일적인 공유제가 가지고 있는 모순을 인정했다고 볼 수 있다. 국영기업에 대해서는 내부적인 개혁을 단행함으로써 기존의 국유제를 유지하면서 자체적인 해결 방안을 찾아가고 있다. 국영기업은 국영기업이라는 명칭은 유지하고 있었으나 경영 자주권 확대, 인센티브제 도입 등을 통해 생산성을 높이기 위한 정책을 시행하였다. 한편 비국영기업 특히 향진기업(집체기업, 개체기업, 연호기업 등)을 육성함으로써 국영기업이 해결하지 못한 문제를 다른 수단으로 해결해 보고자 하였다. 이 시기 각급 지방정부는 향진기업에게 국영기업과 동등한 대우를 부여하면서까지 향진기업을 적극 육성하였다. 그러나 국영기업은 여전히 비국영기업에 비해 훨씬 중시되었던 것만은 틀림없다. 향진기업은 중국경제를 고도성장으로 이끄는 데 견인차 역할을 하였으나 물가 급등, 빈부격차 확대 등 새로운 사회 불안정 요인을 해결하지 못함으로써 1980년대 후반 이후 일시적인 개혁개방의 퇴보를 초래하기도 하였다.

계획적 상품경제는 계획의 기능을 축소하고 시장의 기능을 점차 강화해 가고 있다. 이 시기 중국은 기업의 생산에서 분배까지 철저하게 계획에 움직이던 체제에서 벗어나 기업경영의 자율성을 상당히 확대하고 있다. 경영 자주권이 확대되고 인센티브 제도가 도입되면서 기업의 생산성은 상당히 향상되고 있다. 또한 기업은 단순히 '산품'을 생산하던 단계에서 벗어나 '상품'을 생산함으로써 시장에서 거래되는 객체를 만들어 내게 되었다. 그러나 시장기능 강화가 항상 순조로운 것만은 아니었다. 치리정돈 시기(1989~1992년) 국영기업의 향진기업에 대한 우위를 재확인하고 계획에 의한 분배가 강화되면서 시장기능이 일시적으로 정체되기도 하였다.

전반적으로 계획적 상품경제 시기 사회주의는 획일적인 공유제와 계획경제에서 벗어나 다양한 유형의 소유제를 발전시키고 시장기능을 강화해 가는 초기 단계라 할 수 있다. 그러나 여전히 소유제 측면에서 공유제가 중요한 위상을 가지고 있으며, 시장기능이 점차 강화되지만 계획의 비중이 여전히 큰 경제적 특성을 가지고 있다.

한편 기업의 소유권과 관련하여 1984년 국가경제체제개혁위원회가 도시의 집체소유기업 및 소형 국영기업 활성화를 위한 방법으로 주식제를 인정하면서 기업의 주식제 개혁이 점차 부각되었다. 보수세력들은 국영기업의 주식제화를 사회주의의 부정이라고 크게 비판하는 등 주식제의 보급은 여러 우여곡절을 겪어야 했다. 1987년 10월 중공 13기 전국인민대표대회에서 주식제가 사회주의 기업의 재산조직 형식으로 인정되면서 주식제가 본격적으로 보급되기 시작하였다. 1988년 말 주식제를 시행한 국영기업은 상하이(上海) 등 16개 성·시에서만 850여 개에 달하였다. 그러나 1989년부터 중국정부는 주식제의 정돈과 공유제 위주의 주식제 시행을 요구하고 그 시행 방법으로 종업원 지주와 기업 간 주식 참여만을 허용하였다(조현준, 1996, pp. 28~29).

4. 기업개혁과 사회주의 시장경제

1) 남순강화(南巡講話) 이후 기업개혁

(1) 국유기업[4] 개혁 심화

1992년 중국은 14차 당대회에서 계획적 상품경제를 대신하여 '사회주의 시장경제'라는 새로운 모델을 채택하였다. 중국정부는 국유기업 개혁 방안으로 시장경제의 요구에 부합하도록 소위 현대기업제도[5]를 수립하는 것을 목표로 제시하였다. 동시에 현대기업제도를 수립하기 위해 '재산권의 명료화, 책임과 권한의 명확화, 정부와 기업의 분리, 과학적 관리'라는 원칙을 제시하였다.

1994년 14기 5중전회에서는 국유기업 개혁을 위해 "큰 것은 틀어쥐고 작은 것은 풀어놓기(抓大放小)" 방침을 채택하였다. 이 방침에 따라 중대형 국유기업은 국제경쟁력을 갖춘 기업으로 집중 육성하고 소형기업은 시장 원리에 따라 임대, 매각, 인수합병 등의 방법으로 비국유기업으로 전환하거나 심각할 경우 파산을 유도하도록 하였다.

1997년 15차 당대회에서는 국유기업 개혁과 관련하여 현대기업제도와 주식제 개혁이 동시에 제기되었다. 15차 당대회에서는 "공유가 중심이 된다"는 의미를, 종래 공유 부문이 양적으로 우위를 차지한다는 것에서 공유 부문이 핵심 부문을 통제하고 경제를 주도한다는 것으로 전환하였다. 또한 "공유제 실현 형식의 다양화" 및 "시장경제의 요구에 부응하는 공유제 실현 형식의 모색"을

---

4) 국유기업은 국가 혹은 전인민이 소유한 기업이라는 의미로 1992년 사회주의 시장경제 시행 이후 공식적으로 등장하고 있다. 그 이전에는 국가가 소유권과 경영권을 동시에 장악하여 국영기업이라 불렸으나 1992년 이후에는 소유과 경영의 분리라는 원칙에 근거하여 국유기업이라 불리고 있다.
5) 공산당 14기 3중전회에서는 사회주의 시장경제 모형을 체계화한 '중공중앙의 사회주의 시장경제 건립에 관한 몇 가지 결정(1993. 11)'을 통해 현대기업제도를 제시하였다.

제창하며, 국유 및 집체소유뿐만 아니라 증가하고 있는 혼합소유제에 대한 국가 및 집체의 지분도 공유로 인정하는 입장을 취하였다. 특히 "주식제는 소유와 경영의 분리, 자본의 운영 효율 제고에 유리한 자본 조직의 형식으로 자본주의도 사회주의도 이용할 수 있으며 이를 사유제와 동일시할 수 없다"고 해석하여 주식제를 적극적으로 수용하였다.

1992년 이후 전개된 국유기업 개혁의 주요 특징을 정리해 보면 다음과 같다. 우선 국유기업 개혁을 위해 국유기업을 정부로부터 분리하였다. 국유기업이 정부로부터 분리되면서 국유기업을 산하기관으로 하던 행정부서가 폐지 또는 대폭 축소되기도 하였다. 둘째, 국유기업의 회사화 개혁이 진행되었다. 그 의미는 국유자산을 직접 운영하여 생산경영을 하는 기업조직의 형태에서 현대 시장경제의 회사제로 전환하는 것을 말한다. 셋째, 중대형 국유기업과 소형 국유기업에 대해 각각 다른 형태의 구조조정을 단행하였다. 중대형 국유기업은 정리해고(下崗) 등을 통한 경영실적 개선을 도모하였으며, 소형 국유기업은 합병, 매각, 임대경영, 주식합작제 전환, 파산 등 다양한 방식으로 개혁하였다.

(2) 후진타오(胡錦濤) 정부의 국유기업 개혁

후진타오 중심의 제4세대 지도부는 국유기업 개혁과 관련하여 그동안 점진적인 개혁에서 벗어나 적극적으로 개혁해 나가고 있다. 국유기업의 개혁에 가장 걸림돌이 되었던 공유제 소유 형태의 유지와 관련한 이념적인 문제를 해결하는 방향을 잡아 가고 있다. 주식회사제도를 "공유제의 주요한 실현 형식"으로 파악하고 국가 다수지분 여부에 관계없이 국가자본의 참여만으로 공유제의 이념이 실현되는 것이라는 관점을 채택하여 국유기업의 소유권에 대한 다양한 형태의 변화를 가능하게 하였다. 사회주의 이면에 대한 융통성 있는 접근에 힘입어 제4세대 지도부는 증권거래소에 상장되어 있는 국유기업의 비유통주(국유주와 법인주)를 유통시키는 정책을 추진해 가고 있다. 이로 인해 종합주가지수가 지속적으로 하락하는 등 주식시장이 크게 침체되어 어려움을 겪고 있지만 장기적으로 모든 비유통주를 유통주로 전환하고자 하고 있다. 〈표 4-2〉와 같이 최근 종합주가지수는 지속적으로 하락하고 있지만 중국정부는 비유통주의 유통화를 계속해서 추진하고 있다.

2003년 3월에는 국유자산감독관리위원회(이하 국자위)를 설립하여 각 부처에 분산되어 있던 국유기업에 대한 관리감독 기능을 통합하고 권리행사에 대한 권리 행사의 주체를 명확히 하였다. 국자위체제는 국유자산 재산권 관계, 국유자산관리기구의 권한과 책임, 중앙정부와 지방정부의 국유자산 소유관계 등을 명확히 할 수 있도록 설계되었다. 국자위는 국유기업의 경영에 대해 근거와 원칙이 모호한 행정적인 간섭을 하는 것이 아니라, 국유자산 소유권의 대표자로서 당연한 재산권 행사라는 형태로 간섭하게 된다. 이를 통해 국유기업에 대한

〈표 4-2〉 종합주가지수 변화 추이(2003. 1.~2005. 6.)

연도	최고 종합주가지수	최저 종합주가지수
2002. 6	1,825.8	1,518.1
2002.12	1,504.5	1,409.6
2003. 6	1,657.0	1,553.4
2003.12	1,598.5	1,463.5
2004. 6	1,657.7	1,444.6
2004.12	1,419.9	1,327.0
2005. 1	1,332.1	1,248.1
2005. 2	1,394.6	1,246.7
2005. 3	1,391.8	1,219.0
2005. 4	1,315.8	1,191.4
2005. 5	1,222.8	1,094.9
2005. 6	1,203.6	1,047.7

* 자료 : www.pbc.gov.cn

정부 개입의 이론적 근거를 사회주의 공유제 이념에서 시장경제하의 소유권 행사로 변화시킨 것이다.

국유기업의 퇴출 시스템도 갖추어 가고 있다. 생존 능력이 없는 비효율적인 국유기업에 대한 파산(소위 정책적 파산)을 대규모 시행하고 있다.[6] 한편 정책적 파산시 파산 당시의 자산을 은행 등 채권자가 아닌 실업자에게 우선적으로 지급하도록 하고 있다. 기업에 대한 시장 원리보다 사회 안정을 우선적으로 고려하는 경향을 보이고 있다.

중국정부는 국유기업 개혁의 일환으로 외국기업에 의한 M&A를 적극 장려하기로 하고 관련 법률을 잇달아 공포하고 있다. 2002년 11월 '상장기업 국유주 및 법인주의 외국인 투자자로의 양도에 관한 통지'가 발표됨으로써 1995년 9월에 금지되었던 외국기업에 의한 국유기업의 M&A가 허용되었다. 특히 2003년 중국정부는 외자 및 기타 민간자본을 통한 국유기업의 인수합병(M&A)을 활성화하기 위해 중앙정부의 재산권을 성(省)정부가 행사하도록 하였다. 2003년 3월에는 '외국인 투자자의 중국 국내기업 인수합병에 관한 잠정규정', 동년 11월에는 '외자를 이용한 국유기업 개조에 대한 잠정규정'을 발표하였다. 중국정부가 M&A를 통한 외자 도입과 국유기업의 해외 매각을 본격적으로 추진하겠다는 의지를 보여주고 있는 것으로 평가할 수 있다.

(3) 향진기업

1992년 남순강화와 동년 10월 14차 공산당대회의 사회주의 시장경제론을 계기로 중국의 개혁개방은 침체 시기를 벗어나 새로운 국면을 맞이하게 된다. 향진기업의 경제성장에 대한 긍정적 역할이 재평가되면서 향진기업에 대한 적

---

6) 2004년 4월 현재 파산 처리는 3,377건이 이루어졌으며, 이로 인한 국유은행 및 자산관리공사의 손실은 2,238억 위안, 실직자는 620만 명에 달하고 있다.

극적인 지원이 이루어지게 된다. 향진기업은 2003년 한 해 동안 영업수입이 전년 대비 82.9%, 고정자산은 57.7% 증가하는 등 비약적으로 성장하게 된다. 1994년 이후 정부의 긴축 정책으로 인해 향진기업은 자금난에 직면하게 되지만 1955년까지 비교적 안정적으로 성장하게 된다. 1997년 이후 동아시아 금융위기의 여파를 겪으면서 향진기업은 성장률이 크게 둔화되게 되거나 정체된다(오승렬, 2004, pp. 662~663).

이 시기 향진기업의 성장 둔화는 긴축 정책이라는 국가의 정책적 요인 이외에 국유기업 및 사영기업, 외자기업 등과의 경쟁 심화, 국제적 환경 악화 등에 기인한다. 향진기업 성장은 치리정돈 시기 국유기업에 비해 불리한 대우를 받던 것과 달리 국가의 전반적인 정책적 요인에 영향을 받고 있다.

2) 사회주의 시장경제와 사회주의

(1) 사회주의 시장경제의 의미

중국은 1989~1992년 기간 동안 긴축 정책을 시행하면서 급격한 경기위축에 직면하였으며, 따라서 새로운 돌파구로서의 경제 정책이 필요하게 되었다. 1992년 중국정부는 '사회주의 시장경제'라는 새로운 경제이론을 발표하였으며, 그 기본 원칙을 현재까지 이어 오고 있다. 사회주의 시장경제는 계획적 상품경제의 연속선상에서 이해할 수 있다. 다만 계획적 상품경제는 국유를 계획하에, 비국유를 시장하에 놓이게 하고 있으나, 사회주의 시장경제는 계획을 폐지하여 국유·비국유 할 것 없이 모든 종류의 기업을 다같이 시장하에서 자유로운 경쟁을 하게 한다는 것을 의미한다. 사회주의 시장경제는 계획이 문제라는 시각과 국유가 문제라는 시각을 모두 수용하고 있다. 즉, 사회주의 시장경제는 계획을 포기하고 시장을 도입하며, 동시에 국유 이외에 비국유 부문의 성장을 인정하였다. 그러나 국유 부문의 전면적 사유화는 인정하지 않음으로써 두 번째 시각을 부분적으로만 인정하고 있는 한계를 지니고 있다.[7]

(2) 사회주의 시장경제의 주요 특징

사회주의 시장경제는 주로 다음과 같은 기본적인 특징을 지니고 있다. ① 생산유통 영역에서 중국은 제품생산의 지령성 계획을 완전 취소하려 하고 있으며, 국가의 가격 결정제도도 기본적으로 취소하였다. ② 투자 영역에서 국내기업과 개인에게 경쟁력 있는 업종의 투자를 허락하고 있다. ③ 소득 분배 영역에서 노동소득은 노동력 시장의 공급 및 기업 이사회, 경영자와 노동조합(工會)이 공동협상으로 결정한다. 경영자의 수입은 이사회에서 결정한다. ④ 대외경제 영역에서 환율과 연계하여 국내외 시장가격체계와 관세를 주요 수출입 조절수단으로 한다(허흥호, 2000, pp. 104~106).

(3) 사회주의 시장경제하의 사회주의

사회주의 시장경제하에서 사회주의는 과거 계획적 상품경제와 상당히 다른 특징을 보이고 있다. 가장 큰 차이점은 계획적 상품경제하의 사회주의와 달리 계획 부분을 포기했다는 점이다. 계획은 과거 계획경제 시기는 물론이고 계획적 상품경제 시기에도 사회주의의 중요한 요인으로 간주되어 왔으나 사회주의 시장경제 시기에 접어들면서 포기해야 할 대상으로 전락하였다. 이는 중국정부가 계획에 의한 경제 운영이 비효율적임을 스스로 인정하면서 사회주의를 융통성 있게 해석한 것이라 할 수 있다.

소유제 측면에서도 중국정부는 사회주의 시장경제 시기에 접어들면서 상당

---

7) 사회주의 시장경제는 국유 부문의 전면적 사유화를 인정하지 않음으로써 불완전한 과도기 이론으로 평가를 받기도 한다. 고정식 교수는 사회주의 시장경제가 한시적으로 존재하는 형태임을 밝히고 있다.

히 탄력적인 입장을 보이고 있다. 국유기업이 비국유기업보다 우월하다는 관념이 약화되면서 기업 정책 또한 크게 변하고 있다. 국유기업 역시 비국유기업과 마찬가지로 현대기업제도로 개혁해 가고 있으며, 경쟁력 있는 중대형 국유기업을 지원하고 경쟁력 없는 소형 국유기업을 과감하게 청산해 가고 있다. 또한 주식제에 대한 부정적인 인식도 약화되면서 국유기업은 주식제 기업으로 변화되어 가고 있다.

사회주의 시장경제하에서도 소유제 측면에서 공유제를 중심으로 하고 있으므로 국유주와 법인주의 비중을 높게 유지하는 것은 매우 중요한 일이었다. 그러나 국유주나 법인주(비유통주)가 주식시장을 침체시키고 국유기업의 개혁에 걸림돌이 되면서 비유통주를 유통주로 전환하는 정책을 단계적으로 추진하고 있다. 모든 주식이 유통주로 전환되어 국유주의 비중이 크게 하락하여 중심이 되지 못할 경우 사회주의 시장경제하의 사회주의는 더욱 탄력적으로 해석될 수밖에 없을 것으로 보인다. 후진타오 정부가 공유제 이념을 국가지분 중심에서 국가의 지분 참여로 전환하려는 움직임을 보이는 것은 이 같은 맥락에서 이해할 수 있다.

사회주의 시장경제 시기에는 치리정돈 시기와 달리 향진기업에 대한 차별적인 조치도 상당 부분 해소하고 있으며, 오히려 향진기업의 발전을 적극 장려하고 있다. 다만 향진기업은 긴축 정책, 다른 기업과의 경쟁 격화, 국제환경 악화 등 변화된 외부 여건에 적응하지 못하면서 성장이 둔화되는 양상을 보이고 있다.

5. 결론

위에서 계획과 소유라는 2가지 측면에서 중국기업의 개혁 과정을 살펴보았다. 계획과 소유는 기업개혁에 적용될 뿐만 아니라 중국의 전체적인 경제이념, 나아가 국가이념과도 연결된다. 건국 후 중국은 사회주의 계획경제라는 이념하에 국가경제를 계획화하고 공유화하여 운영하였다. 기업은 대부분 국유 혹은 집단소유체제로 전환되었으며, 단순히 국가의 계획에 의해 생산과 분배를 집행하는 기능만을 담당하였다. 물론 이 시기 중국의 계획경제는 구소련의 계획경제와 달리 상당히 느슨한 형태로 이루어진 것만은 사실이다. 계획경제 시기 경제적 성과가 상당히 좋지 않게 나타나자 국가경제의 모순이 계획에 있는지 아니면 공유(국유, 집단소유)에 있는지에 대한 논쟁이 격렬하게 전개되었다.

1978년 개혁개방 이후 중국정부는 계획과 공유를 기본적으로 유지하면서 점차 시장과 사영기업 등을 도입하기 시작한다. 개혁개방 초기, 중국은 계획적 상품경제라는 새로운 경제체제를 시범적으로 도입하면서 시장의 기능 속에서 상당히 빠른 경제성장을 거두게 된다. 개혁개방이 심화되면서 계획과 공유의 기능이 점차 약화되고 시장의 기능과 민간 부문의 비중이 커지게 된다.

1992년에는 계획경제를 공식적으로 포기하고 사회주의 시장경제라는 새로운 경제체제를 도입하게 된다. 사회주의 경제체제하에서 계획이 무너지고 시장이 확고한 지위를 구축하게 된 것이다. 또한 민간 부문 비중이 높아지면서 국유 혹은 집단소유의 비중이 하락하고 있는 추세를 보이고 있다. 그러나 아직 민간 부문이 공유를 압도한다고 보기에는 이르다. 중국이 사회주의의 기초를 공유제에 두고 있는 한 중국에서 공유가 갖는 의미를 결코 소홀히 할 수 없다. 다만 국유기업 개혁과 관련하여 국유주와 법인주와 같은 비유통주를 유통주로 전환하는 등 국유 혹은 집체소유의 비중이 장기적으로 크게 줄어들 수 있는 여지가 있다. 이 경우 명목상으로 사회주의를 유지하고 있지만 적어도 기업 차원에서는 자본주의와 대동소이하게 될 것으로 예상할 수 있다.

기업 차원에서 공유가 사회주의의 정체성을 유지하기 어려워질 경우 기업 이외에 다른 생산수단을 통해 사회주의 정체성을 부각시킬 가능성도 배제할 수 없다. 가령 토지를 국유로 유지한다는 것을 내세워 중국은 여전히 사회주의라는 것을 주장할 수도 있을 것이다. 그러나 경제체제 개혁이 심화되면서 토지 국유가 갖는 모순이 드러날 경우 계속 토지국유를 근거로 사회주의 정체성을 확인하는 것도 쉽지 않을 것이다.

〈참고문헌〉

소작기 저, 강준영 역, 『중국경제개론』, 지영사, 1995.

유희문 외, 『현대중국경제』, 교보문고, 2000.

한중사회과학연구회, 『현대중국의 이해』, 한울, 2002.

한중사회과학연구회, 『현대중국의 이해 2』, 한울, 2003.

조현준, 『중국 국유기업 민영화의 전개와 전망』, 대외경제정책연구원, 1996.

서석홍, 『중국 국유기업 개혁의 현황, 문제점 및 전개방향』, 대외경제정책연구원, 1998.

김용준 외, 『중국의 경제개혁과 한국기업의 진출 전략』, 성균관대 현대중국연구소, 1998.

오승렬, "중국 향진기업 소유권 귀속변화의 경제적 함의 연구", 『중국학연구』, 중국학연구회, 2004.

고정식, "중국의 제3의 경제체제 실험과 지속가능성 : 사회주의 시장경제", 『현대중국연구』, 현대중국학회, 2004.

이근, "'중국의 사회주의 시장경제'의 현실과 전망", 『경제논집』, 서울대학교, 1994.

김시중, "중국 향진기업의 성장 요인과 전망", 『경제논집』 제37권 2, 3호, 서울대학교, 1998.

박번순, "최근 중국 국유기업 개혁의 방향", 삼성경제연구소 Issue Paper, 2001.

『중국의 구조조정이 한국에 미치는 파장과 대책』, 한국동북아경제학회, 대외경제정책연구원, 국회21세기동북아연구회 공동세미나 자료집, 1998.

高路, 『社會主義市場經濟提法出台始末』, 人民出版社, 1993.

高尚全, 『加快改革步伐盡快建立社會主義市場經濟新體制』, 人民出版社, 1993年 第1期.

Brus, W. and Laski, K.(1989), *From Marx to the Market: Socialism in Search of an Economic System,* Oxford, Clarendon Press.

Dorn(1998), China's Future : Market Socialism or Market Taoism?, *CATO journal,* 1998.

제2부 미시편: 산업 및 정책

제5장 중국 부동산 개발시장의 동향과 진출 전략

朴寅星(中國 浙江大學 土地管理學科 敎授)

1. 서론

한중수교 13년이 경과한 현재까지, 중국의 부동산 개발시장에 대한 우리 기업의 투자 진출 실적은 매우 저조하며, 단지 중국 부동산 개발시장 개척이 결코 만만치 않다는 사실만을 확인하고 있는 실정이라고 할 수 있다. 그러나 우리에게 중국 부동산시장 진출과 개척이라는 과제는 어렵고 힘들다고 포기하거나 피해갈 수 있는 선택사항이 될 수 없다. 즉, 중국 부동산 개발시장 개척은 우리나라가 지속적 발전을 유지하기 위한 돌파구이므로, 어떠한 난관이 있다 해도 기필코 개척해 나가야만 하는 필수 과제, 보다 강하게 표현한다면 숙명적 과제라고 할 수 있다.

중국 부동산 개발시장의 투자 환경을 올바로 이해하기 위해서는 경제체제 전환 과정 중에 나타는 과도기 경제체제하의 관련 정책과 제도개혁의 맥락과 흐름, 특히 토지 사용제도 및 주택소유제 개혁을 통한 토지 및 주택시장의 형성 과정과 주요 동향에 대한 맥락적 이해를 기초로 하여야 할 것이다. 즉, 중국식 사회주의 시장경제체제로 불리는 계획경제에서 시장경제로 전환하는 과도기 경제체제의 특성과 그러한 틀 속에서 진행되고 있는 토지 사용 및 주택 소유 관련 제도의 개혁 상황, 그리고 주요 지역 및 분야별 부동산 및 건설시장과 건설 기업의 구조와 동향 등 관련 투자 환경을 체계적으로 파악·분석하고, 이를 기초로 기업 및 정부 차원에서 보다 체계적이고 상호연관된 진출 전략을 수립·추진하여야 할 것이다.

이 같은 인식하에 다시 짚어 보아야 할 문제는, 우리 기업들이 이제까지 과연 얼마나 체계적이고 전략적으로 접근하였는가 하는 점이다. 이와 관련하여 투자 진출 경험이 있는 우리 건설업체들 스스로, 성과가 부진한 중요한 원인으로 현지 투자 환경에 대한 정확한 이해와 현지화 노력이 미흡했다고 지적하고 있다는 점을 되새겨 보아야 한다. 이 글에서는 이 같은 인식하에, 중국의 부동산시장의 형성 과정과 특성, 주요 동향과 문제점, 건설시장의 특성, 우리 기업의 진출 경험을 개괄하고 향후 전략 방향을 제안하고자 한다.

2. 중국 부동산시장의 특성과 동향

1) 중국 부동산시장의 특성

중국에서는 부동산(不動産)이라는 용어보다는 건물과 토지 재산이라는 개념의 '방지산(房地産)'이라는 용어가 보편적으로 사용되고 있다. '부동산'이란 용어는 비유동성 재산이라는 의미를 담고 있고, '방지산'이란 용어는 그 비유동성 재산이 건물과 토지라는 점을 강조하고 있다고 할 수 있다. 이 같은 용어의 개념은 현실 부동산시장의 주요 거래 객체가 건물과 토지라는 점과도 연결된다.

개혁개방 이후 중국정부가 수십 년간 구축하고 운영해 온 지령성 계획경제 체제를 소위 '사회주의 시장경제' 체제로 전환하기로 결정하고, 이를 추진하는 과정에서 대두된 가장 중요하고 또 어려운 과제는, 토지와 주택을 포함한 부동산의 소유제 개혁을 통한 부동산시장 육성과 국유기업 개혁이었다. 개혁개방 이후 20여 년간 추진한 결과 형성, 발전하고 있는 중국의 부동산시장은 토지사용권을 거래 객체로 하는 토지사용권 거래시장과 주택을 포함한 기타 용도의 건축물의 소유권과 사용권을 거래 객체로 하는 건축물의 매매 및 임대시장으로 구성되어 있다.

(1) 토지시장의 형성 과정과 특성

토지공유제를 유지하고 있는 중국 토지시장의 특징은 토지의 사용권만이 시장에서 유통되는 거래 객체가 될 수 있다는 점이다. 또한 계획경제체제에서 행정배분 방식으로 부여 받은 토지사용권은 거래 객체가 될 수 없으며, 유상양도(出讓) 방식으로 취득한 토지사용권만으로 한정된다. 토지사용권 거래는 토지 재산권의 일부를 일정 기간 동안 양도하는 것이므로, 계약 기간이 만료되면 토지소유권자인 국가에 해당 토지사용권이 다시 귀속된다.

중국의 국유 토지시장은 거래 단계에 따라 국가가 토지 수요자에게 최초로 유상양도하는 유통 과정에서 형성되는 1급 토지시장과, 그다음 단계에서 개발기업과 개인 간에 거래 및 유통되는 단계에 따라 2급 및 3급 토지시장으로 구분한다. 그 외에도 농촌에는 농지징용시장(農地徵用市場)과 자생적 지하 토지시장이 형성되어 있다.

개혁개방 이후, 합법적이고 공개적인 토지사용권 거래는 1987년에 경제특구인 광둥(廣東)성 선전(深圳)시에서 처음으로 이루어졌다.[1] 선전은 다시 그해

연말에 협의, 입찰 및 경매의 방식으로 5곳의 토지를 양도했는데, 총면적은 15만여㎡이고, 양도수입은 3천5백만 위안으로, 당년도 토지사용료 수입의 2.3배에 해당하였다.

1987년 7월에 중국 국무원 특구사무실(特區辦)은 「특정지역토지의 유상재양도시행에 관한 건의(關于擇若干点實行土地有償轉讓的建議)」를 작성하였고 상하이(上海), 톈진(天津), 광저우(廣州), 선전의 4개 도시를 토지 유상양도 시범지역으로 선정하였다. 이때부터 토지사용권 시장을 공개적이고 합법적인 시장으로 형성, 육성하기 위한 노력이 본격화되었다.

주목할 점은 중국에서 토지사용료의 징수문제는 외자 유치를 위한 외국인 투자기업의 토지사용 허가 과정에서 돌출되었다는 점이다. 1979년에 반포한 '중외합자경영기업법(中外合資經營企業法)'에는 "중국측 합작투자자는 합자기업에 하는 토지사용권을 포함시킬 수 있다. 만약 토지사용권이 중국측 합작자의 투자분이 아니면 해당 기업은 중국정부에 토지사용료를 납부해야 한다"고 규정되어 있다. 또한 1990년 5월에는 '도시국유토지사용권 양도와 재양도 임시조례(城鎭國有土地使用權出讓和轉讓暫行條例)' 및 '외국기업의 대규모 단위 토지투자, 개발, 경영 임시관리지침(外商投資成片開發經營土地暫行管理辦法)'을 공포하였다.

이 같은 과정을 거치며 형성, 발전하고 있는 중국의 토지사용권 시장은 법적 구속을 받는 특정 용도의 토지를 제외하고는, 소유자와 사용자 간, 그리고 용도 간에 유통되고 유통 과정에서 지대와 지가가 형성되고 있다. 중국의 경제체제 개혁 과정에서 토지사용권 시장의 형성은 경제 활동의 증가에 따라 급속

---

1) 당시 선전시는 시정부 명의로 5,321㎡의 토지를 '독신 직공 숙소 건설 용도, 사용기한 50년'이라는 조건으로 협의 방식에 의해 중국 항공기술수출입기업 선전공업·무역중심(中航技術進出口公司深圳工貿中心)에 유상양도하였다. 양도토지의 사용기한은 50년이었고 가격은 2백 위안/㎡이었다.

히 증가하는 토지에 대한 수요를 지가와 지대에 의하여 조절할 수 있는 시장기제(市場機制)의 도입을 의미한다. 따라서 토지사용권 시장이 형성 발전하면서, 개혁개방 이전의 토지 관리상의 핵심문제였던 토지 자원의 낭비와 국유토지 지대의 유실문제를 해결하는 데 긍정적인 역할을 하고 있다고 평가받고 있다.

(2) 주택개혁과 부동산시장의 형성 과정

개혁개방 이후, 건축물의 매매 및 임대시장을 주요 구성 요소로 하는 부동산시장은 주택소유제 및 분배제도 개혁과 함께 형성, 발전되어 왔다. 1995년부터 시행되고 있는 '도시부동산관리법(城市房地産管理法)'에서는 부동산시장의 주요 요소인 부동산 개발과 부동산 거래에 관하여 다음과 같이 정의하고 있다. "부동산 개발이라 함은 이 법에 의거하여 국유토지사용권을 취득한 토지 위에 기초시설과 건물을 건설하는 행위를 말한다." 또 "부동산 거래에는 부동산 양도, 부동산 저당 및 건물의 임대가 포함된다", "건물이라 함은 토지 위에 세워진 가옥 등 건물과 구축물을 말한다."

한편, 중국의 주택제도 개혁 과정은 크게 3단계로 구분해 볼 수 있다. 첫 단계는 1979~1989년 기간으로 부동산산업의 초보적 발전 시기이다. 이 기간 동안 주택의 상품화와 부동산시장, 그리고 부동산산업이 초보적인 발전 단계에 진입하였다. 전국적으로 도시와 농촌(鄕鎭)의 주택제도 개혁 방안을 모색하기 시작하였고, 산둥(山東)성의 옌타이(烟台), 안후이(安徽)성의 펑푸(蚌埠), 허베이(河北)성의 탕산(唐山)을 실험도시로 선정하여 공유주택의 판매를 시작하였다. 1988년에는 제1차 전국 주택개혁회의가 개최되었고 국무원의 주택제도개혁 영도소조가 전국에 '전국 도시의 분기별, 비준별 주택제도 개혁 추진방안(關于在全國城鎭分期分批推行住房制度改革方案)'을 공포하여, 도시 주택제도의 개혁이 실질적인 실천 단계에 진입하게 되었고, 부동산산업 발전을 위한 강력한 기초와 동력을 하였다.

둘째 단계는 1990~1997년까지의 부동산산업의 팽창과 치리정돈(治理整頓) 시기이다. 1990년대부터 부동산산업이 급속하게 발전하였으며, 주택개혁의 속도도 매우 빠르게 진행되었다. 1990년에 전면적으로 주택공적금(住宅公積金) 제도를 추진하였고, 1991년 상반기에는 국무원 주택제도개혁 영도 팀이 주택제도 개혁의 큰 방향을 확정하는 '주택제도개혁 심화에 관한 결정(關于深化住房制度改革的決定)'을 발표하였다. 한편, 이 시기에는 부동산 개발기업이 과도하게 팽창하였으며, 일부 지역에 심각한 부동산 투기와 가격 거품현상 등이 발생하였다. 이에 따라 1993년 6월, 중국 국무원은 거시조절 정책을 발표하여 은행의 긴축재정과 금융질서 정돈을 실행하였고, 부동산개발에 투자된 대량의 자금을 회수하였다. 또한 행정과 사법 부문에서 위법행위를 대대적으로 단속, 처벌하여 과열 열기를 진정시켰다. 그 결과 1994년부터는 부동산시장과 산업이 새로운 질서를 찾고 규범화된 발전 궤도에 진입하였다.

셋째 단계는 1998~2003년 상반기까지의 기간으로 부동산산업의 번영과 팽창 시기이다. 1998년 초에 중공 중앙과 국무원은 전국적으로 실물주택 분배제도를 정지하고 점진적으로 주택보조를 화폐화(貨幣化)하기로 결정하였다. 이와 함께 주택 분배제도 개혁이 실시됨에 따라 주택시장체계, 주택공급체계, 주택금융체계 등 새로운 주택 정책체제가 수립되었다. 그중 중요한 내용은 다음과 같다.

① 재고 도시공공주택의 80% 이상을 직공에게 판매하여 장기적으로 묶여 있던 주택자금을 회수하였으며, 주택재산권을 명확히 하였다.

② 주택의 실물분배를 폐지하고, 임대료 인상과 주택보조의 화폐화를 추진하였다.

③ 경제적용주택(經濟適用房)을 중점으로 하는 주택공급체계를 수립하였

다. 각 지역은 토지 분할과 행정사업비용 지급 방식을 통하여 개발원가를 낮추는 동시에 판매가격과 개발이윤을 제한하는 방식으로 경제 적용주택 건설을 가속화하였다.

④ 부동산 평가, 중개인의 자격제도 개선, 기술규범과 관리 방법 제정 등 중개 서비스와 행정 관리행위를 규범화하였다.

⑤ 주민의 주택구매 및 판매와 관련된 계약세, 영업세, 개인소득세, 토지부가세 등에 대하여 면제, 감면 등의 정책을 실시하였다. 또한, 개인주택 대출업무를 발전시키고 부동산 대출구조를 조정하였다.

⑥ 주택공적금제도를 주요 내용으로 하는 정책성 주택금융체계를 초보적으로 확립하였다. 2002년 11월 말에는 전국의 6천7백만 명의 직공이 주택공적금 통장을 가지게 되었고, 적립금액이 4,011억 위안에 달하였다. 이중 개인주택 구매에 대한 대출이 1,519억 위안으로 240만 호 가정의 주택문제를 해결하였다.

⑦ 입주 후 주택관리체계로서 물업관리체계(物業管理體系)를 구축하고, 사회화·전문화·시장화하였다. 전국적으로 물업관리기업의 총수가 2만여 개를 넘어섰고, 종사인원 또한 2백만 명을 초과하였다. 물업관리의 범위는 주택지구에서 공업지역·학교·의원·상가·사무실 등으로 확대되었고, 도시의 부동산 관리체계와 기관, 기업 단위 및 군대 등의 서비스 체계를 개혁하였다.

중국에서 주택제도 개혁의 핵심은 도시주택 투자 방식의 개혁이라고 할 수 있다. 즉, 사회 각 부문의 자본으로 주택을 건설하여 도시 주민의 주택문제를 해결한다는 방침하에, 국유기업이 자기자본의 일부를 주택 건설에 사용하는 것을 허가하고, 개인이 자신이 거주할 주택 건설에 직접 투자하는 것을 장려하였다. 이에 따라 주택 투자와 투자 주체에 구조적인 변화가 발생하고 투자의 확대와 투자 주체의 다원화가 진행되면서 주택 건설량이 대폭 증가하였다.

2) 부동산시장의 과열 현황과 문제점

부동산시장 과열의 주요 원인 중 하나는, 지방정부들이 '도시경영'의 구호를 내걸고 자기 지방의 국유기업들이 정부의 담보보증을 통하여 은행대출자금을 조달하여 부동산개발을 추진하도록 한 것이다. 또한 일부 지방정부는 대규모 토지의 유상양도를 통하여 재정을 보충하고자 토지의 유상양도와 개발을 과도하게 추진하였고, 농민 토지를 징용한 후 보상문제로 충돌이 일어나는 사례도 빈번하게 발생하였다.

한편, 토지사용권의 양도와 임대 비준 과정이 부패의 온상이 되기도 하였다. 부동산개발업체가 국유기업의 간판과 정부의 지원하에 주택가격을 상승시킨 결과, 저가주택은 공급이 부족하고 고가주택은 팔리지 않는 구조적인 불균형문제를 야기했다. 일부 지역의 상업은행들은 규정을 위반하면서 대출조건을 완화하여 부동산 과열을 조장하기도 하였다. 이에 따라 부동산개발사—건설회사—건자재상으로 연결된 거대한 채무구조의 부담이 은행에 집중되기도 하였다.[2] 이로 인하여 2003년 6월, 중국인민은행은 부동산자금 대출관리 강화를 주요 내용으로 하는 거시조절 정책을 확정하였다.

---

2) 중국인민은행의 통계에 의하면, 2002년 중국 상업은행의 부동산개발의 대출잔액은 6,616억 위안으로 1998년 대비 연평균 25.3% 증가하였으며, 개인주택 대출잔액은 연평균 1백% 이상 증가하였다. 2003년 4월 말까지 부동산 대출잔액은 18,357억 위안으로 상업은행의 전체 대출액의 17.6%를 차지하였고, 그중 개인주택담보 대출액은 9,246억 위안으로 상업은행 총 대출의 8.9%를 차지하였다. 또한, 2003년 전국의 건축시공 착공 면적 7억㎡의 소요자금 중 70%가 은행대출금으로 충당되었으며, 1995년 이래 중국의 GDP의 증가속도는 신용대출 규모의 증가 속도보다 낮게 나타나고 있다.

3. 중국 건설시장의 특성과 주요 동향

개혁개방 이전 계획경제 시행 시기에, 건설 부문 투자 항목은 상급 행정기관이나 행정간부 개인에 의해 결정되었고, 투자 항목의 설계와 시공은 정부 부문에서 지정하거나 정부 부문에서 위탁, 파견한 설계 부문과 건설업체에서 담당하였다. 그러나 1980년대 이후부터는 투자 항목 실행 절차가 계획경제체제 하에서 시장경제체제로 이행하기 시작하였다. 즉, 원래의 계획경제체제에서는 발주자와 측량조사, 설비 공급, 건축시공과 설치 등을 담당하는 업체들이 행정체제 내의 분업 틀 속에서 역할 분담만 하고 있었으나, 개혁개방 이후에는 이들이 각자 독립적인 이익 주체로서 시장에 의하여 선택하고 선택되는 발주자와 도급업체의 관계로 변하였다. 그러나 계획경제적 관행에 의한 업무 분할체제가 아직도 여전히 존재하며, 행정 부문이 업무 배정을 해 주는 관계로 지방 및 부문별로 보호주의적 관행과 행태가 보편화되어 있다.

중국의 건설기업은 그 소유제 형식에 따라, 국유기업(全民所有制), 도시집체기업(城鎭集體企業, 집체소유제), 농촌건축대(農村建築隊)로 구분되며, 그중 국유기업의 비중이 크다. 국유기업은 중앙이나 지방정부기관에 소속되어 있으므로 행정적인 간섭을 많이 받고 있다. 많은 업체들이 여전히 정부기관 사업 단위의 신분으로 계획 또는 행정적 수단을 이용하여 업무를 배분받고 또 배분하고 있다.

건설공정 항목은 항목의 전반적인 과정에 걸쳐 종합적으로 진행되어야 하지만, 계획경제체제의 영향으로 인하여 단계별 부문별로 업종관리를 진행하고 행정 부문이 간섭하는 관행이 아직도 존재하고 있다. 국유제 부문의 건설사업을 실행하는 조직·기구는 부처별 또는 처(處)급 전문 분야별 전업공사(專業公司)별로 다원화되어 있다. 즉, 각 산업과 업종을 주관하는 중앙정부 부처나 전업공사별로 건설공사와 건설업체, 건설인력을 자체 관리하는 체제이다. 중국 건설부뿐만 아니라 철도부, 교통부, 수리부, 기계공업부, 전자공업부, 임업부, 야금공업부, 우전부(郵電部) 및 처급 전문 분야별 기업들도 각각 자체적으로 건설관리 및 시공조직을 운영하고 있다.

한편, 개혁개방 이후 투자체제에 대한 개혁이 가속화됨에 따라 투자 항목에 대하여 현대적 의미의 컨설팅(諮詢) 개념을 도입하여 타당성 분석을 시작하였고, 이 같은 절차를 제도화하였다. 이와 함께 발주자와 도급업체 간에 공개입찰을 통해 프로젝트를 추진하면서 컨설팅, 설비구매, 공정감리 등 전문적인 서비스도 추가되고 있다.

4. 한국기업의 투자 진출 동향과 향후 전략 방향

1) 한국기업의 투자 진출 동향

중국 건설시장에 진출했던 우리 기업들은 대부분 투자개발형 공사 분야를 중심으로 주로 베이징(北京) 및 상하이 등 대도시 지역에 진출하였으나, 1997년 외환·금융위기 이후에는 본사의 사업 축소 방침으로 대부분 철수하였거나 현지 연락사무소 수준으로 유지하고 있는 경우가 많다.

1992년 8월 한중수교 이후, 부동산개발 분야에 주력하여 수주가 본격화된 것은 1994년 경부터이고, 1997년에는 투자개발형 공사 수주 증가로 18.1억 달러를 수주하여 전 세계 국가 중에서 가장 활발한 진출 성과를 이루었다. 그러나 외환·금융위기 이후인 1998년의 수주액은 전년 대비 95% 이상 줄어든 6,493만 달러, 1999년에는 신규 수주는 단 한 건도 없이 추가공사(2.1억 달러)만 있었으며, 그후에도 소규모 공사만 수주하고 있는 실정이다. 진출 유망 분야인 토목 및 플랜트 공사 수주는 토목 15%, 특수 플랜트 10%로 총 25% 정도에 그치고 있으며, 진출 지역도 베이징과 상하이 등 대도시와 환발해지역에 80%가 집중되어 있다.

2002년 이후 상황이 다소 호전되었다. 2002년 3월에는 대림산업이 1억 2,680만 달러 규모의 복합 화력발전소 공사의 시공, 설계 용역 및 기자재 공급을 계약함으로써 향후 플랜트 분야로의 진출 확대를 기대하고 있다. 2002년 4월 말 현재 한국기업이 중국에서 총 7건에 1억 4,022만 달러 규모의 공사를 계약함으로써 이란, 싱가포르, 리비아에 이어 4위를 차지하였다.

발주 형태별로 살펴보면, 1990년대 중반에는 투자개발형 공사가 큰 비중을 차지한 반면, 2002년에는 지명입찰에 의한 계약 실적의 비중이 더 커졌다. 금융조달 형태로는 일반도급형 공사계약이 대부분이었으며, 수주 형태로는 원청 단독계약이 가장 큰 비중을 차지하였다.

중국 건설시장에서 비교적 좋은 성과를 거두고 있는 업체와 분야는, 삼성물산 및 삼성엔지니어링이 추진한 고급 주택시장, 도시 기반시설(상하이시 내부 순환선 프로젝트), 대림이 난징(南京)에서 수주한 석유화학 플랜트 분야, 삼능건설의 칭다오(靑島) 주택건설, 기타 중소업체가 진출 성과를 거두고 있는 환경설비 분야 등이 있다.

2) 투자 진출 경험상의 문제점

우리 업체들은 투자 진출 성과는 매우 부진하고, 이미 진출한 기업 중 적지 않은 기업들이 대(對)중국 투자 규모와 비중을 줄이고 있는 실정이다. 성과 부진의 원인은 대체로, 중국의 상관습과 상행위에 대한 이해 부족, 생산기지 이전 방식의 투자 이점 상실, 시장 환경 변화에 대한 능동적 대응자세 부족 등을 들수 있으며, 특히 경직된 투자 패턴이 가장 큰 원인으로 꼽히고 있다.

한국기업의 중국 건설시장 진출 형태는 계열사 기업에 의한 내부 발주공사가 대부분이다. 즉, 삼성엔지니어링의 광둥성 선전 삼성전관 공장 건설, 포스코의 상하이 푸둥(浦東)지구 사옥 건설과 같이 자사의 중국 사업투자에 수반하여발주하는 생산시설 또는 사옥을 건설하는 행태가 주종을 이루고 있으며, 공사시공 및 하청 방식은 국내에서 하던 방식을 그대로 적용하고 있다. 따라서 중국건설시장을 개척하기 위해서는 중국 현지 기업의 행태를 파악하고, 국내의 패턴과 관성에서 벗어나 수주 및 시공, 하청 분야에서 경쟁력 있는 방식과 패턴을개발하여야 할 것이나, 그동안의 경험을 통해서 볼 때 쉽지 않은 과제이다.

한편, 중국 건설시장 내 외국기업 참여가 허용되고 있는 차관 공사나 투자개발형 공사에의 진출에도 각종 비제도적 장벽이 많다. 차관 공사의 경우, 세계은행 등 국제금융기관의 차관 프로젝트도 자국기업에 유리하도록 소규모 패키지로 입찰을 분리할 뿐 아니라 중국기업에 7.5%의 가산점을 부여하고 있으며, 입찰시 내부적인 담합행위도 존재한다. 신규 공사에 참여하기 위해 외국기업은 매번 중국 건설부의 면허와 허가를 받아야 하는 등 제도와 절차가 까다로우며 '관씨(關係)'라고 불리는 인맥문화에 따라 공사 발주 등이 영향받고 있는 등비제도적 장벽과 난관이 적지 않다. 이외에도 과실송금 문제, 투자개발형 공사수행시 인허가 문제, 관련 법규의 미비 등으로 공사 진행 또한 순탄치 못한 실정이다.

3) 향후 투자 진출 전략

중국 건설업체의 기술 수준과 저임노동력, 수주 관행 등의 환경을 고려해 볼 때 중국 내 건설시장에서 우리 기업이 현지 중국기업과 입찰 경쟁을 통하여 공사를 수주하기는 거의 불가능하다고 보아야 할 것이다. 따라서 현 단계에서 개척 가능한 분야는 한국 및 외국기업 발주공사, 경쟁력 있는 고급기술 및 특수 기술 확보 분야, 기획 및 프로젝트 파이낸싱과 연계한 부동산 개발 등이 있다. 또한 한국식 패턴이 아닌 중국 내 각 지방별 현지 건설기업들의 시공 및 하청 패턴과 운영 경험을 파악하려는 노력과 보다 체계적이고 전략적인 대응이 필요하다. 중국 부동산 및 건설시장 투자 진출 전략 수립시 중시해야 할 내용을 정리해 보면 다음과 같다.

① 중국의 건설 및 부동산시장 관련 제도 및 정책 등 전반적 투자 환경에 관하여 체계적이고 심층적인 실태조사의 축적이 필요하다.

② 정책과 제도와 같이 공식화된 투자 환경 외에 보이지 않는 비공식적인 투자 환경, 가령 인맥과 거래관행 등을 올바로 꿰뚫고 연결할 수 있는 현지 네트워크의 구축이 필요하다. 중국시장 개척을 위한 관씨─네트워크 구축을 종합적 체계적으로 추진하기 위해서는, 정부 부문이 각개 기업 단위로 행해지고 있는 대(對)중국 관련 기능과 활동들을 큰 그림 속에서 체계화하고 적극적으로 지원할 필요가 있다. 즉, 정부─기업─학연(學硏) 등의 대(對)중국 교류 및 협력 창구의 기능과 업무 행태를 체계화하고, 대중 교류 및 협력 사업을 지원할 수 있는 기반 네트워크의 구축이 필요하다.

③ 각 성(省) 및 도시별 특성에 따라 투자 환경 및 진출 전략에 대한 조사, 연구를 진행하고 중점적으로 진출할 전략지역을 선정하여 역량을 집중시켜야 한다. 이와 함께 유망 종목별 투자·진출을 통하여, 투자 환경과 연관된 부문 및 종목으로의 연결 효과를 탐색하여야 한다.

④ 급속히 증가하고 있는 중국 내 고소득층에 초점을 맞춘 고급주택 기획개발을 위한 전략이 필요하다. 그와 함께 주택 인테리어와 건자재 관련 틈새시장

을 적극적으로 공략할 필요가 있다. 즉, 인테리어, 설비 등 종목별로 경쟁력을 갖춘 업종 등 관련 분야별 틈새 품목을 탐색·공략하는 전략이 필요하다.

⑤ 학술연구 및 엔지니어링 분야의 교류를 통하여 연관 분야 및 종목별 시장 개척을 위한 기반시설 네트워크를 구축 및 관리하기 위한 기획과 전략이 필요하다. 가령 협력이 필요한 중국 내의 대상 기관이나 전문가 그룹과 공동연구를 추진하면서 관련 정보 수집 및 네트워크를 구축하고, 그러한 네트워크의 틀 안에서 개별 업종 및 기업과의 연결을 지원해 줄 수 있는 체계적이고 장기적인 전략을 수립, 추진하여야 한다. 이와 관련해서 국내에서 역할과 사업 축소가 예상되는 관련 국영기업(한국토지공사, 대한주택공사, 한국도로공사 등)이 대(對)중국 교류협력을 위해 기반시설 네트워크 구축을 위한 적극적이고 능동적인 역할을 담당하여야 할 필요가 있다.

<참고문헌>

박인성, 『중국건설시장의 투자 환경과 진출 전략에 관한 연구』, 안양: 국토연구원, 2002.

呂萍 외, 『房地産開發與經營』, 北京: 中國人民大學出版社, 2002.

中國網―網上中國: http://www.china.org.cn/chinese/ 2003. 10. 24.

「中國房地産發展報告」: http://china.org.cn/chinese/zhuanti/fdc/654846.htm

제6장 중국의 금융제도와 금융시장의 발전

구기보(배재대학교 중국통상학과 교수)

1. 서론

중국은 1978년 이래 20여 년간 체제 전반에 대해 대내적인 개혁과 대외적인 개방을 통해 고도의 경제성장을 이루어 왔다. 경제개혁 역시 상당한 성과를 거두고 있다. 그러나 금융 부문은 상대적으로 다른 부문에 비해 그 개혁 성과가 뚜렷하게 나타나지 않고 있으며, 여전히 중국의 지속적인 경제성장에 걸림돌로 남아 있다. 중국정부는 금융 부분의 개혁 성과가 가시적으로 드러나기 전에 금융시장을 개방해야 하는 상황에 처해 있다. 급변하는 금융시장 환경하에서 중국정부는 '개혁 후 개방'을 더 이상 고수하기 어려워졌으며 '개혁과 개방의 동시 진행'을 선택하게 되었다.

2. 중국 금융시장의 구조와 특징

1) 중국 금융시장의 구조

중국의 금융시장은 대체로 화폐시장과 자본시장, 외환시장 및 황금시장 등으로 나눌 수 있다. 그중 대표적인 시장으로 화폐시장과 자본시장을 들 수 있다. 화폐시장의 가장 대표적인 금융기관은 은행이며, 자본시장에는 증권시장, 보험시장 등이 있다. 화폐시장은 주로 은행간 콜머니(call money) 시장과 은행간 채권시장으로 구성되어 있다. 또한 화폐시장의 중요한 부분으로 어음시장이 형성되어 빠른 속도로 발전하고 있다. 중국의 자본시장은 주로 증권시장과 보험시장, 투자신탁 등으로 구성되어 있다. 증권시장은 주식시장과 거래소 국채시장으로 구성되어 있으며, 일반적으로 채권시장이라 하면 거래소 국채를 의미한다. 공시(公示) 품목에는 주식, 국채, 대기업 채권 및 일부 전환채권(convertible bond) 등이 있다.

2) 중국 금융시장의 운영 원칙

1994년 이래 중국은 자본시장과 화폐시장 간의 엄격한 분업경영(分業經營)[1]을 실시하고 있다. 이는 당시의 특수한 금융 환경에 의해 결정된 것으로 세계적인 추세인 겸업경영(混業經營 또는 綜合經營)[2]과 배치되고 있다.[3] 이는 법제 환경의 미비, 관리감독 능력의 부재(不在), 금융위기에 대한 대비책 미진 등에 기인하고 있다.

---

1) '중화인민공화국상업은행법' 제43조에는 상업은행이 증권, 보험, 투신 등 자본시장에 진출하여 영업하는 것을 금지하고 있다.

그러나 중국 화폐시장과 자본시장이 이처럼 기본적으로 분리되어 있음에도 불구하고 실제는 양자간의 구분이 모호하다. 최근 중앙은행이 일부 종합증권사와 기금관리회사에게 제한적으로 은행간 거래시장에 진입하도록 허용하는 등 양자간의 실질적인 연계가 이루어지고 있기 때문이다. 겸업경영의 추세는 자본시장 자체 내에서 더욱 활발하게 일어날 것으로 보인다.[4]

3) 중국 금융시장의 주요 특징

(1) 금융시장 개방

중국은 금융시장의 개방에 비교적 소극적인 입장을 취해 왔으나 WTO 가입 후 양허에 따라 단계적으로 개방을 해 오고 있다. 2001년 12월 중국정부는 WTO 회원국이 되면서 본국인과 외국인 사이에 차별적으로 적용되던 여러 경제 정책이나 법규 등을 수정하여 왔다.

중국은 은행보다는 자본시장의 개방에 더욱 소극적인 자세를 보여 왔다. 특히 증권시장에서 외국인에 대한 내국민대우는 여전히 답보 상태에 놓여 있었다고 할 수 있을 것이다. 물론 증권사의 국내 영업 범위 확대나 지역 제한의 철폐 등 많은 진전이 있었던 것은 사실이다. 그러나 가장 본질적인 부분인 주식시장

---

2) 겸업경영은 분업경영에 대응되는 개념으로 상업은행이 자본시장의 업무까지 병행하는 것을 말한다.
3) 한국의 경우 기본적으로 분업경영이 원칙이었으나 금융감독기관의 허가를 통해 금융기관간의 겸업경영이 가능토록 하고 있다. 일례로 한국은 금융감독위원회의 승인을 받으면 상업은행에서 증권, 보험, 투자신탁업무를 할 수 있도록 허용하고 있다.
4) 최근 보험자금의 증권시장 진입에 대한 논의가 활발하게 진행되고 있다. 보험자금이 증권시장에 진입할 경우 거품경제가 형성될 우려가 있다. 그러나 보험자금의 투자 대상이 지나치게 제한적이어서 일부 보험자금의 증권시장 유입은 불가피할 것으로 보인다. 현재 보험자금은 주로 예금에 의존하고 있는데, 과거 예금금리가 10% 내외인 경우에는 별다른 문제가 없었으나 최근 6년간 8차례의 금리인하로 인해 현재는 2% 이내이므로 다른 투자처가 필요한 상황이다. 그러나 보험자금의 증권시장 진입은 15% 정도의 제한된 범위 내에서 이루어져야 한다고 논의되고 있다.

에서의 외국인 투자 제한은 별로 개선되지 않고 있다. A주시장은 여전히 국내 투자가에게만 개방되어 있으며, 외국인에게는 직접적인 접근이 허용되지 않고 있다.[5] B주시장은 과거 외국인 전용 주식이었으나 2001년 내국인에게 개방된 후 투자 대상의 제한이 사라진 상황이다. 결국 내국인은 A주식시장과 B주식시장에 모두 투자할 수 있는 반면 외국인은 B주식시장에만 투자할 수 있게 되어 있다.[6]

(2) 금융시장의 겸업화

중국은 금융시장에 대해 대외적으로는 점진적인 개방을 취해 오면서 대내적으로는 비교적 엄격한 분업경영을 시행해 왔다고 할 수 있다. 그러나 금융시장 개방의 폭과 깊이가 더해 감에 따라 금융시장의 분업경영은 한계에 직면하고 있다. 해외 투자은행은 대부분 겸업경영을 시행하고 있어 중국 금융기관에 비해 다양한 금융상품 및 서비스, 저렴한 금융비용 등 측면에서 유리한 상황에 있다. 해외 금융기관의 중국 금융시장 진출은 중국 금융기관의 겸업화를 가속화시키고 있다고 할 수 있다. 금융시장의 겸업화는 은행과 자본시장 이외에 자본시장 내부, 즉 증권시장과 보험시장 간에도 발생하고 있다.

현재 은행과 증권시장 간에는 '인쩡촨장(銀證轉賬)'과 '인쩡통(銀證通)'[7] 등으로 인해 예금자의 주식 구매가 편리하게 되었다. 은행과 보험사 간 합작은 1999년 광따(光大)그룹과 캐나다 선라이프(Sun Life) 생명보험사가 합자회사인

---

5) 2002년 12월 이후 역외 기관투자가들에게 제한된 조건하에서 주식시장의 개방을 허용하고 있으나 그 규모가 크지는 않다.

6) A주식은 인민폐로 거래하는 반면 B주식은 미 달러와 홍콩 달러로 거래되므로 B주식에 투자한 투자가들은 인민폐 평가절상시 손실을 입을 수 있는 상황에 처해 있다.

7) '인쩡촨짱(銀證轉賬)' 업무의 개설은 은행과 증권회사 간 자금 전환을 신속하게 해 주었으며, '인쩡통(銀證通)'은 투자자가 증권보증금구좌를 개설하지 않고 은행에 구좌만을 개설함으로써 증권거래가 가능하도록 하였다.

광따용밍(光大永明, Sun Life Everbright)을 설립한 이래 빠른 성장을 기록하고 있다. 2002년 현재 국내 5대 보험사와 10여 개 은행(국유상업은행 및 일부 주식제은행)은 업무상의 합작관계에 있다. 보험시장과 증권시장 간의 연계는 주로 보험자금이 어떻게 증권시장에 진입하느냐와 관련되어 있다. 중국보험감독관리위원회는 '보험사의 중앙기업채권 구매관리 방법(保險公司購買中央企業債券管理辦法)'을 개정하여 보험사의 중앙기업채권 구매한도를 철회함으로써 보험자금이 증권시장에 진입할 수 있는 폭을 확대하였다.

(3) 기관투자자 증가

중국 증권시장은 양적으로 높은 성장을 기록해 왔음에도 불구하고 기관투자가의 비중이 낮아 질적인 성장이 필요하다는 것이 문제점으로 지적되어 왔다. 그러나 중국의 기관투자가가 빠른 속도로 증가하면서 투자자구조는 점차 개선되고 있는 것으로 나타나고 있다. 현재 중국 증권시장의 기관투자가는 주로 증권회사와 각종 펀드회사들로 구성되어 있다. 분업경영의 원칙하에서 여러 금융기관들은 펀드의 형식으로 증권시장에 진입하고 있다. 이와 같은 각종 펀드의 확대가 기관투자가의 비중을 크게 증가시키고 있다. 또한 적격 (qualified) 역외 기관투자가는 중국 증권시장의 투자가 구조 개선에도 다소 기여할 것으로 기대되고 있다.

(4) 금융기관 상장

상업은행의 증시 상장은 1991년 주식제상업은행인 선전파잔(深圳發展)은행에서 시작되어 1999년 상하이푸둥파잔(上海浦東發展)은행, 2000년 이후 중궈민셩(中國民生)은행, 쟈오샹(招商)은행, 화샤(華夏)은행 등으로 이어졌다. 5개 상장은행은 국유상업은행에 비해 규모는 작으나 경영실적이나 부실채권 비율 측면에서 비교적 양호한 것으로 나타나고 있다. 특히 쟈오샹은행은 자산 규모나 여수신에서뿐만 아니라 이윤에서도 가장 좋은 실적을 기록하고 있다. 다른 상장은행에 비해 선전파잔은행의 부실채권 비율이 11.4%로 다소 높게 나타나고 있지만 2001년(14.8%)에 비해 점차 개선되고 있다.

은행 이외에 투신사와 증권사의 상장이 점차 증가하고 있다. 4대 상장 신탁투자회사 및 증권회사에는 홍위앤(宏源)증권, 산궈투자회사(陝國投), 아이잰주식회사(愛建股份), 중신증권(中信證券) 등이 있다.

(5) 자본시장의 인재 유실 심화

중국의 WTO 가입과 함께 외국 금융기관이 중국에 진입하면서 외국 금융기관과 중국 금융기관 사이에 인재 유치 경쟁이 심화되고 있다. 특히 자본시장의 경우 역사가 오래지 않아 전문인력이 현저히 부족한 상황에서 외국 금융기관의 진출로 인해 중국 금융기관의 인재 유실이 더욱 심화되고 있다. 더욱이 증권거래소가 생긴 지 오래 되지 않아 다른 업종에 종사하다 이직해 온 사람이 많은 실정인 데다 보험회사가 대부분 국유 보험회사로 효율성이 매우 떨어져 외국 보험회사의 진입은 중국 자본시장에 적잖은 타격을 줄 것으로 예상된다. 그러

〈표 6—1〉 5개 상장은행의 규모, 이윤, 부실채권   (2004년, 단위: 억 위안, %)

	선전파잔	푸둥파잔	중궈민성	쟈오샹	화샤
자산총액	2,043	4,555	4,454	6,028	3,043
예금액	1,673	3,054	3,800	. 5,126	2,678
대출액	1,262	3,109	2,884	3,759	1,811
이윤총액	4.9	30.5	28.7	50.1	16.6
순이윤	10.2	19.3	20.4	31.4	19.3
부실채권(%)	11.41	2.45	1.31	2.87	3.96

* 자료: 『中國金融産業地圖』(2005), 『최신 중국의 금융시장론』(2006).

나 장기적으로 외국 금융기관으로 진입한 인재들이 중국 금융기관으로 옮겨올 경우 중국 금융기관의 발전을 촉진시킬 수 있을 것으로 기대되고 있다.

(6) 민영 부문의 역할 제고

민영기업은 국유기업에 비해 경영성과가 양호함에도 불구하고 은행으로부터 상대적으로 고금리로 자금을 조달하고 있으며, 중장기 대출 등에서도 불이익을 받고 있다. 이로 인해 민영기업의 최대 집산지 중 하나인 저장성 원저우(溫州)의 경우 공식 금융기관을 대신해 불법적인 사금융(私金融)을 이용하는 예가 빈번해지고 있다.

자본시장을 통한 자금 조달 역시 마찬가지라 할 수 있다. 중국의 증권시장에 상장되어 있는 회사는 대부분 국유기업에 해당된다.[8] 국유기업은 대체로 민영기업에 비해 경영성과가 양호하지 못하지만 지방정부를 배경으로 증권시장에 상장함으로써 상대적으로 손쉽게 자본을 조달하고 있다. 중국의 WTO 가입 이후 내국민대우 원칙의 준수를 위해 민영기업에 대한 각종 지원책이 등장하면서 자본시장에서 민영기업의 자금 조달이 크게 개선될 것으로 기대된다. 또한 민영기업이 중국경제에서 차지하는 비중이 크게 증가하고 있음을 고려할 때 경제발전을 위해서도 중국정부의 민영기업에 대한 지원은 증대되지 않을 수 없을 것으로 보인다.[9]

---

8) 중국 증권시장에 상장되어 있는 1천1백여 개의 기업 중 직접 상장한 민영기업은 단지 10여 개에 불과하며, 국유기업의 명의를 빌려는 방법 등 간접적으로 상장한 민영기업도 20여 개에 불과하다. 비공유기업은 GDP에서 24.2% 정도를 차지하지만 상장기업은 전체 상장회사에서 차지하는 비중은 3%에 불과하다. 자료: 차이나데일리(Chinadaily), 2002. 7. 29.
9) 현재 민영 부문이 국내총생산(GDP)에서 차지하는 비중은 33%로, 37%를 점유하고 있는 국유 부문에 접근한 것으로 나타났다.

3. 중국 금융제도의 발전 과정

계획경제 시기 중국의 은행은 중국인민은행을 중심으로 하는 단일체제를 형성하고 있었다. 이 시기 은행은 진정한 의미의 은행이라기보다는 국가재정을 집행하는 성격을 띠고 있었다. 그러나 개혁개방 이후 금융개혁이 진행됨에 따라 점차 금융과 재정 간의 구분이 분명해지게 되었다. 중국의 금융개혁은 여러 단계를 거치면서 진행되고 있다.

1) 금융체제의 정립(1978~1984년)

(1) 상업은행
이 시기 중국에는 다양한 금융기관이 설립되면서 단일 금융체제에서 점차 다양화되기 시작하였다. 1979년 2월 중국농업은행이 설립되었으며, 동년 3월 중국은행이 중국인민은행으로부터 독립되었다. 1983년에는 중국인민은행이 상업은행 기능을 중국공상은행으로 넘겨주면서 중앙은행으로서의 위상을 정립하였다.

(2) 기타 금융기관
1979년 10월에 중국국제신탁투자공사(CITIC), 1980년 12월에는 중국투자은행이 설립되면서 비은행 금융기관이 형성되었다. 1980년대 초반 신탁투자회사의 설립이 본격화되었다. 이 시기 비은행 금융기관은 지방정부에 의해 경제특구에 주로 설립되었다. 보험업은 1983년 9월 중국인민보험공사가 복원되면서 재개되었다.

2) 금융체제의 다양화와 혁신(1984~1988년)

(1) 은행과 도시신용합작사

금융기관이 더욱 복잡하고 다양하게 발전하였다. 전업은행인 중국공상은행의 설립에 이어 1986년까지 1천2백여 개의 도시신용합작사가 설립되었다. 또한 지역은행도 신규 설립되었으며, 교통은행 및 중신시예(中信實業)은행 등 2개의 전국적 은행도 설립되었다. 경제특구에서 제한된 수의 외국은행의 지점 개설이 허용되어 대외교역과 관련된 업무를 할 수 있게 되었으나 인민폐(RMB) 업무는 허용되지 않았다.

(2) 기타 금융기관

1986년부터 4대 전업은행, 재정부 및 기타 은행은 신탁투자회사 및 증권회사를 설립하였다.

신탁투자회사는 정부 및 기업의 투자신탁예금을 예치하여 대규모 투자 프로젝트의 재원을 조달하는 역할을 하였다. 대부분의 증권회사는 지방정부, 은행, 신탁투자회사 등에 의해 단독 혹은 공동으로 설립되었다. 일부 증권회사는 재정부에 의해 설립되어 국채발행 업무를 독점하였다. 또한 보험회사, 리스회사, 재무회사 등과 같은 비은행 금융기관도 이 시기에 설립되었다.

3) 금융개혁의 정비 및 재중앙집권화(1988~1991년)

이 시기에는 은행자금이 신탁투자회사를 통해 자본시장에 유출되면서 급격한 인플레이션이 유발되었다. 따라서 상당수의 신탁투자회사들이 통폐합되거나 전업은행들과 통합되었다. 그럼에도 불구하고 1988년 이후 주식시장이 개설되어 중국 금융시장의 발달을 촉진하게 되었다.

4) 금융체제의 상업화와 확장(1992년~현재)

(1) 정책은행

1992년 이후 은행 부문은 다시 확장되기 시작하여 1994년 국가의 주요 정책금융을 담당하는 국가개발은행, 중국농업발전은행 및 중국수출입은행 등 3개 정책은행이 설립되었다. 국가개발은행은 국가 중점 프로젝트의 융자를 수행하며, 중국수출입은행은 수출입신용, 수출보험 등의 업무를 담당하고 중국농업발전은행은 농촌금융을 담당한다.

(2) 상업은행

종래의 전업은행(중국공상은행, 중국농업은행, 중국은행, 중국인민건설은행 등)은 일반적인 상업은행으로 전환되어 국유상업은행으로 지칭되었다.

(3) 금융기관의 다양화

중국의 은행 부문은 중앙은행 산하에 정책은행, 국유상업은행, 기타 상업은행, 전국적 상업은행 등으로 다원화되었다. 전국적 상업은행에는 최대 규모의 은행인 교통은행 이외에 중신시예은행, 중국광따(光大)은행, 화샤은행 등이 있다. 기타 상업은행에는 광둥파잔(廣東發展)은행, 선전파잔은행, 상하이푸둥파잔은행, 중국투자은행, 주택저축은행 등이 있다.

그 외에도 비은행 금융기관으로 농촌/도시 신용합작사, 재무회사, 신탁투자회사, 리스회사, 보험회사 등이 성장하였다.

⑷ 은행 관련 법률 제정

한편 1995년 중앙은행법과 상업은행법을 제정됨으로써 중국인민은행의 중앙은행화, 전업은행의 상업은행화를 위한 법적 조치가 정비되었다.

4. 중국인민은행의 개혁

중국인민은행의 개혁 과정은 단지 중앙은행이 변하는 과정에 불과한 것이 아니라 중국의 전반적인 금융제도가 변화하는 과정이라 할 수 있다. 중국인민은행은 자신이 가지고 있던 정책은행, 상업은행, 금융감독 등의 기능을 축소 내지 포기함으로써 상업은행, 제2금융권, 독립적 금융감독기관 등 다양한 금융기관과 금융제도를 구축해 왔다. 이 과정은 중국인민은행이 자신의 기능을 축소하는 데 그치지 않고 중앙은행으로서의 기능을 강화하는 과정이기도 하다.

중국인민은행의 기능 축소와 관련된 내용을 살펴보면 다음과 같다. 우선 정책은행의 기능 분리를 들 수 있다. 중국인민은행은 1990년 초반까지 정책은행의 기능을 수행하여 왔다. 그러나 1994년 국가개발은행, 중국농업발전은행, 중국수출입은행 등 3대 정책은행이 잇따라 설립되면서 중국인민은행은 정책은행의 성격을 벗어나게 되었다. 둘째, 상업은행의 기능 분리를 살펴보자. 중국인민은행은 계획경제 시기는 물론 1978년 개혁개방 후에도 상당 기간 상업은행의 기능을 담당하였다. 중국인민은행은 중국농업은행, 중국은행, 중국인민건설은행, 중국공상은행 등 현 상업은행의 전신인 전업은행이 설립되면서 상업은행의 기능에서 벗어나게 된다. 셋째, 금융감독 기능 분리를 들 수 있다. 중국인민은행은 1986년 이후 금융감독에 대한 법적 근거를 부여받아 상업은행과 비은행 금융기관에 대한 감독 업무를 수행하여 왔다. 그후 중국인민은행은 중국증권감독관리위원회(이하 중국증감위), 중국보험감독관리위원회(이하 중국보감위), 중국은행감독관리위원회(이하 중국은감위) 등 독립된 감독기관이 설립되면서 점차 업무를 이관해 왔다.

한편 중국인민은행은 다른 기능을 분리하면서도 중앙은행으로서의 기능을 점차 강화시켜 가고 있다. 중국인민은행은 1984년 1월 중국공상은행이 설립되면서 중앙은행으로 거듭나게 된다. 그후 중국인민은행은 상업은행 업무를 중단하고 화폐 발행, 신용관리, 금리 결정 및 외환업무 관리 등 중앙은행 고유의 업무를 책임지게 된다. 1986년 1월 발표된 은행관리잠정조례에서는 중국인민은행이 통화신용 정책에 대한 책임을 지고, 단기 화폐시장 및 자본시장을 포함한 전체 금융시장에 대한 감독에 대하여 책임을 진다고 함으로써 중앙은행의 업무를 규정하였다. 그후 중국인민은행은 4대 국유상업은행과 농촌신용합작사, 도시신용합작사 및 투신사 등 비은행 금융기관에 대한 감독권을 행사하기 시작한다. 중국인민은행은 법적으로는 중앙은행이었지만 각 지점이 지방정부의 간섭을 받는 등 실질적으로는 여전히 한계가 있었다. 1995년 중국은 중앙은행법과 상업은행법을 제정하였다. 1995년 이후 전업은행은 상업은행으로 중국인민은행은 중앙은행으로 인정받게 되었다. 한편 1995년 '중화인민공화국중국인민은행법'이 제정되면서 중국인민은행이 법적으로 중앙은행으로 자리 잡게 된다.

개혁개방 이후 중국은 다양한 금융기관이 설립되면서 단일 금융체제에서 점차 벗어나기 시작하였다. 1979년 2월 중국농업은행이 설립되었으며, 동년 3월 중국은행이 중국인민은행으로부터 독립되었다. 1983년에는 중국인민은행이 상업은행 기능을 중국공상은행으로 넘겨주었다. 중국공상은행의 설립에 이어 지역은행도 신규 설립되었으며, 교통은행 및 중신시예은행 등 2개의 전국적 은행도 설립되었다. 경제특구에서 제한된 수의 외국은행의 지점 개설이 허용되어 대외교역과 관련된 업무를 할 수 있게 되었으나 인민폐 업무는 허용되지 않았다.

한편 1980년대 후반에서 1990년대 초반까지 중국의 상업은행은 일시적인 침체기를 거쳐 1992년 이후 더욱 다양하게 발전한다. 종래의 전업은행(중국공상은행, 중국농업은행, 중국은행, 중국인민건설은행 등)은 일반적인 상업은행으로 전환되어 국유 상업은행으로 지칭되었다. 중국의 은행 부문은 국유 상업은행 이외에 기타 상업은행, 전국적 상업은행 등으로 다원화되었다. 한편 1995년 상업은행법이 제정됨으로써 전업은행의 상업은행화를 위한 법적 조치가 정비되었다.

5. 중국의 은행과 증권시장

1) 중국의 은행

(1) 은행의 종류와 기능

중국의 은행은 학자에 따라 다르게 구분할 수 있으나 주로 다음과 같이 분류할 수 있다.

① 정책은행

정책은행은 상업은행법의 적용을 받지 않으며 국가 중점 정책 사업을 지원하는 기능을 담당하며 정책금융을 통하여 입은 영업상의 손실에 대해서는 국가가 책임진다. 중국의 정책은행에는 중국수출입은행, 중국농업발전은행, 국가발전은행 등 3개 은행이 있다. 국가발전은행은 국가 중점 프로젝트의 융자를 수행하며, 중국수출입은행은 수출입신용·수출보험 등의 업무를 담당하고, 중국농업발전은행은 농촌금융을 담당한다. 정책은행 중 국가발전은행이 가장 빠른 성장을 나타내고 있다.

② 국유상업은행

국유상업은행에는 중국은행, 중국건설은행, 중국공상은행, 중국농업은행 등 4개 은행이 존재한다. 4대 국유상업은행은 최근 들어 다소 개선되고 있으나 여전히 중국의 은행 중 독점적 지위를 차지하고 있다.

③ 주식제 상업은행

주식제 상업은행 중에서 최대 규모의 은행은 교통은행이며, 그 외에 중신시예은행, 중귀광따(中國光大)은행, 화샤은행, 자오샹은행 등이 있다. 또한 주로 광둥(廣東)성, 선전 및 상하이 등 경제성장이 빠른 지역을 중심으로 지방은행이 설립되어 전국적 규모로 확대되었는데, 광둥파잔은행, 선전파잔은행, 상하이푸둥파잔은행 등을 들 수 있다.

④ 도시 상업은행

도시 상업은행은 과거 도시 신용합작사가 상업은행으로 전환하면서 생겨난 은행이다. 베이징시상업은행, 상하이시상업은행 등 일반적으로 해당 도시의 이름이 붙어 있다.

은행 중 특히 주식제은행과 도시상업은행이 두드러진 성장을 기록하고 있다. 1980년대 설립된 주식제은행 중 4개가 상장되었으며, 주식제은행은 수익률이 높고 부실대출 비율이 낮으며, 주요 고객은 연해지역의 외국계 회사로서 외자은행과의 합작에도 유리하다. 도시상업은행은 아직 경영 및 내부감독 메커니즘이 미흡하지만 상하이은행과 난징(南京)도시은행 등 일부 은행이 외자 유치에 성공하는 등 빠른 성장을 보이고 있다.

(2) 상업은행의 취약성

중국의 상업은행은 중국경제의 구조적인 모순으로 인해 독점도, 부실채권 등 여러 가지 문제점을 안고 있다.

우선 중국의 상업은행은 중국은행, 중국공상은행, 중국건설은행, 중국농업은행 등 4대 국유상업은행의 독점으로 인해 시장 집중도가 지나치게 높다. 2004년 현재 4대 국유은행은 예금시장과 대출시장 점유율, 자산 규모 등의 측면에서 60% 내외의 절대적인 우위를 보이고 있다. 국유상업은행의 독점도는 조금씩 개선되고 있으나 근본적으로 해결될 전망은 매우 희박하다.

둘째, 국유상업은행은 과도한 부실채권을 떠안고 있다. 2005년 3/4분기 현재 부실채권의 규모는 〈표 6—3〉과 같다. 이처럼 국유상업은행의 부실채권이 높은 것은 은행 이외에 정부의 정책과도 연관되어 있다.

셋째, 중국의 4대 국유은행에 규모의 불경제(diseconomies of scale)가 존재

〈표 6—2〉 2004년 국유상업은행의 시장점유율   (단위: %)

은행	구분	시장점유율
4대 국유상업은행	총자산 대출	17,289(72.7) 10,223(62.7)
주식제 상업은행	총자산 대출	4,763(20.0) 4,690(28.8)
도시상업은행	총자산 대출	1,725(7.3) 1,394(8.5)

* 자료: 『중국금융연감』, 각년판

<표 6-3> 국유상업은행과 주식제 상업은행의 부실채권 비교 (단위: 억 위안, %)

		국유상업은행	주식제 상업은행	합계
2004. 3	규모	18,898	1,878	20,776
	비중	(19.2)	(7.1)	(16.6)
2004. 6	규모	15,231	1,400	16,631
	비중	(15.6)	(5.2)	(13.3)
2004. 12	규모	15,751	1,402	17,176
	비중	(15.6)	(5.0)	(13.2)
2005. 3	규모	15,671	1,458	18,275
	비중	(15.0)	(4.9)	(12.4)
2005. 9	규모	10,100	1,502	11,602
	비중	(10.1)	(4.7)	

* 자료: "중국 부실채권시장의 현황과 전망", 2005. www.cbrc.gov.cn

한다. 본래 은행은 일정 수준까지는 규모가 커지면 규모의 경제(economies of scale) 효과를 누리게 된다. 그러나 중국의 4대 국유은행의 높은 시장집중도는 정부에 의해 인위적으로 형성된 것으로, 은행산업에 심각한 규모의 불경제를 가져오고 있다.

넷째, 중국의 은행산업에는 비교적 높은 인위적인 진입 및 퇴출 장벽이 존재한다. 중국 은행산업의 높은 퇴출 장벽과 진입 장벽은 경쟁 인센티브를 약화시키고 효율을 저하시키는 주요인이 되고 있다.

다섯째, 중국의 은행은 주로 여수신 업무 위주로 경영되면서 다양한 금융상품을 개발하지 못한 실정이다. 최근 은행에서 카드업무나 주택금융, 자동차금융 등을 발전시켜 나가고 보험상품을 취급하는 등 경영다각화를 추진해 가고 있으나 그 규모가 크지 못한 실정이다.

(3) 국유상업은행의 부실채권

① 부실채권 발생 원인

중국의 국유상업은행은 상당한 규모의 부실채권을 안고 있어 전반적인 상업은행체제의 건전성을 저해하고 있다. 국유상업은행의 부실채권은 크게 누적된 부실채권과 상업은행체제 이후 지속적으로 발생하고 있는 부실채권으로 나누어 볼 수 있다.

누적 부실채권은 주로 상업은행체제가 형성되는 과도기에 재정이 수행하던 기능이 은행 부문으로 전가되면서 형성된 것이다. 우선 전체 고정자산 투자자금의 조달 원천 중에서 은행대출에 의한 조달이 늘어나고 은행의 정부에 대한 대출이 급증하는 등 은행기능이 과도하게 재정기능의 부담을 전가받게 되었다. 또한 기업 부문의 자금 조달 원천이 정부 재정에서 은행대출로 변화함으로써 국유기업의 자산부채율이 급격히 높아지게 되었다.

반면 신규 부실채권은 상업은행체제 이후에 대출을 받은 국유기업의 수익성이 악화되거나 은행이 비효율적으로 경영되는 등의 원인으로 인해 발생하고 있다. 과거 국유기업은 재정을 통해 그 자금을 조달하였으나 상업은행체제 형성 이후 국유은행으로부터 그 자금을 조달하여 왔다. 국유기업은 국유은행으로부터 자금을 대출받은 후 기업의 수익성 악화로 인해 대출자금을 상환하지 못함으로써 국유은행에 대량의 부실채권을 초래하게 되었다.

② 부실채권의 규모

국유 상업은행의 부실채권 규모는 2003년 3/4분기 현재 〈표 6—4〉와 같다. 2003년 3/4분기 4대 국유 상업은행의 부실채권 규모는 2002년에 비해 전반적으로 낮아지는 것을 알 수 있다. 은행별로는 농업은행의 부실채권이 26.5%로 가장 높으며, 그다음은 공상은행이 22%를 기록하고 있다. 건설은행은 부실채권 규모가 12.9%로 4대 국유상업은행 중 가장 양호한 수준을 보이고 있다.

③ 부실채권의 해결 정책

부실채권의 정리와 관련하여 2가지 해결 방안이 제시되고 있다. 하나는 자산관리공사에 공적자금을 투입하여 단기간에 국유은행이 가진 부실채권을 처리하자는 방안이다. 다른 하나는 기존 국유은행의 수익성 개선을 통해 상당 시일을 두고 점진적으로 부실채권을 낮추어 가자는 방안이다.

전자는 국유은행의 조기 정상화를 위해서는 자산관리공사에 대한 공적자금 투입을 통해 국유은행의 부실채권 비율을 낮춘 다음 증권시장 상장을 통해 자금을 조달한다는 것이다. 특히 은행의 상장을 위해서는 부실채권 비율이 10%를 넘지 않아야 한다. 실제로 국유은행의 부실채권 비율을 낮추기 위해 2004년 대량의 공적자금을 투입하고자 하였으며, 추가적인 계획이 발표되기도 하였다. 그러나 이 방안은 국유상업은행의 도덕적 해이를 초래함으로써 추가로 부실채권을 유발하고 오히려 국유상업은행의 경쟁력을 약화시킬 우려가 있다. 2001년 12월 WTO 가입에 따라 2006년까지 중국 은행산업의 대외개방이 예정되어 있어 후자는 외국 금융기관과의 경쟁에 대비하기에 어려운 측면이 있다. 결국 중국정부는 공적자금 투입을 통해 부실 비율을 낮추면서 상업은행 개혁을

〈표 6-4〉 국유상업은행의 부실채권 규모

	2004. 12.	2005. 06.
중국건설은행	3.9	3.9
중국공상은행	19.0	4.6
중국은행	5.1	—
중국농업은행	26.7	—

* 자료 : 『中國金融産業地圖』(2005) 수치 재조합.

병행해 감으로써 국유상업은행의 경쟁력을 제고하고자 하고 있다.

2) 중국의 증권시장

(1) 중국 증권시장의 특징
① 이원적인 시장구조

중국의 증권시장은 다른 국가의 증권시장에 비해 이원적인 구조를 띠고 있다. 우선 중국 주식시장은 A주시장과 B주시장으로 분할되어 있다. A주시장은 내국인에게만 개방하는 시장으로 인민폐로 거래되는 시장이며, B주시장은 외국인에게만 개방되는 시장으로 달러로 거래되고 있다.[10] 2001년 B주시장이 내국인에게 개방되면서 현재는 외국인과 내국인 모두 현재는 B주를 거래할 수 있다. 주식시장이 A주시장과 B주시장으로 나누어져 있는 형태는 특수한 형태라 할 수 있다. 이는 시장화 과정 중에 나타나는 주식시장의 과도기적인 형태로 이해할 수 있다.

② 증권시장 개방

'서비스무역에 관한 일반협정'에 따라 2002년 6월 중국 증권감독관리위원회는 '중외합자증권회사 설립규칙' 및 '중외합자 펀드관리회사 설립규칙' 등 구체적 법규를 발표했다. '중외합자증권회사 설립규칙'에 의하면, "해외주주의 지분 비율 혹은 외자지분 참여 비율은 전체의 1/3을 초과할 수 없다"고 규정하고 있는데, 동 규정에 따르면 중외합자증권회사의 주요 업무는 주식(내국인 전용 인민폐주식, 외자주 등) 및 채권의 인수중개(underwriting), 외자주의 위탁

---

10) 상하이증권거래소는 미국 달러에 의해 거래되며, 선전증권거래소는 홍콩 달러에 의해 거래되고 있다.

매매(brokering), 채권의 위탁매매 및 자기매매(dealing) 등으로 규정하고 있다. 또한 WTO 가입 3년 내 외국인투자가 49%를 초과해서는 안 된다고 규정하고 있다(李康 외, 2002, p. 1).

③ 국내외 증권사간의 협력 확대

중국의 WTO 가입 이후 외국자본들은 합자 및 합작기업의 형식으로 중국의 증권시장에 진출하고 있다. 현재 중외합자 증권회사인 중진(中金)의 경우 현재 바오강(寶鋼)주식회사, 중리미화(中國石化), 자오상은행 등 대형 국유기업의 인수중개 업무를 대행하고 있다. 한편 중국 내 최초의 A주 종합증권사 자격을 갖춘 중외합자 증권회사인 중인(中銀)은 2002년 종합증권사의 자격을 취득한 이래 위탁매매 업무, A주 자기매매업무 및 인수중개 업무를 수행하고 있다.

이밖에 중외합작 펀드관리회사인 화안(華安)펀드의 경우는 JP모건과 합자 펀드회사 설립을 위한 공동업무 대책팀을 이미 설립·운영 중에 있으며, 궈신(國信)증권, 궈퉁(國通)증권, 궈타이쥔안(國泰君安)증권 및 광파(廣發)증권 등 기타 국내 증권사들도 해외 증권사들과 협력을 위한 활발한 움직임을 보이고 있다. 일례로 미국의 골드만삭스는 이미 중국 증권시장을 미국, 유럽, 일본에

〈표 6-5〉 증권업의 시장 개방 합의 내용

WTO 가입 이후 중국의 증권업 시장 개방 약속
1) 외국 증권사는 B주 교역에 직접 종사할 수 있음.
2) 외국 증권사의 중국 대표처는 중국 내 모든 증권교역소의 특별회원 자격 부여.
3) 외국 위탁판매자의 합자기업 설립을 허가하여 국내 증권투자기금 관리 업무를 취급토록 함. 단 외자 비율은 33%를 초과할 수 없으며 가입 후 3년 내에는 투자 비율을 49% 이내로 함.
4) WTO 가입 3년 내 외국 증권사의 합자회사 설립을 허가하며 기업 형태는 합자 형식으로 외국인 지분은 33%까지 허용하며 A주, B주, H주 및 정부와 기업의 채권 교역 및 기금 발행 등 허용.

* 자료 : www.csrc.gov.cn

이어 제4대 시장으로 결정하고 영업확장에 들어갔다(李康 외, 2002, p. 4).

(2) 중국의 주식시장
① 주식시장의 종류 및 특성

중국의 주식시장은 A주시장과 B주시장으로 구분된다. 또한 중국기업은 본토 이외에도 홍콩, 뉴욕, 싱가포르 등 증권시장에 상장, 자본을 조달하고 있다.

가. A주시장 : A주시장은 중국인에게만 개방되는 시장으로 인민폐로 거래되고 상하이와 선전 증시에서 모두 거래된다. A주시장에 대한 외국인의 투자금지는 비차별대우 원칙에 위반될 뿐만 아니라 시장 개방의 원칙에도 위배된다고 할 수 있다. 중국정부는 WTO와의 양허에 따라 2006년까지 금융시장을 기본적으로 개방하게 되어 있으나, A주시장 개방에 대해서는 여전히 소극적인 입장을 취하고 있다. 단지 2002년 12월 이후 중국은 QFII제도[11]를 시행하여 일정한 자격을 갖춘 역외 기관투자가들에게 A주시장에 투자할 수 있도록 허용함으로써 A주시장 개방에 대한 시험적인 조치를 취하고 있다.

각 주식은 액면가가 1위안(元)이다. A주시장에서 거래되고 있는 일부 종목은 B주시장 혹은 H주시장에 동시에 발행되기도 한다. A주시장은 유동성이 높아 B주시장이나 H주시장보다 주가가 높게 형성되어 있다.

나. B주시장 : B주시장은 본래 외국인에게만 개방되는 시장으로 상하이 증시에서는 미 달러로 거래되고 있으며, 선전 증시에서는 홍콩 달러로 거래되었다. 그러나

---

11) QFII란 Qualified Foreign Institutional Investors의 약어로 역외 기관투자가들이 중국 금융감독관리 당국의 심사를 거쳐 인가를 받은 경우 일정 한도의 금액을 들여와 중국 증권시장에 투자할 수 있도록 허용하는 것을 말한다.

2001년 2월 B주시장이 내국인에게 개방되면서 현재는 외국인과 중국인 모두 B주를 거래할 수 있다.

다. H주와 레드칩(red chips) : H주는 본사가 중국에 있으면서 홍콩거래소에 상장되어 있는 중국의 국내기업 주식을 의미한다. 주식의 액면가는 위안(元)으로 표시되지만 거래는 홍콩달러로 이루어지는 외자주식이다. 이런 특성으로 인해 H주에 대한 감독은 홍콩의 감독기관과 중국증감위가 공동으로 하고 있다. H주시장에 상장된 기업은 중궈싀요(中國石油), 따탕파댄(大唐發展), 중궈난팡(中國南方)항공, 베이징수도공항 등 대부분 중국의 기간산업 및 중화학 국유기업에 해당한다.

H주는 기업의 본사와 현주소가 중국 본토인 반면, 레드칩은 본사가 중국, 현주소가 홍콩인 주식을 말한다. 레드칩은 H주에 비해 국유주의 비중이 적은 것이 특징이다. 또한 레드칩은 주로 첨단산업의 기업(전자, 통신, 금융, 부동산 등)에 집중적으로 분포하고 있다. 주요 기업에는 중궈이동통신(中國移動通信, China Mobile), 중궈롄통(中國聯通, China Unicom), 상하이서예(上海實業) 등 발전 전망이 높은 기업이 포함되어 있다(정진표 외, 2004, pp. 57~58).

라. N주와 S주 : N주는 본사가 중국에 있으며 미국 뉴욕시장에 상장된 주식을 말한다. 2004년 현재 뉴욕거래소에 15개사가 상장되었다. S주는 본사가 중국에 있으며 싱가포르시장에 상장된 종목을 말한다. 2002년 6월 현재 7개사가 상장되어 있다.

② 주식시장의 규모

상하이와 선전증권거래소에 상장되어 있는 기업 수는 2005년 현재 1,381개에 달하며, 시가총액은 3조2,430억 위안을 기록하고 있다. 〈표 6─7〉을 보면 발행주식 규모와 거래액, 거래량은 지속적으로 증가하고 있으나 시가총액은

<표 6-6> 미국 뉴욕증권거래소에 상장된 중국기업과 시가총액(2004년 현재)

회사명	상장일	시가총액(백만 달러)
중국 Chalco	2001. 12	6,204
중국 Eastern Airlines	1997. 2	1,502
중국생명보험(China Life)	2003. 12	18,033
중국이통(China Mobile) HK	1997. 10	70,102
China Petro & Chemical	2000. 10	41,682
중궈난팡(南方)항공	1997. 7	1,737
중국전신(中國電信)	2002. 11	28,303
China Unicom(聯通)	2000. 6	10,230
China Netcom(網通) HK	2004. 11	9,010
華能國際電力	1994. 10	18,184
吉林화학산업	1995. 5	1,375
Petro China	2000. 4	107,180
SMIC	2004. 3	3,614
Sinopec Shanhai Petro	1993. 7	3,365
Yanzhou Coal Mining	1998. 3	4,259

* 자료: 『中國金融産業地圖』(2005) 수치 재조합.

2004년(3조7,056억 위안)에 비해 크게 감소하였다.[12]

　한편 2003년 상하이증권거래소의 거래량이 선전증권거래소의 3.5배에 달해 상당 부분의 기업 자금이 상하이증권거래소에서 조달되었다. 2003년도 중국의 거래소별 증권 거래 구성 비율은 <그림 6-1>과 같다.

　중국의 주식구조(株券構造)는 국유주, 법인주, 일반주 등으로 구성되어 있다. 국유주는 유통이 불가능하다는 점을 제외하면 다른 일반 A주와 다르지 않다. 중국정부는 증권시장에서 국가의 주도적 지위를 유지하기 위해 국유주 제도를 도입하여 운용하고 있다. 법인주는 대부분 국유기업인 법인에 의해 발행

---

12) 시가총액이 이처럼 크게 감소한 것은 국유주와 법인주로 대표되는 비유통주의 유통주로의 전환과 관련하여 종합주가지수가 지속적으로 하락할 것에 기인한다.

〈표 6-7〉 중국 주식시장의 규모

연도	발행 주식 규모(억 주)		시가총액(억 위안)		거래액(억 위안)		거래량(1백만 주)	
	상하이	선전	상하이	선전	상하이	선전	상하이	선전
2002.06	3,402.7	1,677.8	30,978.4	16,758.0	16,959.1	11,031.3	178,108	123,509
2002.12	3,727.8	1,735.1	25,363.7	12,965.4				
2003.06	3,896.8	1,758.8	28,265.2	13,364.3	20,824.1	19,433.6	268,773	147,035
2003.12	4,170.4	1,827.5	29,804.9	12,652.8				
2004.06	4,524.2	1,923.9	28,351.8	12,056.3	26,470.4	15,863.4	360,774	221,999
2004.12	4,800.7	2,004.5	26,014.3	11,041.2				
2005.06	4,941.0	2,080.5	22,489.9	9,100.1				

* 거래액과 거래량은 당해연도 누계치를 의미함.
* 자료 : 중국인민은행

〈그림 6-1〉 2003년 상하이와 선전거래소의 증권 거래 구성 비율

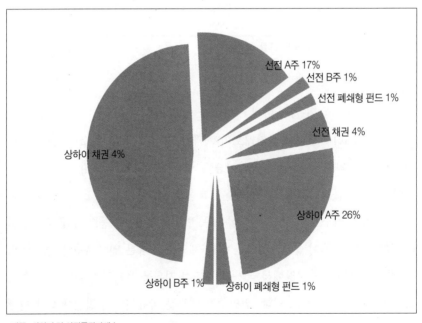

* 자료 : 상하이 및 선전증권거래소

된 주식이라는 것을 제외하고는 국유주와 유사하다. 법인주는 법인간에 장부 가격으로 거래가 가능하다. 국유주와 법인주는 일반적으로 유통되지 않는 주식인데, 전체 주식의 약 65.5% 정도를 차지하고 있다(〈그림 6-2〉 참조).

(3) 중국의 채권시장

중국 채권시장의 역사는 주식시장에 비해 상대적으로 길다. 국채의 경우 1950년 승리(勝利)할인공채(중국 최초의 국채)를 발행한 이래 1954년 이후 수년 간 경제건설공채를 발행하다가 1958년 중지하였다. 그후 1981년부터 국고채권을 발행하였으며, 1985년에는 금융채권을 발행, 그후 회사채를 발행하였다. 발

〈그림 6-2〉 2003년 중국 주식 구성 비율

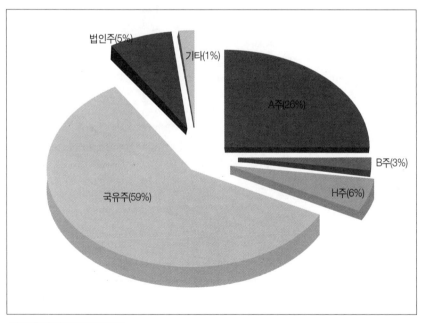

* 자료 : 중국증권감독위원회(CSRC)

행한 국가채권에는 국고권, 재정채권, 국가건설채권, 국가중점건설채권, 특종채권, 품질보증채권, 정향채권 등이 있다.

2004년 말 중국 국채시장은 액면가 6,924억 위안, 기업채 발행액은 액면가약 327억 위안에 달하였다. 중국의 채권시장은 국채 발행 비중이 절대적으로 높은 수준을 유지하고 있으며, 기업채시장은 상당히 위축되어 있다.

〈표 6-8〉 중국정부의 국채 발행 추이

연도	신규 발행액 (억 위안)	이자율 (%)	만기 (년)	GDP 비중 (%)	거래 금액 (10억 위안)	정부 채무 (10억 위안)
1982	–	8	5~9	0.8		
1984	44	8	5~9	0.59		
1986	43	10	5	0.62		
1988	63	9.5~10	2~5	1.28		
1990	189	14	3~5	1.08		
1991	197	10	3~5	1.32		
1992	281	9.5~10.5	3~5	1.78		
1993	461	13.96~15.8	3~5	1.11		
1994	381	6	0.6~5	2.44		
1995	1,138	9.8~15.86	1~	2.58		
1996	1,511	14~14.5	0.6~10	3.11	1,881	436
1997	2,126	8.5~14.5	2~10	3.22	1,567	551
1998	2,412	8.64~10.69	3~10	4.82	2,160	777
1999	3,809	5.01~7.86	2~10	4.86	1,819	1,054
2000	4,015	2.72~5.22	1~10	5.21	1,889	1,302
2001	4,657	2.42~3.5	2~20	4.95	2,030	1,562
2002	4,884	2.46~4.69	1~30	5.6	3,300	–
2003	5,934	1.9~2.7	–	5.4	5,875	–
2004	6,924	–	–	–	4,705	–

* 자료 : 중국인민은행(www.pboc.gov.kr)

(4) 중국 증권시장의 제약 요인

① 정부의 과잉 간섭

현 체제하에서는 행정부가 어떤 상황에서든지 자유롭게 간섭할 수 있는 특권을 갖고 있으므로 정부의 행위가 전체 시장에 결정적인 영향을 미치게 된다. 특히 행정부의 과잉 간섭은 중국 증권시장 발전의 장애 요인이 되고 있는데, 때로는 정책에 대한 이해나 집행상의 공정성 부족으로 적절한 정책을 취하지 못하고 있다. 일례로 기업의 경우 국유주의 비중이 지나치게 높아 정부의 간섭이 불가피한데, 이는 중국 특유의 정부와 상장회사 간 특수한 상호 의존관계에 크게 기인하고 있다.

② 정보 공개제도의 미비

일부 상장회사의 경우 정보 조작을 통해 시장을 어지럽히고 있는데, 이들 회사는 허위정보 조작 및 정보 공개 시기 통제, 주요 정보의 미공개, 유언비어 살포 등으로 증권시장의 정상적인 운영을 방해하고 있다. 심지어 이들 회사의 경우 정보의 진실성이 심하게 결여되어 공인회계사가 서명한 경우에도 의문의 소지가 남곤 한다. 이 같은 정보 공개제도의 불완전성은 중국의 거시경제 정보 공개제도마저 위협하고 있어, 무엇보다 정보 공개제도가 증권시장의 기본제도로 정착되려면 '삼공(三公, 공평·공정·공개)'의 원칙이 하루빨리 정착되어야 할 것으로 지적되고 있다.

③ 주가의 불안정성

주가파동은 중국 주식시장의 두드러진 특징 중 하나로 주가의 폭등과 폭락은 자주 나타나고 있다. 일례로 상하이거래소의 경우 1992~2000년까지 주가파동이 50여 차례 기록되고 있다. 그중 지난 1994년의 경우 주가지수가 최저점

325포인트를 기록한 반면 최고점은 1,052포인트를 기록하였으며, 1995년에는 최저점 524포인트, 최고점 925.96포인트를 기록하였다. 한편 1996년에는 각각 516포인트와 1,306포인트를 기록한 바 있는데, 이 같은 잦은 주가파동은 증권시장의 건전한 발전을 저해할 수밖에 없다. 이 밖에 성숙된 주식시장의 합리적인 시장수익률은 대체로 15~25배 사이인 데 반해, 중국의 주식시장 평균수익률은 이 범위를 훨씬 초과하여 거품현상이 상당히 심각하게 나타나고 있다. 2000년의 경우도 상하이 주가지수는 2천 포인트를 넘어, 평균 시장수익률의 60배 이상이나 기록한 바 있다. 동 기간 중앙은행의 실제 예금금리가 약 5%, 기업의 평균수익률이 7% 정도임을 감안할 때 주식시장의 합리적인 시장수익률은 14~20배 정도가 적정 수준으로 평가되고 있는데, 이처럼 시장수익률이 지나치게 높다는 것은 투자자가 주식시장에 진입하는 주요 목적이 투기이며 단기간 매매차익을 얻는 것이라는 것을 의미한다(李春杰 외, 2001, pp. 37~38). 즉, 주가에 거품현상이 존재한다는 것은 주식가치가 지나치게 높게 평가되어 장기적으로 주식보유 수익이 낮게·됨으로써 투자가치는 없어지고 투기가치만 남기 때문이다.

④ 증권 사기의 만연

회사의 인수합병과 자산구조 조정은 증권시장의 중요한 기능이며 증권시장 효율의 구현이라 할 수 있다. 그러나 중국에서는 인수합병과 구조조정이 왜곡된 형태로 나타나고 있다. 이로 인해 일부 상장회사와 이들 상장회사와 밀접한 이해관계가 있는 투자자가 인수합병으로 시장을 조작하여 중소 투자가를 유혹함으로써 투자자의 이익을 크게 손상시킨다. 이들은 주주의 권리(혹은 자산)를 양도 매매하는 과정 속에서 불평등 교환이나, 구조조정 과정 속에 허위 매매나 허위 이윤 등의 위법행위를 통해 시장질서를 혼란시킴으로써 중소 투자자의 이익을 침해하곤 한다.

이 밖에 기업의 주식제 전환 과정 속에서도 과대포장과 같은 불법적 행위가 나타나는데, 이런 행위는 국유기업과 비국유기업에서 모두 나타나고 있다. 법정 정보공개 시 자산의 건전성과 재무 상황이 사실에 부합하는지 여부는 실제 상황의 진정한 반영이냐 아니면 인위적인 조작이냐에 달려 있는데 현실적으로 이를 구별하기가 쉽지 않기 때문이다. 문제는 이러한 내부자거래, 주가 조종행위 등 불법적 행위에 대한 처벌이 제대로 이루어지지 않는다는 것이다. 증권감독관리위원회는 위법행위 발생 시 경고, 벌금, 불법소득 반환 등의 조치를 취하고 있으나 위법행위는 여전히 증가하고 있다.

처벌제도상의 문제점은 우선 위법행위에 대한 처벌이 너무 약하다는 데 있다. 현재 '중화인민공화국 증권법'에서는 내부자거래(동법 제183조), 주가조작(동법 제184조), 사기행위(동법 제185조) 등 불공정행위에 대해 위법 소득의 몰수 및 그 소득의 1배 내지 5배 이상의 벌금에 처한다고 규정하고 있다. 그러나 이 행위가 범죄에 해당하는 경우에는 형사처벌을 한다고만 규정하고 있을 뿐 구체적인 처벌규정이 없다. 특히 중화인민공화국 증권법에는 상장회사의 불법행위로 인해 투자자에게 손실을 초래한 경우 상장회사가 투자자에게 배상하는 규정이 마련되어 있지 않다.

⑤ **퇴출상의 문제점**

지금까지 중국의 증권시장에 상장된 회사는 종신제 경향을 띠어 왔다. 따라서 부실 상장기업이 퇴출되지 않음으로 인해 주식시장 전체의 건전성이 위협받는 것은 당연한 결과라 할 수 있다. 비록 PT수이샌회사(水仙公司)[13]가 상장회사 최초로 퇴출되기는 했지만 앞으로 얼마나 많은 부실기업이 더 퇴출될 것인가에 대해 일각에서 의구심을 갖는 것도 사실 그 근저에는 이 같은 인식이 깔려 있기 때문이다. 더욱이 부실 상장기업이 지속적으로 퇴출되기 위해서는 다음과 같은 난제가 아직 남아 있는 것도 한 원인으로 작용하고 있다(吳曉求b, 2001, p. 232).

증권시장에 상장되어 있는 기업들은 대부분 국유기업으로서 지방정부의 재정에 큰 영향을 미치고 있고, 그 지방의 경제발전과 깊은 연관을 맺고 있다. 따라서 어느 한 기업이 퇴출된다는 것은 그 기업만의 문제가 아니라 그 지방경제가 직접적으로 타격을 받는다는 것을 의미한다. 또한 경제적 성과에 따라 관료들의 능력이 평가되고 있는 상황에서 관할 기업의 퇴출은 지방정부 책임자로서는 적지 않은 부담으로 작용할 수밖에 없어 관할 기업의 퇴출은 생각만큼 쉽지 않다.

⑸ 중국 증권시장의 향후 전망

① 중국 주식시장의 규모

중국 주식시장의 규모는 매년 평균 23% 증가하면 10년 후 현재의 일본 주식시장 수준에 도달할 수 있을 것으로 전망되고 있다. 즉, 중국의 주식시장의 규모는 향후 18년간 연평균 13.5%씩 증가할 경우 2012년에는 미국의 1990년도 수준인 3조2천억 달러에 달하고, 2020년에는 미국의 1995년도 시가총액 또는 2000년도 일본 도쿄 및 오사카거래소의 시가총액에 상응하는 7조7천억 달러에 이를 것으로 예상되고 있다. 이는 중국 주식시장이 2020년에는 세계 4대 주식

---

13) 'PT(popular transfer)제도'는 증권거래소가 중화인민공화국회사법 제158조의 규정에 따라 회사주식 상장의 일시정지를 집행하고, 주식상장 일시정지 기간에 투자자를 위하여 특별히 양도서비스를 하는 것을 말한다. 이 같은 특별 양도서비스는 회사주식의 약칭 앞에 PT라는 글자를 쓰게 되는데, 지난 1999년 7월 9일 이후 상하이 증권거래소와 선전증권거래소를 통해 시행되었으며 주가의 일일 등락폭은 5%의 제한을 두었다. 그러나 2000년 6월 23일 이후 5%의 상승폭 제한은 남겨둔 채 하락폭의 제한을 철폐함에 따라 실질적으로 PT주식의 5% 단일 등락폭 제한은 취소되었다.

시장으로 발전할 수 있을 것임을 시사하는 것이다(李康 외, 2002, pp. 1~2).

② 증권시장의 구조 변화

A주식시장과 B주식시장의 이원적인 구조로 되어 있는 중국의 주식시장은 국제적인 투기성 자본(speculative money)의 공격을 방지함으로써 주식시장의 안정을 확보하고 내국인의 자금을 조달하는 데 효율적인 형태이다. 그러나 이원적인 주식시장체제는 자본이 효율성이 낮은 곳에서 높은 곳으로 이동하는 것을 저해하고 있다. 특히 외국인의 투자를 제한함으로써 주식시장의 활성화를 크게 저해하는 원인이 되고 있다. 이로 인해 증권시장의 안정장치가 확보됨에 따라 중장기적으로 A주식시장과 B주식시장은 통합될 것으로 예상된다. 현재 A주식시장은 인민폐로, B주식시장은 달러로 거래되고 있으나 두 시장이 통합될 경우 모두 인민폐로 거래가 이루어질 것으로 예상된다.

③ 주식구조의 변화

국유주는 중국이 소유권구조에 관한 갈등을 해결하고 국유자산의 가치를 보존하는 데 어느 정도 긍정적인 역할을 해 왔다고 평가할 수 있다. 그러나 현재의 주권구조상으로 국유주는 지나치게 큰 비중을 차지하고 있다고 평가되고 있다. 국유주의 존재로 인해 우선 시장 시스템에 의한 자원의 효율적인 배분이 이루어지지 못하고 있다. 주식은 주가의 변동에 따라 자유로운 매매가 이루어져야 주식시장에서 자원의 효율적인 배분이 이루어질 수 있다. 국유주는 유통이 되지 않기 때문에 주식의 가치에 관계없이 그 소유가 국가로 한정되어 있다. 즉, 주가가 아무리 상승해도 매입할 수 없으며 주가가 급락하는 경우에도 주식을 매각할 수 없다.

둘째, 국유주의 존재로 인해 소유권구조가 불명확해지고 있다. 국유주의 주주는 물론 국가이며 구체적으로 재정국, 국유자산 관리공사, 국유지주회사 등이 주권을 행사한다. 이처럼 주권을 행사하는 기관이 다양하므로 현실적으로 국유주의 주인이 명확하지 않은 경우가 종종 발생한다.

셋째, 국유주의 비중이 너무 커서 효율적인 경영시스템을 형성하기 어렵다. 현재 많은 국유기업이 규모의 불경제에 직면해 있다. 국유주의 비중이 너무 높아 산업구조 조정을 위해 국유기업을 축소하고 민영기업을 확대하는 데 장애가 되고 있다.

이와 같은 원인으로 인해 중국 주식시장은 국유주의 비중을 축소하는 한편 법인주의 유통을 추진해야 하는 상황에 처해 있다. 따라서 국유주의 감소나 법인주의 유통은 오랜 기간 동안 단계적으로 이루어질 것으로 예상된다.

④ 증권사의 대형화

외국 증권사의 중국 증권시장 진출 과정에서 국내 증권사와 외국 증권사와의 합자 내지 합작이 크게 증가할 것으로 보인다. 중국의 은행산업은 4대 국유상업은행으로 인하여 독과점적인 성격이 매우 강하지만, 증권산업의 경우 은행산업과는 달리 독점적인 성격을 갖는 증권사가 존재하지 않는다. 이런 특성으로 인해 외국 증권사와 국내 증권사 간의 M&A를 진행하기 유리한 상황이다. 현재 중인궈지(中銀國際)공사는 정부 승인하에 이미 강아오(港澳)증권을 인수했다. 국내외 증권사간의 M&A로 인해 증권사의 규모가 대형화될 것으로 예상된다. 증권사가 대형화될 경우 정보 수집 비용 절감, 금융서비스 다양화 등 여러 측면에서 유리하다. 또한 증권사간의 경쟁이 심화될 경우 중소 증권사는 매우 불리한 상황에 놓이게 되므로 증권사간의 M&A를 통한 규모의 확장은 더욱 신속하게 이루어질 전망이다. 한편 지방정부와의 긴밀한 관계를 통해 생존하고 있는 지방증권사도 지역성을 극복하고 타 지역 내지 외국 증권사와의 협력을 통해 경쟁력을 확보하려 할 것으로 보인다.

〈참고문헌〉

한중사회과학연구회,『현대중국의 이해』, 한울, 2003.

한중사회과학연구회,『현대중국의 이해 2』, 한울, 2004.

한중사회과학연구회,『현대중국』, 이채, 2005.

정진표 외,『알기 쉬운 중국증권거래』, 두남, 2004.

고이즈미 테츠조,『중국주식』, 범조사, 2002.

홍인기,『중국의 사회주의 시장경제—중국 증권시장론』, 박영사, 2003.

박찬일,『중국 금융제도의 발전』, 한국금융연구원, 2003.

홍인기,『최신 중국의 금융시장론』, 박영사, 2006.

임홍수·김혁황,「중국 부실채권시장의 현황과 전망」, 대외경제정책연구원, 2005.

李康·楊雄,「WTO 체제하의 중국 증권산업과 외국인 투자」, 上海金信證券硏究所,
    2002.

吳曉求a,『中國金融大趨勢: 銀證合作』, 中國人民大學出版社, 2002.

吳曉求b,『中國資本市場: 創新與可持續發展』, 中國人民大學出版社, 2001.

艾洪德·蔡志剛, "監管職能分離后的中央銀行獨立性問題",『金融硏究』第7期,
    2003.

張强·曾憲冬,「金融混業經營新?勢下設立監管"防火墙"的思考」,『金融硏究』第9
    期. 2003.

李春杰·劉崇明, "我國證券市場的六大風險",『投資與證券』第1期, 中國人民大學書
    報資料中心, 2001.

石建民·劉德軍,「保險資金運用的突破與實現路徑」,海通證券, 2003.

http://www1.cei.gov.cn/forum/doc/zjbb/200306173244.htm

제7장 중국의 조세제도

김경환(강남대학교 실용지역학과 교수)

1. 중국 세제의 발전

중화인민공화국이 건립된 후 지난 50여 년 동안 중국은 정치, 경제, 사회 등 각 방면에 있어 커다란 발전을 이루었다. 중국의 조세제도 또한 이러한 변화와 함께 많은 변화를 겪었다. 지난 50년간 중국의 조세제도는 세 차례의 역사적인 변화의 과정을 거쳐 왔다. 1949년 신중국 성립 시기에서 1957년 국민경제 회복과 사회주의 개조 시기까지는 중국의 조세제도가 건립되고 그 기틀이 다져지는 시기였으며, 1958년부터 1978년 말 중국공산당 제11차 중앙위원회 제3차 전체회의 개최 이전까지는 중국의 조세제도가 여러 가지 우여곡절을 겪으면서 점진적으로 발전하는 시기였다. 1978년 공산당 제11차 3중전회 개최 이후부터는 중국의 조세제도가 점진적으로 광범위하게 완비되면서 세제개혁이 끊임없이 진행되는 시기였다.

세 차례의 시기 동안 중국은 5차례의 세제개혁을 단행하였는데 첫 번째 세제개혁은 중화인민공화국의 건국 초기인 1950년에 실시되었다. 1차 세제개혁에서 중국정부는 국민당 정부 시절의 조세제도를 모두 정리하고 신중국의 새로운 세제를 건립하였다. 중국정부는 1958년 사회주의로의 개조와 계획경제체제로의 전환에 따른 경제 상황에 부합하는 세제를 건립하기 위하여 세제 간소화를 골자로 하는 2차 세제개혁을 단행하였다. 3차 세제개혁은 1973년 단행되었는데, 그 주요 내용은 역시 세제의 간소화였으나 이 시기의 세제개혁은 문화대혁명의 영향을 크게 받았다. 1984년에 단행된 4차 세제개혁에서 중국정부는 국유기업의 이윤 납부 방식을 조세 납부 방식으로 전환하는 '이개세(利改稅)' 제도를 시행하였고, 공상세제(工商稅制)를 계획된 사회주의 상품경제체제에 부합하는 세제로 전면적으로 개혁하였다. 마지막으로 실시된 5차 세제개혁은 1994년 단행되었는데 개혁의 주요 내용은 사회주의 시장경제체제에 부합하는 공상세제의 건립이었다.

중화인민공화국 건국 이래 1994년까지 실시된 5차례 세제개혁의 내용을 구체적으로 살펴보면 다음과 같다.

1) 계획경제체제하에서의 조세제도

(1) 1차 세제개혁

중화인민공화국의 성립 이후 중국정부는 국민경제를 신속히 회복하고 통일된 정치, 사회 및 경제제도를 건립하기 위한 재정을 확보하기 위하여 국민당 정부가 제정한 구(舊)조세제도를 폐지하고 새로운 조세제도의 건립과 과세기관의 설치가 필요하게 되었다. 1950년 1월 30일 정무원은 '전국세수실시요칙(全國稅收實施要則)'의 제정을 통하여 화물세, 공상업세, 염세, 관세, 급여소득세, 예금이자소득세, 인지세(印花稅), 상속세, 교역세, 도축세(屠宰稅), 재산세, 토지세, 특별소비세와 번호관세의 14개 세목을 규정하였다. 새로운 조세제도는

1950년 6월 약간의 조정이 있었는데, 재산세와 토지세가 도시재산세로 합병되었고, 특별소비세가 신설된 문화오락세와 영업세(營業稅)에 흡수되었으며, 계약세(契稅)와 선박세가 새로이 신설되었다. 또한 상품유통세가 시범 실시되었으며 농업세(農業稅)가 정식으로 입법된 반면에 급여소득세와 상속세는 실시되지 않았다.

1952년 하반기 중국정부는 1953년부터 실시되는 1차 경제개발 5개년 계획인 1·5계획의 순조로운 진행을 위하여 조세제도를 이에 부합하도록 수정할 필요성을 갖고 조세제도에 대한 수정작업에 착수하였다. 그 결과 1952년 말 조세제도의 수정안이 제출되어 1953년 1월 1일 수정된 조세제도가 실시되었다. 수정된 조세제도는 원래의 조세부담을 유지하면서 세목을 14개로 간소화하였다. 수정된 주요 내용을 살펴보면 첫째, 생산에서 소매에 이르기까지 한 차례만 과세하는 상품유통세를 신설하여 화물세 과세 대상 품목 중 담배 등 22개 품목을 상품유통세 과세 대상으로 전환하였고, 둘째, 과세 화물의 인지세, 공상영업세 및 부가세를 화물세로 흡수하였으며, 셋째, 공상업의 인지세와 그 부가세를 영업세로 통합하고 세율을 조정하였으며 또한 소득세와 소득부가세를 소득세로 합병하였다. 넷째, 특정소비행위세를 폐지하였고, 다섯째, 가축교역세 이외의 교역세를 취소하였다.

1차 세제개혁은 국·공내전의 승리를 유지하고 국가재정의 확보 및 국민경제의 발전을 촉진하기 위하여 단행되었다. 이러한 세제개혁은 사회주의 경제체제 건설에 커다란 역할을 하였다.

(2) 2차 세제개혁

1958년 2차 5개년 계획인 2·5계획 시기에 접어들면서 그동안 실시해 온 사회주의 개혁이 완료됨으로써 소유제구조에 큰 변화가 발생하여 이전의 다양한 경제구조가 사회주의 경제로 단일화되었다. 1958년 '대약진운동' 중 제기된 각종 규정에 대한 간소화 압력은 조세제도에도 영향을 미쳐 원래의 조세부담을 유지하면서 조세제도를 간소화하도록 하는 방침이 하달되어 공상세제에 대한 개혁으로 이어졌다. 2차 세제개혁의 주요 내용을 살펴보면 화물세, 상품유통세, 공상세 중의 영업세와 인지세가 공상통일세로 합병되었고, 둘째, 공업생산품과 농업생산품에 대해 생산과 소매 단계에 대해서만 과세하고 도매 단계에서는 과세하지 않도록 하였으며, 셋째, 매출액에 대해 과세하도록 과세 방법이 변경되었다. 넷째, 원래의 조세부담을 유지하면서 일부 품목에 대한 세율 조정이 단행되었다.

2차 세제개혁을 통하여 세목이 간소화되어 13개 세목이 9개로 감소하였으며 유통세를 위주로 하는 조세제도가 출현됨으로써 조세의 경기 조절기능이 점진적으로 약화되었다.

(3) 3차 세제개혁

문화혁명의 영향으로 인하여 1973년 중국정부는 세 번째의 세제개혁을 실시하였는데, 3차 세제개혁 역시 개혁의 핵심은 유통세제의 간소화에 있었다. 3차 세제개혁은 '세목의 합병과 세제의 간소화'라는 목표로 진행되어 1973년 1월 1일 실시되었다. 공상통일세와 그 부가세, 도시부동산세(城市房地產稅), 차량선박사용번호판세(車船使用牌照稅), 도축세 및 염세가 공상세로 합병되어 세목이 11개로 개편되었고 108개에 달하던 과세품목이 44개로 간소화되었으며 141개에 달하던 세율 역시 82개로 간소화되었다. 또한 일부의 조세 관리 권한이 지방정부로 이양되었다.

3차 세제개혁으로 세목이 간소화된 이후 국유기업은 단지 공상세만을 납부하게 되었고, 집체기업은 공상세와 공상소득세만을 납부하게 되었다. 따라서

도시부동산세와 차량선박사용번호판세 및 도축세는 개인과 소수의 단체에게 만이 납부하게 되었다. 그 결과 조세의 경기 조절기능은 제대로 발휘되지 못하게 되었다. 또한 건국 초기의 복합세제가 수차례의 세제 간소화를 거쳐 단일세제로 변화되었다.

2) 계획된 상품경제체제하에서의 조세제도

1978년 이래 대내적인 개혁과 대외개방 정책의 실행에 따라 중국경제는 모든 영역에 있어 커다란 변화를 가져와 다양한 소유제와 경영 방식이 출현하여 기존의 단일 세제로는 더 이상 국민경제의 발전과 대외개방을 지원할 수 없게 되었다. 적은 세목, 협소한 과세 범위, 조세부담의 불공평, 개체공상호의 과도한 조세부담은 다양한 경제 주체의 공평한 경쟁을 저해하였다. 따라서 중국정부는 새로운 경제 상황에 부합하는 조세제도의 필요성을 인식하게 되었고 이에 따라 4차 세제개혁을 단행하였다. 4차 세제개혁의 핵심은 국유기업의 이윤 납부제도를 기업소득세(企業所得稅)의 납부제도로 전환토록 하는 것이라 할 수 있다. 1983년과 1984년 두 차례에 걸친 이개세 개혁을 기초로 하여 중국정부는 지속적으로 새로운 세목을 신설하고 또한 이전의 세목을 부활시킴과 동시에 징수 범위와 세율 등을 조절함으로써 조세의 기능을 회복하고자 노력을 하였다. 그 결과 1993년 말에 이르러 중국의 세목은 모두 32개로 증가하였다.

(1) 1차 이개세

재정부는 공상세제와 국유기업의 이윤 분배제도에 대한 연구조사와 시범운영을 통하여 1981년 8월에 국무원에 '공상세제개혁에 관한 구상'안을 제기하여 승인을 받았고, 1982년 11월에는 국무원이 제5차 전인대 제5차 회의에

'육·오(六·五)계획에 관한 보고'에서 이개세의 세제개혁안을 제출하였다.

1983년 국무원은 국유기업에 대하여 이개세를 시범적으로 적용하여 건국 이래 30여 년간 실시해 온 국유기업의 이윤 납부제도를 기업소득세의 납부제도로 전환토록 하였다. 이익이 발생한 중대형 국유기업은 이익의 55%를 기업소득세로 납부토록 하였고 소형 국유기업은 8단계의 초과누진세율에 의거 기업소득세를 납부토록 하였으며 세후 이익금은 기업이 사용하도록 하였다. 이개세 개혁은 기업의 생산 의욕을 고취시키는 데 큰 작용을 하였다. 그러나 이개세 개혁은 국가와 기업의 분배관계 개혁을 통하여 중국이 자본주의 시장경제로 전환한다는 역사적 의미가 더욱 크다고 할 수 있다.

(2) 2차 이개세

도시경제체제 개혁을 가속화하기 위하여 제6차 전인대 및 국무원에서는 1984년 제2차 이개세와 공상세제의 개혁을 단행하였다. 공상세를 제품세, 증치세(增値稅), 영업세 및 염세로 구분하였고 채굴기업에는 자원세(資源稅)를 부과하였으며 재산세와 토지사용세, 차량선박사용세(車船使用稅), 도시유지보호건설세(城市維護建設稅) 등 4종의 지방세를 부활시키거나 신설하였다. 또한 중대형 국유기업에 대해 국유기업조절세를 부과하였다. 2차 이개세를 통하여 정부와 기업 간의 분배가 법률로써 규정되어 기업의 자주권이 확대됨과 동시에 정부의 재정수입도 안정적으로 증가하게 되었으며 상품세와 소득세를 주세목으로 하는 새로운 조세체계가 확립되었다.

3) 사회주의 시장경제체제하에서의 조세제도

1992년 덩샤오핑(鄧小平)의 남순강화(南巡講話) 발표 이후 중국의 경제개혁은 새로운 국면에 접어들게 되었다. 특히 중국공산당 14차 전당대회에서 제기된 사회주의 시장경제체제 건립의 목표는 이전과는 다른 새로운 내용의 전면적인 경제개혁의 바람을 몰고 왔다. 따라서 조세제도 역시 사회주의 시장경제체제에 상응하는 공평하고 합리적이며 규범적인 새로운 시스템이 필요하게 되었다. 1984년 두 차례의 이개세 개혁을 통하여 정비된 조세제도는 어느 정도 계획경제체제의 틀을 벗어나 있기는 하였지만 사회주의 시장경제체제가 요구하는 수준과는 큰 차이가 있었다. 기업소득세는 기업의 소유 성질에 따라 서로 다르게 적용되었고, 세율 또한 서로 달랐으며, 명의세율은 높은 반면에 실제 부담세율은 낮은 기현상이 발생하였다. 유통세의 경우에는 세율 단계가 너무 많았을 뿐 아니라 국내외 기업에 대한 차별대우로 인하여 공평한 경쟁이 이루어지지를 않았다. 이외에도 개인소득세(個人所得稅)에 대한 법률이 통일되지 않아 소득분배에 대한 기능을 상실하였고, 조세의 경제에 대한 조절기능과 범위가 시장의 요구에 부합하지 못하였다.

이러한 문제를 해소하기 위하여 국무원의 주관하에 1992년부터 재정부는 세제개혁에 대한 준비를 시작하였고, 1993년 말 공상세제의 전면적인 개혁 방안과 구체적인 조치를 제정하였으며, 또한 관련 법률과 법규에 대한 필요한 절차를 정비하여 1994년 대규모적인 5차 세제개혁을 단행하였다.

1994년 세제개혁은 유통세와 소득세에 대해 중점적으로 실시되었으나 기타 일부 세목과 징수관리제도에 대해서도 개혁이 진행되었다. 유통세의 경우 비교적 규범적인 증치세를 위주로 하여 소비세(消費稅)와 영업세가 병행되도록 하였고 국내 기업과 외국기업에 대해서도 동일하게 적용토록 하였다. 기업소득세의 경우에는 국유기업, 집체기업 및 사영기업에 대해 각각 달리 적용되는 기업소득세를 하나로 통일하였으며, 개인소득세 역시 내·외국인의 구별 없이 하나로 통일하였다. 자원세, 특별목적세, 재산세 및 행위세에 대한 대폭적인 조정을 통하여 자원세의 과세 범위를 확대하고 토지증치세(土地增値稅)를 신설하는 한편, 염세와 시장교역세 등 7개 세목을 취소하였다. 또한 도축세와 주연세(筵席稅)의 관리 권한을 지방정부로 이양하였으며 상속세와 증권거래세를 신설하였으나 아직은 시행하지 않고 있다.

5차 세제개혁과 그동안의 노력을 통하여 중국정부는 사회주의 시장경제체제에 어느 정도 부합한 조세제도를 갖게 됨으로써 재정수입의 확보는 물론 거시경제 조절 능력을 강화하게 되었고 대외개방과 개혁에 박차를 가할 수 있게 되었다.

2. 중국의 현행 조세체계

1) 현행 세제의 세목

법률적인 측면에서 볼 때 한 국가가 일정한 시기 내에 일정한 체제하에서 법률의 형식으로 규정한 각종 조세법률, 법규를 세법체계라고 한다. 그러나 세무행정의 측면에서는 세법체계를 조세제도라고 하기도 한다. 즉, 한 국가의 조세제도란 기존의 관리체제하에 설치된 세목과 이러한 세목의 징수 및 관리와 관련된 법률적 효력을 지닌 각종 법률, 행정법규, 규칙 등을 의미한다. 바꾸어 말하면 세법체계란 바로 통상적으로 일컫는 조세제도, 즉 세제를 말한다.

한 국가의 조세제도는 그 구성 방법과 형식에 따라 단순형 세제와 복합형 세제로 구분할 수 있다. 단순형 세제란 주로 세목이 하나이고 구조가 간단한 조세제도를 말하며, 복합형 세제란 다수의 세목으로 구성되어 있는 조세제도를 말하는데, 일반적으로는 복합형 조세제도가 선호되고 있다.

세목의 설치와 각 세목의 징수 방법은 법률에 의거 확정되며 이러한 법률을 세법이라 한다. 세법은 일반적으로 국가마다 비록 그 명칭은 서로 달리하고 있지만 세목의 설치, 각 세목의 입법 정신 및 각 세목의 징수 방법을 규정한 세법, 각 세법을 상세하게 설명한 시행령, 지역 및 시기별 상황을 구체적으로 반영하여 제정된 보충적 규칙을 그 범위에 두고 있다. 대다수의 국가들은 세목의 입법 정신을 개별 세목에 명시하고 있으며 중국 역시 이 점에 있어서는 다른 국가와 다르지 않다.

건국 이후 수차례에 걸친 세제개혁으로 인하여 많은 변화를 겪어 온 중국의 현행 세제는 총 24개의 세목으로 구성되어 있으나 '외상투자기업 및 외국기업소득세(外商投投所得稅和外國企業所得稅)', '개인소득세'만이 법률의 형식으로 공포되어 실시되고 있을 뿐 그 밖의 세목은 모두 전국인민대표회의의 권한을 위임받은 국무원이 잠정조례의 형식으로 공포하여 실시하고 있다.

현행 세법은 그 성격과 작용에 따라 크게 7가지로 분류할 수 있다.

생산유통 또는 서비스업에 과세되는 유통세류로 증치세, 소비세, 영업세가 이에 해당된다.

자연자원의 개발 또는 이용에 과세되는 자원세류로 자원세, 도시토지사용세(城鎭土地使用稅)가 이에 해당된다.

생산자의 이윤 또는 개인소득에 대해 과세되는 소득세류에는 기업소득세, 외상투자기업 및 외국기업소득세, 개인소득세가 포함된다.

특정 목적을 위한 특정 대상이나 행위에 대해 과세하는 특정목적세에는 토지증치세, 주연세, 도시유지보호건설세, 차량취득세(車輛購置稅), 고정자산투자방향조절세(固定資産投資方向調節稅), 경지점용세(耕地占用稅)가 있다.

재산 및 행위세류는 일련의 재산 또는 행위에 대해 과세하는 조세로 가옥세, 도시부동산세, 차량선박사용번호판세, 차량선박사용세, 인지세, 도축세, 계약세가 이에 해당된다.

농업세류는 농업 또는 목축업 소득이 있는 기업, 단체 또는 개인에 대해 과세되며 농업세, 목축세(牧業稅)가 이에 해당된다.

관세는 수출입 재화에 대해 과세한다.

또한 조세에는 해당되지 않지만 국가가 규정하여 과세기관이 징수하는 교육비 부가, 광구(鑛區, 광업지구)사용료 및 문화사업건설비가 있으며, 성급 인민정부가 규정하고 과세기관이 징수하는 사회보험료로 기본양로보험료, 기본의료보험료, 실업보험료 및 산재보험료가 있다.

현행 24개 세목 중 외상투자기업, 외국기업 및 외국인에게 적용되는 세목은 모두 14개로 증치세, 소비세, 영업세, 관세, 외상투자기업 및 외국기업소득세, 개인소득세, 자원세, 도시부동산세, 토지증치세, 차량취득세, 인지세, 계약세, 도축세, 농업세이다.

홍콩, 마카오, 타이완 및 화교가 투자하여 설립한 기업에 대해서는 외상투자기업, 외국기업 및 외국인에 대한 납세규정을 준용한다.

2) 조세의 입법

조세 입법과 조세 정책 측면에서 중국은 과세권이 중앙에 집중되어 있으며 세무행정이 통일되어 있다. 헌법, 법률 및 기타 관련 규정에 근거하여 조세 입법과 조세 정책의 제정에 참여할 수 있는 기관에는 전국인민대표회의 및 그 상무위원회, 국무원, 재정부, 국무원 관세세칙위원회, 국가세무총국, 성·자치구·직할시 인민대표대회 및 그 상무위원회 등이 있다.

분류	세목	성격 및 작용
유통세	증치세, 소비세, 영업세	생산, 유통 또는 서비스업에 대한 조절 작용
자원세	자원세, 토지사용세	자연자원의 개발 및 이용의 차이에 의한 소득 차이에 대한 조절 작용
소득세	기업소득세, 외상투자기업 및 외국기업 소득세, 개인소득세	생산경영자의 이윤과 개인의 순소득에 대한 조절 작용
특정목적세	고정자산투자방향조절세, 연회세, 도시 보호건설세, 토지증치세, 차량취득세, 경지점용세	특정 목적을 달성하기 위해 특정 대상 또는 행위에 대한 조절 작용
재산 및 행위세	재산세, 도시부동산세, 차량선박사용세, 차량선박사용번호판세, 인지세, 도축세, 계약세	재산과 행위에 대한 조절 작용
농업세	농업세, 목축세	농업 또는 목축소득이 있는 기업, 단체 또는 개인에 과세
관세	관세	수출입화물, 물품에 대해 과세

(1) 전국인민대표대회

세법은 국가의 재정수입, 소득의 재분배 및 국가의 경제 활동에 커다란 영향을 미치기 때문에 당연히 국가의 기본 법률에 속하여야 한다.

전국인민대표대회는 중국의 최고 권력기관으로 입법권을 법률의 제정권과 기타 국가기관의 입법 활동에 대한 감독권을 갖고 있다.

현행 '중앙인민공화국개인소득세법', '중앙인민공화국외상투자기업 및 외국기업소득세법'이 전국인민대표대회에서 제정한 법률이다.

(2) 전국인민대표대회 상무위원회

전국인민대표대회 상무위원회는 전국인민대표대회의 상설기구로 헌법의 규정에 의거 헌법과 법률 해석 권한, 전국인민대표대회가 제정한 법률 이외의 기타 법률에 대한 제정 및 수정 권한, 전국인민대표대회의 폐기 중 전국인민대표대회가 제정한 기본 법률에 대한 개정권, 국무원이 제정한 헌법 등과 상충되는 행정법규에 대한 취소권을 갖는다. 중국의 법률은 어느 것이 기본 법률에 속하고 어느 것이 속하지 않는지 그 한계가 명확하지 않기 때문에 전국인민대표대회 상무위원회에서도 세법을 제정할 수 있는 권한을 가지고 있다. '중화인민공화국농업세조례', '중앙인민공화국공상통일세조례' 등은 전국인민대표대회 상무위원회가 제정한 법률이다.

(3) 국무원

국무원은 중앙인민정부로 최고 국가 권력기관의 집행기관이며 최고 국가 행정기관으로 헌법의 규정에 근거하여 행정법규의 제정권을 갖는다. 국무원은 전국인민대표대회 및 그 상무위원회가 제정한 세법에 근거하여 실시조례와 관련 행정법규에 대한 제정권을 가지며 전국인민대표대회 상무위원회의 권한을 위임받아 세법조례에 대한 초안 제정 실시 권한을 갖는다. 또한 헌법의 규정에 근거하여 전국인민대표대회 또는 그 상무위원회에 대한 세법초안 제출권을 갖는다.

현행 '중앙인민공화국징수관리법실시세칙'은 국무원이 제정하였다.

(4) 재정부

재정부는 국가재정의 수입과 지출, 재정조세 정책, 재정에 대한 감독을 관장하고 국민경제에 대한 거시조절을 담당하는 부서이다. 조세관리 측면에서는 국가의 조세 정책 등을 제정하여 실시하고 관련 조세조례에 대한 해석 권한과 실시세칙에 대한 제정권을 갖는다.

(5) 국무원 관세세칙위원회

국무원 관세세칙위원회는 국무원이 설립한 관세세칙을 관리하는 전문기관으로 '수출입관세조례', '세관수출입세칙'의 정책, 원칙, 심의세칙 수정 초안을 제정 또는 수정하는 권한을 가지며, 잠정세율의 제정과 세율의 조정 및 관세품목의 공포·실시 권한 등을 갖는다.

(6) 국가세무총국

국가세무총국은 국무원이 주관하는 국가 조세행정 집행기관으로 세법과 실세세칙 입안에 대한 참여권을 가지며 조세 정책에 대한 세부적인 정책과 규칙에 대한 제정권을 갖는다. 이외에도 국제조세 정책, 법규, 국제조세 협정의 입안에 대한 참여권과 연구 권한을 갖는다.

(7) 성·자치구·직할시 인민대표대회 및 그 상무위원회

성·자치구·직할시 인민대표대회 및 그 상무위원회는 행정구역에 따라 설립된 지방 국가 권력기관으로 헌법과 지방 각급 인민대표대회와 지방 각급 인민정부조직법의 규정에 의거 지방법규의 제정권을 갖는다.

3) 입법절차

세법의 제정은 반드시 입법안의 제출, 심의, 표결 통과 및 공포의 4단계를 거쳐서 이루어진다.

(1) 입법안의 제출

입법안은 반드시 권한이 있는 기관이나 개인이 제출하여야 한다. 조세의 입법안은 전국인민대표대회 개최 기간 중에는 동 대회에 제출하며, 대회의 폐기 중에는 전국인민대표대회 상무위원회에 제출한다.

전국인민대표대회 주석단, 전국인민대표대회 상무위원회, 전국인민대표대회 각 전문위원회, 국무원, 중앙군사위원회, 최고인민법원, 최고인민검찰원은 입법안을 전국인민대표대회에 제출할 수 있으며 전국인민대표대회위원은 30명 이상이 연명하여 입법안을 제출할 수 있다.

또한 전국인민대표대회 각 전문위원회, 국무원, 중앙군사위원회, 최고인민법원, 최고인민검찰원은 입법안을 전국인민대표대회 상무위원회에 제출할 수 있으며 전국인민대표대회 위원은 10명 이상이 연명하여 입법안을 제출할 수 있다.

(2) 심의

'중화인민공화국전국인민대표대회의사규칙'의 규정에 의거 제출된 입법안의 상정 여부는 대회 주석단이 직접 결정하거나 또는 관련 전문위원회의 심의의견을 받아 결정한다.

전체회의에 상정된 입법안은 전체회의에서 법안 설명을 마친 후 대표단의 심의와 법률위원회, 전문위원회의 심의를 거쳐 주석단에 제출된다. 주석단은 제출된 심의의견과 수정안을 참고로 하여 재심의를 진행하고 통과된 법률 초안을 전체회의에 상정하여 표결에 부친다.

'중화인민공화국전국인민대표대회상무위원회 의사규칙'의 규정에 의거 제출된 입법안의 위원회 상정 여부는 위원장이 직접 결정하거나 또는 관련 전문위원회의 심의의견을 받아 결정한다. 위원회에 상정된 안건은 통상 2차례의 상무위원회 산하 법제위원회의 심의를 거친 후 전국인민대표대회에 상정하나, 중요한 법률안에 대해서는 상무위원회의 심의를 거쳐 상정한다.

(3) 표결 통과

헌법 및 중화인민공화국전국인민대표조직법의 규정에 의거 전국인민대표대회와 전국인민대표대회 상무위원회는 전체 대표의 과반수의 찬성으로 입법안의 통과를 결정한다. 전국인민대표대회의 표결을 통과한 세법 초안은 비로소 법률로 확정된다.

(4) 공포

법률의 공포는 표결을 통과한 법률 초안이 법률적인 효력을 갖게 하는 중요한 법정절차이다. 헌법의 규정에 의거 전국인민대표대회와 전국인민대표대회 상무위원회의 결정된 법률은 「중화인민공화국 전국인민대표대회 상무위원회 공보」 등 주요 간행물에 등재하여야 한다.

4) 과세기관

(1) 과세기관의 연혁

1950년 1월 1일 국무원은 최초로 재정부 산하에 세무총국을 설립하여 조세행정업무를 담당하게 하였다. 이후 1988년에는 국가 행정기관에 대한 개혁과 함께 국가세무국을 설립하기로 결정하고 이를 국무원이 직접 관장하였다. 1993년에는 국무원 산하의 장관의 국가세무총국으로 그 명칭을 바꾸고 전국의 과세기관을 국가세무총국, 성(자치구, 직할시)세무국, 지(시, 주, 맹)세무국, 현(시, 기)세무국으로 편제하였고, 1994년 세제개혁 시 국가세무국과 지방세무국으로 구분하였다.

(2) 과세기관의 설치 및 직무

① 국가세무총국

국가세무총국은 조세에 관한 정책과 실무를 총괄하는 부서로 국가세무국의 기구, 편제, 간부, 경비 등에 대해 직접적인 관리를 하고, 성급 인민정부와 협조하여 지방세무국에 대한 업무 지도와 감독의 권한을 가진다. 또한 지방세무국장의 임면에 대해 지방정부에 의견을 제시한다.

주요 업무로는 조세 정책의 집행 및 법규의 입안, 중앙세 및 공향세(共享稅, 중앙과 지방이 공동으로 사용하는 조세)에 대한 징수관리, 국제조세에 관한 업무, 세무공무원에 대한 교육 훈련 및 조세이론의 연구 등이 있다.

② 국가세무국

성·자치구·직할시 국가세무국, 지구, 지급(地級) 시, 자치구, 시, 현, 현급 시, 기(旗) 국가세무국과 징수분국, 세무서로 구성된다. 징수분국과 세무소는 현급 국가세무국의 파출소로 징수분국은 행정구역 및 경제구역 또는 업종에 따라 설치되며 세무서는 경제구역과 행정구역에 따라 설치된다.

성급 국가세무국은 국가세무총국의 직속 집행기관으로 현지의 국가조세 행정을 담당한다. 국장과 부국장은 국가세무총국이 임명한다.

국가세무국은 중앙세의 징수 관리를 책임지는데 중앙세에 해당하는 세목으로는 증치세, 소비세, 차량취득세, 중앙기업이 납부하는 기업소득세, 지방은행과 외자은행 및 비은행 금융기구의 기업소득세, 철도와 은행 본점 및 보험회사 본점의 총괄납부세액(영업세, 소득세, 도시유지보호건설세), 해양석유기업소득세 및 자원세, 증권거래세(인지세), 외국인에 대한 개인소득세, 외상투자기업 및 외국기업소득세, 개인소득세 중 이자소득세가 있으며 중앙세의 체납금, 벌과금도 국가세무국이 징수한다.

③ 지방세무국

성·자치구·직할시 지방세무국, 지구, 지급 시, 자치구, 시, 현, 현급 시, 기지방세무국과 징수분국, 세무서로 구성된다. 성 이하 지방세무국은 상급 과세기관과 해당 지역 인민정부의 지시를 받으며 상급 과세기관이 직접 관리감독한다. 지구(시), 현(시) 지방세무국의 설치, 간부 관리, 인원 편제 및 경비는 성급 지방세무국이 관리한다.

지방세무국은 지방세인 영업세, 지방기업소득세, 개인소득세, 도시농촌토지사용세, 고정자산투자방향조절세, 도시유지보호건설세, 가옥세, 차량선박사용번호판세, 도시부동산세, 차량선박사용세, 인지세, 도축세, 농업세, 경지점용세, 계약세, 토지증치세 등과 지방세의 체납금 및 벌과금을 징수 관리한다.

5) 조세수입의 분류

국무원의 분세제재정관리체제에 관한 규정에 의거 중국은 조세수입을 중앙정부 수입과 지방정부 수입 및 중앙·지방 공유 수입으로 구분하고 있다.

(1) 중앙정부 조세수입

중앙정부에 귀속되는 조세수입으로는 소비세(재화의 수입시 세관이 대리 징수하는 부분 포함), 차량취득세, 관세, 세관이 대리징수하는 수입증치세 등이 해당된다.

(2) 지방정부 조세수입

지방정부에 귀속되는 조세수입으로는 도시농촌토지사용세, 경지점용세, 토지증치세, 가옥세, 도시부동산세, 차량선박사용세, 차량선박사용번호판세, 계약세, 도축세, 연회세, 농업세, 목축세가 있다.

(3) 중앙·지방 공유 조세수입

① 증치세

수입 단계에서 세관이 대리징수하는 수입증치세를 제외한 증치세 수입의 75%는 중앙정부의 조세수입으로 귀속되며 나머지 25%는 지방정부의 조세수입으로 귀속된다.

② 영업세

철도 부문, 각 은행 본점 및 보험회사 본점에서 총괄하여 납부하는 부분은 중앙정부의 조세수입으로 귀속되고, 이외의 부분은 지방정부의 조세수입으로 귀속된다.

③ 기업소득세, 외상투자기업 및 외국기업소득세

기업소득세와 외상투자기업 및 외국기업소득세의 경우 철도 부문, 각 은행 본점 및 해양석유기업이 납부하는 부분은 중앙정부의 조세수입으로 귀속되고, 이외의 부분은 중앙정부와 지방정부가 각각 6:4의 비율에 따라 구분하여 각자의 조세수입으로 한다.

④ 개인소득세

이자소득세 대한 개인소득세를 제외한 개인소득세의 수입 중 60%는 중앙정부의 조세수입으로 귀속되고 40%는 지방정부의 조세수입으로 귀속된다.

⑤ 자원세

해양석유기업이 납부하는 자원세는 중앙정부의 조세수입으로 귀속되고 이를 제외한 자원세는 지방정부의 조세수입으로 귀속된다.

⑥ 도시유지보호건설세

철도 부문, 각 은행 본점 및 각 보험회사 본점이 총괄하여 납부하는 부분은 중앙정부의 조세수입으로 귀속되고 나머지 부분은 지방정부의 조세수입으로 귀속된다.

⑦ 인지세

증권거래인지세는 그 수입의 94%가 중앙정부의 조세수입으로 귀속되고 나머지 6%는 지방정부의 조세수입으로 귀속된다.

3. 주요 세법의 내용

본 장에서는 현행 세목 24개 중 경제 생활과 밀접한 관계가 있는 주요 세목에 대해 간략하게 설명하고자 한다. 그중에서도 특히 외상투자기업, 외국기업 및 외국인이 경제 활동 중에 가장 빈번하게 접촉하는 증치세, 소비세, 영업세, 토지증치세, 외상투자기업 및 외국기업소득세, 개인소득세와 절차법인 징수관리법을 중점적으로 소개하고자 한다.

1) 증치세법

　　중국의 증치세법은 1979년 처음 도입되어 1984년 세제개혁 시 증치세 조례와 실시세칙으로 공포되었다. 그러나 중복과세의 문제가 잔존하는 등 국제적으로 규범화된 증치세와는 많은 차이가 있어 1994년 증치세에 대해 전면적인 개혁을 단행하여 '중화인민공화국증치세잠정조례'를 제정 실시하고 있다.

(1) 과세 대상

　　증치세법 제1조에서는 국내에서 재화를 판매 또는 가공, 수리수선 용역을 하거나 재화를 수입하는 단체 또는 개인은 증치세의 납세의무가 있다고 규정하고 있다. 따라서 국내에서 판매되는 재화, 수입하는 재화 및 국내에서 되는 가공, 수리수선 용역이 증치세의 과세 대상에 해당된다.

　　재화라 함은 유형동산과 전력, 열 및 기체를 포함하는 것으로 한다. 가공이라 함은 위탁자로부터 원재료 또는 주요 재료를 공급받아 위탁자의 요구에 따라 재화를 제조하고 가공비를 수취하는 것을 말하며, 수리수선이라 함은 기능이 손상되거나 또는 상실된 재화를 원상태로 회복 또는 복구하는 것을 말한다. 따라서 가공, 수리수선 이외의 용역인 건축업, 운수업, 음식숙박업 등에 대해서는 증치세를 과세하지 아니하고 별도로 영업세를 과세한다.

　　이외에도 재화 또는 용역의 자가 사용, 면세 사용, 무상 증여 등 간주 공급행위와 선물, 저당물품의 판매 등이 과세범위에 포함된다.

(2) 납세의무자

　　증치세의 납세의무가 있는 자는 국내에서 재화를 판매 또는 가공, 수리수선 용역을 하거나 재화를 수입하는 단체, 개인, 외상투자기업, 외국기업, 기업의 임차경영자, 기업의 임대자, 대리납부의무자이다.

중치세의 납세의무자는 매출액의 규모와 장부의 비치기장 능력에 따라 일반납세자와 소규모납세자로 구분된다.

재화를 생산하거나 또는 과세용역을 하는 납세자, 재화의 생산 또는 과세용역을 주업으로 하고 도·소매업을 겸업하는 납세자의 연간 매출액이 인민폐 1백만 위안을 초과하는 경우에는 일반납세자에 해당된다. 또한 도·소매업에 종사하는 납세자의 연간 매출액이 인민폐 180만 위안을 초과하는 경우에도 일반납세자에 해당된다. 그러나 연간 매출액이 위에서 언급한 기준에 미달하더라도 장부비치 기장 능력이 있고 매출세액, 매입세액 및 납부할 세액을 정확하게 계산하여 과세자료를 제출할 수 있는 능력이 있는 납세자가 일반납세자 신청을 하는 경우에는 일반납세자로 인정하도록 규정하고 있다.

(3) 세율

일반납세자의 기본세율은 17%이나 양곡, 식용식물유, 수돗물, 난방, 냉방, 온수, 가스, 무연탄, 도서, 신문, 잡지, 사료, 화학비료, 농약, 농업용 비닐 및 농기계 등에 대해서는 13%의 낮은 세율을 적용한다.

소규모납세자에 대해서는 4% 또는 6%의 징수율을 적용하며, 일반납세자가 간이 방법으로 납부세액을 계산하는 경우에는 6% 또는 4%의 징수율을 적용하나 매입세액은 공제하지 아니한다.

(4) 납부세액의 계산

중치세의 납부할 세액은 매출세액에서 매입세액을 차감하여 계산한다. 따라서 납부할 세액을 계산하기 위해서는 먼저 매출세액과 매입세액을 계산하여야 한다.

① 매출세액의 계산

매출세액은 매출액에 세율을 적용하여 계산한다.

매출세액=매출액×적용세율

매출액이라 함은 납세자가 재화 또는 과세용역을 공급하고 구매자로부터 수취하는 대가와 대가 이외의 비용을 합한 금액을 말한다.

대가 이외의 비용에는 수수료, 보조금, 기금, 반환이윤, 장려금, 위약금, 포장비, 용기대금, 하역비, 보관료 등이 있다.

그러나 구매자로부터 수취한 매출세액과 수탁가공 재화에 대한 소비세, 특정 조건에 부합하는 대리지급운송비는 대가 이외의 비용에 포함하지 않는다.

② 매입세액의 계산

매입세액은 납세자가 재화를 구입하거나 또는 용역을 받고 지급 또는 부담하는 세액으로 판매자가 수취하는 매출세액에 대응되는 개념이다. 매입세액은 수취한 세금계산서상의 매입세액을 합하여 계산한다.

매입세액으로 공제받을 수 있는 세액으로는 수취한 세금계산서상의 매입세액, 세관으로 수취한 수입재화증치세납부증명서상의 매입세액이 있으며 농민으로부터 구입한 농산품의 경우에는 그 매입가액의 13%를 매입세액으로 공제한다. 제조업을 영위하는 자가 폐자원 회수업체로부터 폐자원을 구입하는 경우에는 수취한 계산서상의 매입가액의 10%를 매입세액으로 공제하며, 고정자산을 제외한 재화의 구매 또는 판매와 관련해 지급한 운송비의 경우에는 운송비를 지급하고 수취한 운송계산서상의 금액의 7%를 매입세액으로 공제한다.

그러나 재화를 구입하고 세금계산서를 수취하지 않거나 또는 세금계산서 보관규정을 위반한 세금계산서의 경우에는 그 매입세액을 매출세액에서 공제하지 않는다. 또한 일반납세자 인정 신청을 하지 않은 납세자의 매입세액과 고정자산의 구입하고 지급한 매입세액, 비과세항목 또는 면세에 사용된 재화 또는 과세용역의 매입세액, 비정상으로 손실된 재화의 매입세액, 자가 소비한 재화 또는 용역의 매입세액 등도 매출세액에서 공제하지 않는다.

③ 소규모 사업자의 납부할 세액의 계산

소규모납세자의 납부할 세액은 총매출액에서 매출세액을 차감한 후 징수율을 적용하여 계산한다. 소규모납세자가 유통업에 종사하는 경우에는 4%의 징수율을, 유통업 이외의 업종에 종사하는 경우에는 6%의 징수율을 적용하여 납부세액을 계산한다.

(5) 면세

증치세가 면제되는 재화에는 자체 생산하여 판매하는 농산물과 피임약품 및 피임도구, 고도서, 고서화, 그리고 과학연구, 과학실험 및 교육에 직접 사용되는 수입계측기 또는 설비, 외국정부 또는 국제조직이 무상으로 원조하여 수입하는 물자와 설비 부문, 국가산업 정책에 부합하는 국내 투자항목에 대해 투자 총액 내에서 수입하여 자체 사용하는 설비, 장애인 조직이 직접 수입하여 장애인에게 하는 물품, 자기가 사용하다 판매하는 재화 등이 있다.

(6) 영세율 환급

중국은 수출하는 재화에 대해 영세율을 적용하여 전 단계에서 납부하였던 증치세와 소비세를 환급하고 있다. 이는 국제시장에서 자국 상품의 가격경쟁력을 제고시키기 위한 방법으로 국제사회에서 통용되는 방법이다. 현행 중국의 영세율 환급은 1994년 제정 실시된 '수출화물환급관리방법'과 2002년에 규정된 '수출화물의 면제, 공제, 환급 방법에 관한 통지', '생산기업수출화물 면제, 공제, 환급관리조작규정(시행)'에 의하고 있다.

① 영세율 환급의 적용 범위

증치세 또는 소비세가 과세된 재화를 수출하고 외화로 대가를 받은 경우에는 수출하는 재화로 보아 수출액에 대해 0의 세율을 적용하여 매출세액을 계산한다. 그러나 천연우황, 사향, 구리, 구리합금, 백금 등의 수출금지 품목과 국가계획 이외의 원유 수출에 대해서는 수출로 보지 않는다.

이외에 소규모납세자가 수출하는 재화, 무역회사가 소규모납세자로부터 매입하여 수출하는 재화, 원재료 수입 임가공 수출, 피임도구 및 피임약의 수출, 고도서 등의 수출의 경우에 영세율을 적용하되 매입세액은 환급하지 않는다.

② 환급세액의 계산

영세율 환급에 있어 중국은 완전환급제가 아닌 부분환급제를 실시하고 있다. 즉, 수출하는 재화가 전 단계에서 납부한 매입세액을 전액 환급하는 것이 아니라 '수출재화 환급률에 관한 보충통지'에서 규정하고 있는 환급률에 의거하여 일부만을 환급하고 있다. 현행 수출재화에 대한 환급률은 17%, 13%, 11%, 8%, 6%, 5%의 6개로 구분되어 있다.

환급세액은 직접 또는 위탁수출을 하는 제조기업에 적용하는 '면제, 공제, 환급(免, 抵, 退)' 방법과 무역회사에 적용하는 '선징수, 후환급(先征后退)' 방법을 사용하고 있다.

'면제, 공제, 환급(免, 抵, 退)' 방법에 의거 환급세액을 계산하는 경우에는 먼저 매입세액에서 적용세율과 환급률 차이로 인하여 환급되지 않는 매입세액을 차감한 후 전기에서 이월된 미환급세액을 합하여 당기의 총매입세액을 계산한 후 국내 판매재화에 대한 매출세액을 차감하여 환급하여야 할 세액을 계산한다. 다음은 환급하여야 할 세액을 수출재화에 대해 세율을 적용하여 계산한 매출세액과 비교하여 당기에 환급하여야 할 세액을 결정한다. 만일 환급하여야 할 세액이 수출재화의 매출세액보다 적은 경우에는 전액을 당기에 환급하나, 환급하여야 할 세액이 수출재화의 매출세액보다 큰 경우에는 수출재화의 매출세액에 해당하는 세액만을 당기에 환급하고 잔액은 차기로 이월한다.

'선징수, 후환급(先征后退)' 방법은 외부로부터 구입한 재화의 수출에 대해서는 영세율을 적용하고 재화의 구입 시 지급한 매입세액은 재화 수출 후 환급률에 의해 환급받을 세액을 계산하여 환급한다.

소규모납세자로부터 계산서를 수취하고 자수, 공예품 등을 구입하여 수출하는 경우에는 수취한 계산서상의 금액을 대가와 매입세액으로 구분 계산하여 환급한다.

외부의 제조기업에 임가공을 주어 생산한 제품을 수출하는 경우에는 원부재료의 구입 시 수취한 세금계산서상의 매입세액에 환급률을 적용하여 환급할 세액을 계산한다.

(7) 신고납부

증치세의 과세 기간은 1일, 3일, 5일, 10일, 15일 또는 1개월로 과세기관이 납부세액의 규모에 따라 결정하며 특별한 경우를 제외하고는 일반적으로 1개월을 과세 기간으로 한다.

1개월을 과세 기간으로 하는 경우에는 과세 기간이 종료한 날로부터 10일 내에 사업장 관할 과세기관에 증치세를 신고납부를 하여야 하고, 1일, 3일, 5일, 10일 또는 15일을 과세 기간으로 하는 경우에는 과세 기간이 종료한 날로부터

5일 내에 예정납부를 한 후 익월 10일까지 납부할 세액을 계산하여 예정 납부한 세액을 차감한 후 신고납부를 하여야 한다. 사업장이 없는 경우에는 재화의 공급 또는 용역이 이루어진 장소를 관할하는 과세기관에 증치세를 신고납부 하여야 하고, 신고납부를 하지 않은 경우에는 주소지를 관할하는 과세기관에 신고납부 하여야 한다.

수입하는 재화에 대해서는 세관이 세액납부증을 발행한 날로부터 15일 이내에 납부하여야 한다.

또한 영세율을 적용받는 수출재화의 경우에는 매월 과세기관에 환급세액을 신고할 수 있다.

2) 소비세법

소비세는 특정물품이나 행위를 과세 대상으로 하는 세목으로 현행 '중화인민공화국소비세잠정조례'는 1993년 12월 13일 제정되어 1994년 세제개혁 시 실시되었으며 증치세의 과세와 함께 일부 소비품에 대해 추가하여 과세하고 있다. 과세 목적은 제품구조의 조절과 건전한 소비 방향의 인도 및 재정수입의 확보에 있다.

(1) 납세의무자

국내에서 소비세가 과세되는 재화를 생산, 위탁가공 또는 수입하는 단체와 개인은 소비세의 납세의무가 있다.

단체라 함은 국유기업, 집체기업, 사유기업, 주식제기업, 외상투자기업 및 외국기업, 기타 기업과 행정단체, 사업단체, 군사단체, 사회단체 및 기타 단체를 말한다.

개인이라 함은 개체경영자(경영자와 종업원 등을 포함한 인원이 8명 미만인 사업장)와 기타 개인을 말한다.

(2) 과세품목 및 세율

소비세는 주류, 담배, 화장품, 피부 및 모발보호제, 고급 악세사리 및 금은보석, 화약류, 휘발유와 디젤유, 자동차 타이어, 오토바이, 소형승용차 등 11개 품목을 과세 대상으로 한다.

소비세는 비례세율과 정액세율로 과세되는데 품목별 세율은 〈표 7−2〉와 같다.

(3) 납부세액의 계산

소비세의 납부세액의 계산은 각각 세율에 의거 계산하는 종가세와 단위당 세액에 의거 계산하는 종량세 및 복합적인 계산 방법을 사용하고 있다.

〈표 7−2〉 소비세 과세품목 세율표

품목	세율(세액)
담배류	궐련 50,000개비 150위안, 궐련 및 시거 등 25~45%
주류	백주 500ml 0.5위안, 황주 t당 240위안, 맥주 220~250위안, 5~25%
화장품	30%
피부 및 모발보호제	8%
고급악세사리 및 금은보석	5% 또는 10%
화약류	15%
휘발유	무연 l당 0.2위안, 유연 l당 0.28위안
디젤유	l당 0.1위안
자동차타이어	10%
오토바이	10%
소형승용차	배기량에 따라 3~8%

종가세는 소비세 과세 대상품목의 매출액에 세율을 적용하여 납부세액을 계산하고, 종량세는 소비세 과세 대상품목의 판매량에 단위당 세액을 곱하여 납부세액을 계산하며, 궐련과 백주류에 대해서는 판매량에 정액세율을 곱한 금액과 판매액에 세율을 적용한 금액을 합하여 납부세액을 계산한다.

이를 공식으로 표현하면 다음과 같다.

- 종가세의 납부세액=소비세 과세 대상품목의 판매액×적용세율
- 종량세의 납부세액=소비세 과세 대상품목의 판매수량×단위당 세액
- 복합계산 방식의 납부세액=소비세 과세 대상품목의 판매수량×정액세율＋소비
  세 과세 대상품목의 판매액×비례세율

판매액은 재화를 공급하고 구매자로부터 수취한 대가와 대가 이외의 비용으로 소비세를 포함하나 증치세 매입세액은 포함하지 않는다.

(4) 감면

배기가스가 오염수치에 미달하는 소형승용차, 지프차 또는 소형승합차를 생산, 판매하는 경우에는 소비세액의 30%를 감면한다.

(5) 신고납부

소비세의 과세 기간은 1일, 3일, 5일, 10일, 15일 또는 1개월로 과세기관이 납부세액의 규모에 따라 결정한다.

과세 기간이 1개월인 경우에는 과세 기간이 종료한 날로부터 10일 내에 사업장 관할 과세기관에 소비세를 신고납부를 하여야 하고, 1일, 3일, 5일, 10일 또는 15일을 과세 기간으로 하는 경우에는 과세 기간이 종료한 날로부터 5일

내에 예정납부를 한 후 익월 10일까지 납부할 세액을 계산하여 예정납부한 세액을 차감한 후 신고납부를 하여야 한다.

수입하는 재화에 대해서는 세관이 세액납부증을 발행한 날로부터 15일 이내에 납부하여야 한다.

3) 영업세

영업세는 국내에서 되는 과세용역과 무형자산 또는 부동산의 양도행위를 과세 대상으로 하는 세목으로, 현행 영업세법은 1993년 12월 13일 제정된 '중화인민공화국영업세잠정조례'에 근거하고 있다.

(1) 납세의무자

① 일반적인 경우의 납세의무자

국내에서 과세용역을 하거나 무형자산 또는 부동산을 양도하는 단체 또는 개인은 영업세의 납세의무가 있다.

국내라 함은 되는 과세용역의 발생 장소가 국내인 경우, 국내에서 여객을 운송하거나 또는 출국시키는 경우, 양도한 무형자산이 국내에서 사용되는 경우, 국내의 부동산을 양도하는 경우, 국내에서 보험용역을 하는 경우를 말한다.

단체라 함은 국유기업, 집체기업, 사유기업, 주식제기업, 외상투자기업 및 외국기업, 기타 기업과 행정단체, 사업단체, 군사단체, 사회단체 및 기타단체를 말하며 개인이라 함은 개체경영자와 기타 개인을 말한다.

기업을 타인에게 임대 또는 도급을 주어 경영케 하는 경우에는 임차인 또는 도급받는 자를 납세자로 본다. 임차인 또는 도급받는 자라 함은 독립적인 경영권을 가지고 회계상 독립결산을 하며 정기적으로 임대인 또는 도급을 주는 자에게 임차료 또는 도급대가를 지급하는 자를 말한다.

이외에도 건축공사 등을 분할도급 또는 재도급하는 경우에는 분할도급수급자 또는 재도급수급자를 납세자로 본다.

② 원천징수의무자

금융기관이 단체 또는 개인을 대신하여 대출업무를 수행하고 대신하여 취득하는 이자소득에 대해서는 금융기관이 영업세를 원천징수하며, 분할도급 또는 재도급의 경우에는 도급자를 원천징수의무자로 한다. 개인이 특허권, 노하우, 상표권, 저작권, 또는 브랜드 등을 양도하는 경우에는 양수자를 원천징수의무자로 한다.

(2) 과세 대상

영업세의 과세 대상품목은 업종에 따라 다르나 현행 영업세법에서는 9개의 과세 대상품목을 규정하고 있다.

운송업의 경우에는 육로운송, 해운운송, 항공운송, 철도도로운송 및 하역 등을 포함하고 건축업의 경우에는 건축, 설치, 수리, 인테리어 및 기타 작업을 포함하며 금융보험업은 대출, 리스, 금융상품의 양도, 중개 및 기타 금융 업무를 포함한다. 우편통신업은 우정, 전신을 포함하고 문화체육업은 문화 및 체육 관련 업무를 포함하며 유기장업은 가무청, 가라오케, 음악다실, 당구장, 골프장, 볼링장, PC방, 오락실 및 유기장에서 고객에게 되는 서비스를 포함한다. 또한 서비스업에는 대리업, 숙박업, 음식업, 여행업, 창고업, 임대업, 광고업과 기타 서비스업이 포함되며 무형자산의 양도에는 토지사용권, 상표권, 특허권, 노하우, 영화배급권, 저작권 및 브랜드의 양도가 포함되고 부동산의 양도에는 건축물 또는 구축물과 기타 토지부착물의 양도가 포함된다.

(3) 세율

운송업, 건축업, 우편통신업, 문화체육업의 세율은 3%이며, 서비스업, 부동산 양도, 무형자산 양도와 금융보험업(2003년 1월 1일부터 적용)의 경우 적용세율은 5%이다.

유기장업의 경우에는 5%에서 20%에 해당하는 세율을 적용하는데 구체적인 세율은 성, 자치구, 직할시 인민정부가 현지의 상황을 고려하여 세법이 규정한 한도 내에서 결정한다.

2001년 5월 1일부터 나이트클럽, 가무청, 사격장, 수렵장, 경마장, 오락실, 골프장, 유기장, 전자오락실 등에 대해서 20%의 세율을 적용하고 있으며, 2004년 7월 1일부터는 볼링장, 당구장에 대해서는 5%의 세율을 적용하고 있다.

(4) 납부세액의 계산

영업세는 수입금액 즉, 납세자가 과세용역을 하거나 무형자산 또는 부동산을 양도하고 상대방으로부터 수취한 대가와 대가 이외의 비용을 합한 금액에 대해 세율을 적용하여 계산한다. 만일 납세자가 정당한 이유 없이 낮은 가격으로 과세용역을 하거나 또는 무형자산, 부동산을 양도하는 경우에는 과세기관이 당월 또는 최근의 시가, 이익률법 등 세법의 규정에 의거 수입금액을 결정한다.

영업세의 각 과세품목에 대한 납부세액 계산 규정은 다음과 같다.

① 운송업

국내에서 여객을 탑승시키거나 또는 화물을 적재하고 출국하여 국외에서 다른 운송기업에 여객 또는 화물을 인도하여 이송시키는 경우에는 전체 운송비에서 다른 운송기업에 지급한 운송비를 차감한 금액을 수입금액으로 한다.

또한 둘 이상의 운송기업이 여객 또는 화물의 운송을 담당하는 연계운송의 경우에는 실제로 취득한 금액을 수입금액으로 하여 영업세를 계산한다.

② 건축업

분할도급 또는 재도급의 경우에는 전체 공사금액에서 분할도급수급자 또는 재도급수급자에게 지급한 금액을 차감한 후의 잔액을 수입금액으로 한다.

건축, 수리, 인테리어공사의 경우에는 결산 방식에 불구하고 공사에 투입된 원부재료와 임금을 합한 금액을 수입금액으로 하며, 설치업의 경우에는 수입금액에 설비의 가액을 포함한다.

이외에 자기가 신축하여 사용하는 부동산의 경우에는 영업세가 과세되지 않으나 자기가 신축한 부동산을 판매하는 경우에는 건축업을 영위하는 것으로 보아 과세기관이 수입금액을 결정한다.

③ 금융보험업

금융업의 경우 일반대출은 대출이자수입을 수입금액으로 하며, 관련 부처의 승인을 받아 리스업을 영위하는 경우에는 리스 이용자로부터 수취한 대가와 대가 이외의 비용에서 리스자산의 실제원가를 차감한 후의 잔액을 정액법으로 계산한 금액을 당기의 수입금액으로 한다.

당기 수입금액=(수취한 모든 대가−실제원가)×(당기 사용 기간÷내용연수)

또한 금융기업이 주식 또는 채권매매업을 하는 경우에는 매매가격과 매수가격의 차액을 수입금액으로 하여 영업세를 계산하며, 금융중개업이나 위탁징수업의 경우에는 수수료 수입을 수입금액으로 한다.

보험업의 경우에는 보험가입자로부터 수취한 보험료를 수입금액으로 하고,

국외재보험의 경우에는 전체 보험료에서 지급한 재보험료를 차감한 잔액을 수입금액으로 한다.

④ 우편통신업

우편통신업의 경우에는 수취한 수입을 수입금액으로 한다. 집중수납 방식에 의거 고객에게 전국에 걸친 회선을 임대하고 대가를 수취하는 경우에는 수취한 대가에서 회선 임대에 참여한 각 지방의 전신부처에 각각 지급한 금액을 차감한 잔액을 수입금액으로 하고, 회선 임대에 참여한 대가를 수취한 각 지방의 전신부처는 수취한 대가를 수입금액으로 하여 영업세를 계산한다.

⑤ 문화체육업

문화체육업의 경우에는 전체 매표수입 또는 공연수입에서 공연장소 사용료, 중개수수료 등의 비용을 차감한 후의 잔액을 수입금액으로 한다.

⑥ 유기장업

유기장업은 고객으로부터 수취한 대가를 수입금액으로 하며 수취한 대가에는 입장료, 좌석료, 주류대금, 음료대금 등 기타 비용을 포함한다.

⑦ 서비스업

대리업의 경우에는 위탁자로부터 수취한 보수를 수입금액으로 하며, 광고대행업의 경우에는 위탁자로부터 수취한 대가 등에서 광고업자에게 지급한 금액을 차감한 금액을 수입금액으로 한다. 여행업은 국외여행의 경우 수취한 전체 대가에서 국외의 여행사에게 지급한 금액을 차감한 금액을 수입금액으로 하며, 국내여행의 경우에는 수취한 대가에서 지급한 객실료, 식비, 교통비, 입장료 및 기타 비용을 차감한 잔액을 수입금액으로 하여 영업세를 계산한다.

⑧ 부동산의 양도

부동산 또는 토지사용권을 양도하는 경우에는 수취한 대가에서 취득가액을 차감한 잔액을 수입금액으로 하여 영업세를 계산한다. 채무를 대신하여 취득한 부동산 또는 토지사용권을 양도하는 경우에는 대가에서 채무변제 시의 당해 부동산 또는 토지사용권의 평가액을 차감한 잔액을 수입금액으로 한다.

(5) 감면

① 감면세 항목

영업세법에 의거 영업세가 면제되는 항목에는 탁아소, 유아원, 양로원, 장애인 복지기구가 하는 양육서비스와 결혼소개소, 장례서비스, 장애인이 하는 서비스, 의료기관의 의료서비스, 학교 등 교육기관이 하는 교육서비스, 농업 관련(농기계, 관계, 병충해 방지, 농업보험 및 기술 훈련 등) 서비스, 문화단체 또는 종교단체의 문화 활동(기념관, 박물관, 미술관, 전람관, 서화원, 도서관 등) 입장료 등이 포함된다.

또한 1년 이상의 반환성 신체보험의 보험료, 기술 양도와 기술개발 등과 관련된 기술 컨설팅료, 개인이 양도하는 저작권, 농민이 농지로 사용하는 토지사용권의 양도, 2년 이상 거주하다 양도하는 보통주택 등도 영업세를 면제한다.

이외에 실직자가 지역주민에게 서비스를 하고 취득하는 수입금액에 대해서는 3년 간 영업세를 면제하며, 정부가 규정한 가격으로 임대한 공유주택과 저가 임대주택에 대해서도 영업세를 면제한다.

② 과세최저한

세법의 규정에 의거 수입금액이 과세최저점을 초과하는 경우에는 전체 수입금액에 대해 영업세를 과세하나 과세최저점에 미달하는 경우에는 영업세를 면제한다.

과세최저점은 월 수입금액이 2백~8백 위안인 경우와 매회(일) 수입금액이 50위안 이하인 경우이나 실직자 재취업에 대한 조세 정책의 일환으로 2003년 1월 1일부터 2005년 12월 31일까지 과세최저한을 월 수입금액 1천~5천 위안, 매회(일) 수입금액을 1백 위안 이하로 상향조정하였다.

(6) 신고납부

영업세의 과세 기간은 5일, 10일, 15일 또는 1개월로 과세기관이 납부세액의 규모에 따라 결정하며 특별한 경우를 제외하고는 일반적으로 1개월을 과세 기간으로 한다.

1개월을 과세 기간으로 하는 경우에는 과세 기간이 종료한 날로부터 10일 내에 영업세를 신고납부를 하여야 하고 5일, 10일 또는 15일을 과세 기간으로 하는 경우에는 과세 기간이 종료한 날로부터 5일 내에 예정납부를 한 후 익월 10일까지 납부할 세액을 계산하여 예정납부한 세액을 차감한 후 신고납부를 하여야 한다.

원천징수의무자는 위 규정에 따라 영업세를 신고납부하고 보험업 역시 1개월을 과세 기간으로 하여 영업세를 신고납부한다. 그러나 금융업은 3개월을 과세 기간으로 하여 과세 기간 종료 후 10일 내에 영업세를 신고한다.

영업세는 속지주의의 원칙에 따라 행위가 발생한 장소에서 신고납부를 하나 토지사용권의 양도나 부동산의 양도의 경우에는 토지 또는 부동산 소재지에서 신고납부를 한다.

4) 토지증치세법

현행 토지증치세법은 1993년 12월 13일 '중화인민공화국토지증치세잠정조례'로 제정되었으며 국유토지사용권, 지상건축물 및 기타 부착물의 양도로 인한 소득을 과세 대상으로 하고 있다. 제정 목적은 부동산 개발과 부동산시장의 통제를 강화하고 부동산에 대한 투기행위를 방지하며 재정수입을 증가시키는데 있다.

(1) 납세의무자

토지증치세의 납세의무자는 국유토지사용권, 지상건축물 및 기타 부착물 (이하 '부동산'이라 한다)을 양도하고 대가를 취득한 단체 또는 개인이다. 단체는 각종 유형의 기업, 사업단체, 국가기관 및 사회단체와 기타 조직을 포함하며 개인은 개체경영자를 포함한다.

(2) 과세 대상

토지증치세의 과세 대상은 국유토지사용권의 양도와 지상의 건축물 및 기타 부착물이다.

국유토지라 함은 법률의 규정에 따라 국가에 속한 토지를 말하며, 지상건축물이라 함은 토지상에 건축된 일체의 건축물로 지상, 지하의 각종 부속시설을 말한다. 또한 부착물이라 함은 토지상에 부착되어 이동이 불가능하거나 또는 이동하는 경우 즉시 훼손이 되는 물품을 말한다.

과세 대상 해당 여부를 구체적으로 살펴보면 사용정지토지의 양도, 신축건물의 양도, 부동산의 취득 양도행위는 토지증치세의 과세 대상이나 상속 또는 친족이나 사회단체에 대한 증여는 과세 대상에 속하지 않는다. 또한 부동산의 임대, 담보, 대리건축, 재평가는 역시 과세 대상에 속하지 아니하나 부동산의 교환, 투자, 출자는 과세 대상에 속한다.

이외에 기업의 합병 중 피합병기업 부동산의 합병기업 양도는 일시적으로 토지증치세의 과세를 면제한다.

(3) 세율

토지증치세는 4단계의 누진세율을 적용하는데 증치액, 즉 부가가치가 공제금액의 50%에 미달하는 경우에는 30%의 세율을 적용하며, 증치액이 공제금액의 50～1백%인 경우에는 40%의 세율을, 증치액이 공제금액의 1백～2백%인 경우에는 50%, 증치액이 공제금액의 2백%를 초과하는 경우에는 60%의 세율을 적용한다(〈표 7-3〉 참조).

(4) 납부세액의 계산
① 증치액의 계산

토지증치세의 납세자가 부동산을 양도하고 취득한 대가에서 규정된 공제금액을 차감한 후의 금액을 증치액으로 한다.

토지증치세는 토지증치액과 공제금액의 비율의 크기에 따라 적용하는 세율이 다르기 때문에 증치액과 공제금액을 정확하게 계산하는 것이 매우 중요하

〈표 7-3〉 토지증치세 4단계 초과누진세율표

급수	증치액과 공제금액의 비율	세율(%)	속산공제계수(%)
1	50%에 미달하는 부분	30	0
2	50～100%의 부분	40	5
3	100～200%의 부분	50	15
4	200%를 초과하는 부분	60	35

다. 부동산 양도가액을 은폐하거나 허위로 신고하는 경우, 공제금액을 사실대로 신고하지 않는 경우 및 양도가격이 평가가격보다 부당하게 낮은 경우에는 평가가격에 따라 토지증치액을 계산한다.

② 공제금액의 계산

세법에서 규정하고 있는 공제항목에는 토지사용권의 취득금액(취득비용 포함)과 토지수용비, 이전보상비, 개발 전 지출비용, 기초시설비, 개발간접비 등 부동산 개발원가 및 부동산 판매비용, 관리비용, 재무비용 등 부동산 개발비용이 포함된다. 또한 부동산 양도와 관련된 영업세, 도시유지보호건설세, 인지세 등이 포함되며, 구(舊) 건축물의 평가액 등 기타 비용이 포함된다.

③ 납부세액의 계산

토지증치세는 납세자가 부동산을 양도하고 취득한 증치액과 규정된 세율에 따라 계산한다. 토지증치세의 계산공식은 다음과 같다.

토지증치세액=증치액×적용세율-공제항목금액×속산공제계수

(5) 감면

일반민용주택기준에 따라 건축된 주거용 보통주택을 양도하여 증치액이 공제금액의 20%에 미달하는 경우에는 토지증치세를 면제하고, 국가에 수용되거나 또는 회수된 부동산의 경우 역시 토지증치세가 면제된다. 또한 근무상의 이유 또는 주거 환경의 개선을 이유로 과세기관의 승인을 받아 거주 기간이 5년 이상인 주택을 양도한 경우에도 토지증치세를 면제한다. 그러나 거주 기간이 3년 이상 5년 미만인 경우에는 토지증치세를 50% 감면하며, 거주 기간이 3년 미만인 경우에는 토지증치세를 과세한다.

(6) 신고납부

토지증치세의 납세자는 부동산매매계약서를 체결한 날로부터 7일 내에 부동산 소재지 관할 과세기관에 부동산권리증, 토지사용권증서, 매매계약서, 부동산평가보고서 및 기타 관련 서류를 첨부하여 토지증치세를 신고납부 하여야 한다.

사전분양의 경우 과세기관이 예정징수를 하는 경우에는 규정된 비율에 따라 세액을 예납하고 추후에 정산해야 하며, 과세기관이 예정징수를 하지 않는 경우에는 수입금액의 취득 시 과세기관에 등록하여 이후에 대비하여야 한다.

5) 외상투자기업 및 외국기업소득세법

1991년 4월 9일 제7차 전국인민대표대회 제4차 회의에서 제정된 '외상투자기업 및 외국기업소득세법'은 특별히 국내 외상투자기업에만 적용되는 세목이다. 1991년 6월 30일 국무원은 '외상투자기업 및 외국기업소득세법실시세칙'을 제정하여 본법을 보완하도록 하였다.

(1) 납세의무자

외상투자기업 및 외국기업소득세법의 납세의무자는 중국 국내에 설립된 중외합자경영기업, 중외합작경영기업 및 외자기업의 외상투자기업과 중국 국내에 사업장을 설치하고 생산경영에 종사하거나 또는 사업장은 없으나 중국 국내에 소득이 있는 외국기업으로 구분할 수 있다.

(2) 과세 대상

외상투자기업 및 외국기업소득세의 과세 대상은 외상투자기업과 외국기업의 생산경영소득과 기타소득이다.

생산경영소득이라 함은 납세자가 제조업, 채굴업, 운송업, 건축업, 농수산업, 유통업, 금융업, 서비스업 등 각종 업종에 종사하여 취득하는 소득을 말하며 기타소득이라 함은 납세자가 취득하는 이익배당금, 주식배당금, 이자소득, 임대소득, 양도소득 또는 특허권, 노하우, 상표권 등의 양도소득과 영업외 수익을 말한다.

외상투자기업은 세법상 중국 거주자에 속하여 국내외에서 발생한 모든 소득에 대해 납세의무를 지게 되나 외국기업은 세법상 비거주자에 속하여 중국 국내에서 발생한 소득에 대해서만 납세의무를 진다.

국내에서 발생한 소득이라 함은 외상투자기업 및 외국기업이 국내에 사업장을 설치하고 생산경영에 종사하여 발생하는 소득과 외상투자기업 및 외국기업의 국내 사업장과 실질적인 관계가 있는 국외발생 이익금, 배당소득, 이자소득, 임대소득, 특허권사용료소득 및 기타소득을 말하며, 국내에 사업장이 없는 외국기업이 국내기업으로부터 취득한 이익금(주식배당금), 국내에서 취득한 대출이자, 채권이자, 저축이자 등, 국내 부동산의 임대소득, 국내에서 사용된 특허권, 노하우 등의 사용료소득, 국내 부동산의 양도소득 등도 포함한다.

(3) 세율

외상투자기업과 국내에 사업장이 있는 외국기업은 과세소득에 대해 30%의 기업소득세율과 3%의 지방소득세율을 적용하나 기업소득세율에 대한 감면은 중앙정부가, 지방소득세율에 대한 감면은 지방정부가 결정한다.

국내에 사업장이 없는 외국기업이 국내에서 취득하는 이익배당금, 주식배당금, 이자소득, 임대소득, 특허권사용료소득 및 기타소득과 국내 사업장은 있으나 상술한 소득이 국내 사업장과 실질적인 관계가 없는 경우에는 10%의 세율로 기업소득세를 원천징수한다.

(4) 과세소득금액의 계산

과세소득금액이라 함은 각 사업장의 1회계연도 총 수입금액에서 원가, 비용, 세금 및 손실을 차감한 후의 잔액을 말한다.

① 과세소득금액의 계산공식

'실시세칙'에서 규정하고 있는 제조업, 유통업, 서비스업 및 기타 업종의 과세소득금액은 다음과 같이 계산한다.

가. 제조업

- 과세소득금액 = 제품매출이익＋기타영업이익＋영업외수익－영업외지출
- 제품매출이익 = 순매출액－매출원가－제세금－(판매비용＋관리비용＋재무비용)
- 순매출액 = 총매출액－(환입액＋매출할인)
- 매출원가 = 당기제품원가＋기초재고액－기말재고액
- 당기제품원가 = 당기생산원가＋기초반제품 및 재공품재고액－기말반제품 및 재공품재고액
- 당기생산원가 = 당기 소모 직접원재료＋직접임금＋제조비용

나. 유통업

- 과세소득금액 = 상품매출이익＋기타영업이익＋영업외수익－영업외지출
- 상품매출이익 = 순매출액－매출원가－제세금－(판매비용＋관리비용＋재무비용)

- 순매출액 = 총매출액－(환입액＋매출할인)
- 매출원가 = 기초상품재고액＋당기매입액－(환출액＋매입할인액)＋매입비용－기말상품재고액

다. 서비스업
- 과세소득금액 = 순수입금액＋영업외수익－영업외지출
- 순수입금액 = 총수입금액－(제세금＋영업비용＋관리비용＋재무비용)

라. 기타 업종
위의 공식을 참고하여 결정한다.

② 손금에 산입할 수 있는 비용
과세소득금액을 계산함에 있어 세법에서 규정하고 있는 공제가 가능한 비용에는 외국기업 국내 사업장이 본점에 지급하는 국내 사업장과 관련이 있는 관리비, 차입금에 대한 지급이자와 환차손, 공제한도 내의 접대비(매출액 1천5백만 위안 이하 5‰, 초과분 3‰, 수입금액 5백만 위안 이하 10‰, 초과분 5‰), 급여 및 복지후생비, 대손충당금(연말 매출채권의 3% 이내), 공익성 기부금, 기술개발비, 의료와 주택 및 퇴직적립금 등이 있다.

③ 손금에 산입할 수 없는 비용
과세소득금액의 계산 시 손금에 산입할 수 없는 비용에는 고정자산의 구입 및 제작비용, 무형자산의 양수 및 개발비용, 자본이자, 각종 소득세액, 벌과금, 체납금, 가산금, 재해 또는 사고배상, 비공익성 기부금, 본점에 지급한 특허권 사용료, 업무무관 지출 등이 있다.

고정자산은 내용연수가 1년 이상인 주택, 건축물, 기기, 기계, 운반구 및 기타 생산경영과 관련이 있는 설비, 기구, 공구 등을 말한다. 그러나 생산경영의 주요 설비에 속하지 않는 물품으로 단위당 가격이 2천 위안 이하이거나 또는 내용연수가 2년 이하인 경우는 고정자산에 포함하지 않는다. 고정자산은 각 자산의 내용연수에 따라 균등하게 상각하는데, 자산별 내용연수는 주택 등 건축물은 20년, 기계 등 생산설비는 10년, 전자설비 등은 5년으로 규정하고 있다.

무형자산이라 함은 특허권, 노하우, 상표권, 저작권, 임차권 등을 말하며, 모두 10년에 걸쳐 균등하게 상각한다.

기업이 창업 기간 중에 지출한 창업비와 개업비는 이연자산으로 5년에 걸쳐 균등하게 상각한다.

(5) 감면

외상투자기업 및 외국기업소득세의 감면은 크게 신설투자세액 감면과 재투자세액 감면 및 국산설비투자세액공제로 구분되며, 신설투자세액 감면은 특정지역에 대한 감면과 특정 업종에 대한 감면으로 구분된다.

① 신설투자세액 감면

특정 지역에 대한 감면 내용을 살펴보면, 생산성 기업이 경제특구에 투자를 하는 경우에는 15%의 감면세율을 적용하며, 연해경제기술개발구와 상하이푸둥지구 역시 15%의 감면세율을 적용한다. 그러나 연해경제개방구와 경제특구, 연해경제기술개발구의 구시가지는 24%의 감면세율을 적용한다. 비생산성 기업은 경제특구의 경우에만 15%의 감면세율을 적용하며 기타의 지역은 30%의 일반세율을 적용한다.

특정 업종에 대한 감면 내용을 살펴보면, 경제특구·연해경제기술개방구·

경제기술개발구의 구시가지 및 국무원이 규정한 지역의 외상투자기업이 에너지, 항만 또는 정부가 장려하는 업종에 투자하는 경우에도 15%의 감면세율을 적용한다.

생산성 외상투자기업은 경영 기간이 10년 이상인 경우 이익이 발생한 연도부터 처음 2년간은 기업소득세를 전액 면제받으며 이후 3년간은 50%를 감면받는다.

이외에도 외상투자기업이 수출에 종사하거나 또는 첨단기술 업종에 종사하는 경우, 그리고 농업·임업·목축업에 종사하는 경우에는 특정 지역에 적용되는 감면세율에 대해 재차 50%의 감면을 받아 최저 7.5%의 감면세율을 적용받으며, 감면 기간이 종료한 이후에도 규정에 부합되는 경우에는 계속적으로 감면세율을 적용받을 수 있다.

특히 서부지역의 개발을 위하여 2001년부터 이 지역에서 정부가 장려하는 업종에 종사하는 외상투자기업에 대해 2010년까지 15%의 감면세율을 적용하고 있다.

② 재투자세액 감면

재투자세액 감면이란 외상투자기업의 외국투자자가 외상투자기업으로부터 취득한 주식배당금을 중국 국내기업에 재투자하는 경우 재투자금액에 대한 기납부 기업소득세를 전부 또는 일부 환급하는 것을 말한다.

외상투자기업의 외국투자자가 주식배당금을 재투자하여 자본을 증가시키거나 또는 외상투자기업을 신설하는 경우 그 경영 기간이 5년 이상이면 기납부한 기업소득세의 40%를 환급하며, 수출기업 또는 첨단기술기업 등에 재투자하는 경우에는 1백%를 환급한다.

$$재투자환급세액 = 재투자액 ÷ (1 - 실제\ 적용된\ 기업소득세율 + 지방소득세율) × 실제$$
$$적용된\ 기업소득세율 × 환급율$$

③ 국산설비투자세액공제

외상투자기업 및 외국기업이 생산에 필요한 기계, 기기, 설비, 운송장비 등의 국산설비를 구입하는 경우에는 설비투자액의 40%에 해당하는 금액을 구입 당해연도의 기업소득세가 전년의 기업소득세보다 증가된 범위 내에서 공제하며, 만일 당해연도에 전액을 공제하지 못하는 경우에는 이후 연도의 기업소득세가 구입 당해연도의 기업소득세보다 증가된 범위 내에서 5년 동안 계속하여 공제한다.

(6) 납부세액의 계산

외상투자기업 및 외국기업소득세와 지방소득세의 납부세액은 1년을 사업연도로 하여 계산하고 매 분기마다 예정납부를 한다. 예정납부는 매 분기 종료일로부터 15일 내에 하며, 연도 종료일로부터 5월 내에 정산한다.

국내에 사업장이 없는 외국기업이 국내에서 주식배당금, 이자소득, 임대소득, 특허권사용료소득 및 기타소득이 있는 경우에는 당해 소득의 지급자가 지급할 금액에서 납부할 세액을 징수하여 대리납부 한다.

〈외상투자기업 및 외국기업소득세의 계산〉

외상투자기업이 매 분기마다 납부하는 예정납부세액은 매 분기의 실제 과세소득금액에 의거 계산하거나 또는 전년도 과세소득금액의 1/4에 계산할 수 있다. 이외에도 과세기관이 승인한 기타의 방법에 의거 납부세액을 계산할 수도 있다. 또한 예정납부하는 지방소득세 역시 계산 방법은 같다.

분기예정납부세액=분기 과세소득금액×적용세율 또는 전년도 과세소득금액×1/4
×적용세율

외상투자기업이 사업연도의 납부할 세액을 정산하는 경우에는 매 분기 납부한 예정납부세액을 근거로 하여 계산한다.

- 사업연도의 납부할 세액=사업연도 과세소득금액×적용세율
- 정산시 납부할 세액=사업연도의 납부할 세액−분기별 예정납부세액 합계−차가감 소득세액−외국 납부세액 공제액

(7) 신고납부

외상투자기업 및 외국기업소득세는 1년을 사업연도로 하여 납부할 세액을 계산하며 매 분기마다 분기 종료일로부터 15일 내에 예정신고납부를 하고 연도 종료일로부터 5월 내에 세액을 정산한다.

기업소득세의 신고는 매 분기 예정납부 기한 내에 예정신고서를 제출하고 연도 종료일로부터 4월 내에 연간신고서와 재무제표, 회계감사보고서를 제출하여야 한다. 사업연도 내 실적이 없거나 또는 결손이 발생한 경우에도 반드시 신고서와 기타 서류를 제출하여야 한다.

6) 개인소득세법

현행 '중화인민공화국개인소득세법'은 개혁개방에 따라 자국의 조세권을 보호하기 위해 1980년 9월 10일 제5차 전인대 제3차 회의에서 제정되었다. 이후 사회주의 시장경제체제의 건립과 사영경제의 발전 등 경제체제의 변화에 부

응하기 위해 1994년 개인소득세법을 개정하였고 또한 '중화인민공화국개인소득세법실시조례'를 제정하여 실시하였다. 2000년에는 독자기업과 동업기업에 대해서도 개인소득세법을 적용하도록 개정하였다.

(1) 납세의무자

세법에서는 중국국민, 개체공상호 및 중국 국내에 소득이 있는 외국인과 홍콩, 마카오 동포를 개인소득세의 납세의무자로 규정하고 있다. 그러나 이들 납세의무자는 주소지와 거주 기간에 따라 거주자와 비거주자로 구분되는데, 이들 거주자와 비거주자는 각각 서로 다른 납세의무를 진다.

거주자라 함은 호적, 가정, 경제적 이익관계 등으로 인하여 중국 국내에 습관적으로 거주하는 개인, 즉 중국국민 또는 중국 국내에 주소를 두고 있지는 않으나 임시출국 기간(1회 30일 미만, 누계 90일 미만)을 차감하지 않은 거주 기간이 만 1년, 즉 365일 이상인 개인을 말하며, 이 경우에는 중국 국내외 소득에 대해 납세의무를 진다.

비거주자라 함은 중국 국내에 주소가 없고 거주하지 않는 개인 또는 중국 국내에 주소가 없고 거주 기간이 1년 미만인 개인을 말하며, 이 경우에는 중국 국내소득에 대해서만 납세의무를 진다.

(2) 과세소득의 범위와 세율

개인소득세가 과세되는 소득은 급여소득, 사업소득, 도급경영소득, 자유직업소득, 원고료소득, 특허권사용료소득, 이자소득(주식배당소득, 이익배당소득 포함), 임대소득, 양도소득, 우발소득(복권당첨금 등) 및 기타소득의 11개 항목이다. 급여소득에 대해서는 최저 5%에서 최고 45%까지 9단계의 초과누진세율이 적용되며, 사업소득과 도급경영소득에 대해서는 5%에서 35%까지 5단계의 초과누진세율이 적용된다. 또한 원고료소득, 특허권사용료소득 등 나머지 8개 소득에 대해서는 20%의 비례세율이 적용되나 자유직업소득의 경우에는 과세 소득금액 2만 위안을 초과하는 때부터 초과분에 대해 할증세율이 적용된다.

(3) 납부세액의 계산

납부세액의 계산은 과세소득금액에 세율을 적용하여 계산하나, 개인소득세 가 분류과세를 하고 있기 때문에 소득 항목에 따라 서로 다른 세율을 적용하고 또한 비용공제 기준 역시 서로 다르다.

① 급여소득

급여소득의 경우에는 매월 수입금액에서 8백 위안(외국인의 경우 4천 위안) 을 공제한 금액에 9단계의 초과누진세율을 적용하여 계산한다.

급여소득에는 재직 또는 고용으로 인하여 취득하는 임금, 급여, 상여금, 이 익금, 보조금 및 기타소득이 포함되나 자녀부양비, 급식보조비, 유아보조비, 출 장비 등은 포함되지 않는다.

② 사업소득

개체공상호의 납부할 세액은 연간 수입금액에서 원가, 비용 및 손실을 차감 한 금액에 5단계의 초과누진세율을 적용하여 계산한다.

③ 자유직업소득, 원고료소득, 특허권사용료소득, 임대소득

자유직업소득의 납부할 세액의 계산은 매회 수입금액이 4천 위안에 미달하 는 경우에는 수입금액에서 8백 위안을 공제한 금액에 20%의 세율을 적용하여 계산하나, 매회 수입금액이 4천 위안을 초과하는 경우에는 수입금액에서 수입금액의 20%를 비용으로 차감한 후 20%의 세율을 적용하여 계산한다. 그러나 수입금액이 2만 위안을 초과하는 때에는 비용을 공제한 금액에 할증세율을 적용하여 계산한다.

원고료소득은 매회 수입금액이 4천 위안에 미달하는 경우에는 8백 위안을 비용으로 공제하여 20%의 세율을 적용한 후 계산된 금액의 30%를 재차 공제하여 납부세액을 계산한다. 그러나 매회 수입금액이 4천 위안을 초과하는 경우에는, 수입금액의 20%를 비용으로 공제한 후 20%의 세율을 적용하여 계산한 금액에서 재차 계산된 금액의 30%를 공제하여 납부세액을 계산한다.

특허권사용료소득은 매회 수입금액이 4천 위안에 미달하면 8백 위안을 비용으로 공제하여 20%의 세율을 적용하고, 4천 위안을 초과하면 수입금액의 20%를 비용으로 공제한 후 20%의 세율을 적용하여 납부세액을 계산한다.

임대소득의 경우에는 수입금액이 4천 위안에 미달하는 경우에는 임대 과정 중 납부한 세액, 수리수선 비용(8백 위안 한도)과 8백 위안을 비용으로 공제한 후 20%의 세율을 적용하여 납부세액을 계산하고, 수입금액이 4천 위안을 초과하는 경우에는 임대 과정 중 납부한 세액, 수리수선 비용(8백 위안 한도)을 비용으로 공제하고 비용 공제 후 금액의 20%를 재차 비용으로 차감한 후 20%의 세율을 적용하여 납부세액을 계산한다.

④ 양도소득, 이자소득, 우발소득 및 기타소득

양도소득의 납부세액은 수입금액에서 취득원가와 매매 과정에서 지급한 기타 비용을 공제한 금액에 20%의 세율을 적용하여 계산한다.

이자소득과 우발소득 및 기타소득의 경우에는 수입금액 전부를 과세소득금액으로 하여 20%의 세율을 적용, 납부세액을 계산한다.

(4) 감면

개인소득세법의 규정에 의거 개인소득세가 면제되는 소득은 성급 인민정부, 국무원 산하 위원회 등이 지급하는 과학·교육·기술·문화·위생·체육 등 방면의 상금, 국채 및 국가발행채권이자, 국가가 지급하는 보조금, 구휼금, 보험배상금, 군인의 전업비, 국가 규정에 따른 퇴직금 및 퇴직보상금 등 국내 외국공관 직원급여, 규정에 의거 징수하는 주택적립금, 의료보험료, 양로보험료, 실업보험료 등이 있다.

또한 외국인이 현물로 받는 주택보조금, 부식비, 이사비용, 세탁비, 어학훈련비, 자녀교육비와 신고보상금, 원천징수대행수수료, 5년 이상 거주 후 양도하는 주택에 대해서도 개인소득세를 면제한다.

그러나 장애인, 독거자, 국가유공자의 소득에 대해서는 개인소득세를 일부 감면하고 자연재해로 인한 손실과 재정 부문에서 승인한 경우에도 개인소득세를 감면하도록 규정하고 있다.

(5) 신고납부

개인소득세는 자진신고납부 방법과 원천징수납부 방법을 병행하고 있다.

① 자진신고납부

자진신고납부란 납세자가 자진하여 세법이 규정하고 있는 기한 내에 과세기관에 과세소득금액과 납부할 세액을 신고하는 신고 방법을 말한다.

납세자는 둘 이상의 급여소득이 있는 경우와 원천징수의무자가 없는 경우, 일시에 지급받아야 할 자유직업소득, 원고료소득, 특허권사용료소득 및 임대소득을 수차에 걸쳐 분할하여 지급받는 경우, 원천징수의무자가 규정에 따라 원천징수를 하지 않는 경우 및 과세기관이 자진신고를 명하는 경우에는 개인소득세를 자진신고 납부하여야 한다.

개인소득세를 자진신고 납부하는 경우에는 매월 7일 내에 소득발생지 과세기관에 직접, 대리로 또는 우편으로 신고서를 제출하고 세액을 납부한다.

② 원천징수납부

원천징수라 함은 세법의 규정에 따라 세액을 원천징수할 의무가 있는 단체 또는 개인이 개인에게 과세소득을 지급하는 때에 납부할 세액을 계산하여 당해 소득으로부터 차감하여 국고에 불입하고 동시에 과세기관에 개인소득세원천징수납부신고서를 제출하는 것을 말한다.

세법에서는 개인에게 과세소득을 지급하는 기업, 단체, 기관, 사회조직, 주중 외국기관, 개체호 또는 개인을 원천징수의무자로 규정하고 있으며, 급여소득, 도급경영소득, 자유직업소득, 원고료소득, 특허권사용료소득, 이자소득, 임대소득, 양도소득, 우발소득 및 기타소득을 원천징수 대상으로 규정하고 있다.

원천징수의무자는 원천징수한 세액을 매월 7일까지 국고에 납입하고 과세기관에 개인소득세원천징수신고서와 기타 관련 서류를 제출하여야 한다.

7) 징수관리법

현행 징수관리법은 1992년 4월 제7차 전인대 상무위원회 제27차 회의에서 '중화인민공화국세수징수관리법'으로 제정되어 1995년 1차 수정을 거친 후 2001년 4월 2차 수정을 거쳐 현재에 이르고 있다. 징수관리법은 징수관리를 강화하고 징세행위와 납세행위를 규범화하여 재정수입의 안정을 꾀하고 납세자의 합법적인 권익을 보호함으로써 경제와 사회의 발전을 촉진하기 위하여 제정되었다.

징수관리법은 세무관리, 세액징수, 세무조사 및 법률책임의 4부분으로 구성되어 있다.

(1) 세무관리

세무관리는 징수관리의 가장 기초적인 단계로 사업자등록, 장부 및 증빙관리 및 신고납부의 부분으로 구성된다.

① 사업자등록

사업자등록은 징수관리의 첫 단계로 과세기관과 납세자 쌍방의 법률관계가 성립되는 근거이다. 사업자등록은 신규등록과 정정, 폐업 및 재개업으로 구분된다.

징수관리법의 규정에 의하면 신규로 사업을 개시하는 자는 공상관리국에서 영업허가증(營業執照)을 취득한 날로부터 30일 내에 사업장별로 과세기관에 신청서와 영업허가증, 정관, 승인서 등 관련 자료를 제출하여야 한다. 과세기관은 사업자등록신청서를 접수한 날로부터 30일 내에 사업자등록증(稅務登記證)을 발급하여야 한다.

만일 상호, 대표자 등이 변경되거나 또는 사업장, 주소에 변동이 있는 경우, 기타 사업과 관련한 사항에 변동이 있는 경우에는 먼저 공상관리국에 정정신고를 하고 정정신고를 한 날로부터 30일 내에 과세기관에 사업자등록정정신고를 하여 사업자등록증을 재발급 받아야 한다.

청산, 해산, 합병 등 여러 가지 원인으로 사업을 더 이상 지속할 수 없는 경우에는 먼저 과세기관에 체납세금과 체납금, 벌과금 등을 납부하고 사용하다 남은 영수증 등을 반납한 후 폐업신고를 제출해야 한다. 과세기관에 폐업신고를 한 사업자는 다시 공상관리국에 폐업신고를 해야 한다.

정기적으로 정액을 납부하는 사업자의 경우 영업허가증상의 경영 기간 중에 휴업을 하는 때에는 반드시 사전에 과세기관에 신고를 하여야 하며, 또한 재개업을 하는 경우에도 사전에 신고해야 한다.

② 장부 및 증빙관리

모든 납세자와 원천징수의무자는 반드시 법률의 규정에 따라 장부를 비치, 기장하여야 한다. 생산경영에 종사하는 납세자는 영업허가증을 취득한 날로부터 15일 내에 장부를 비치하여야 하며, 원천징수의무자의 경우에는 원천징수의무가 발생한 날로부터 10일 내에 원천징수에 관한 장부를 비치하여야 한다.

납세자는 별도의 규정이 없는 한 장부와 회계증빙 및 재무제표 등 관련 증빙들을 10년간 보관하여야 한다.

세금계산서의 경우에는 국가세무총국이 지정한 기업에서 인쇄하며 기타 영수증은 성급 과세기관이 지정한 기업에서 인쇄를 하여 과세기관이 통일하여 관리한다.

사업자등록을 한 납세자는 사업자등록증을 취득한 후 과세기관에서 영수증을 구매해 사용해야 한다.

납세자는 계산서를 전담하여 관리하는 자를 지정해야 하며 또한 계산서의 전용 보관장소를 설치해야 한다.

③ 신고납부

신고납부란 납세자가 세법에 규정된 기한 또는 내용에 따라 과세기관에 납세와 관련된 사항을 서면으로 제출하는 법률행위를 말하며, 납세의무를 이행하고 납세자의 법률책임의 한계를 규정하는 근거이다.

신고납부의 대상은 납세자와 원천징수의무자이며, 납부할 세액이 없는 경우에도 반드시 신고를 하여야 하며 신고서와 함께 재무제표와 납세와 관련된 계약서, 전자신고자료 등 관련 자료를 제출하여야 한다.

신고납부의 방법은 납세자가 직접 과세기관에 제출하는 직접신고와 우편을 통한 우편신고 또는 전산조직을 이용하는 전자신고로 구분되며, 납세자가 특별한 사정으로 인하여 규정된 기한 내에 신고할 수 없는 경우에는 과세기관의 승인을 거쳐 신고납부 기한을 연장할 수 있다.

(2) 세액징수

세액징수란 징수관리 업무의 핵심으로 세액징수 방식과 세액징수제도로 구분된다.

① 세액징수 방식

세액징수 방식은 과세기관이 세목, 징수 납부 상황에 따라 확정한 세액징수의 방법과 형식을 말한다. 세액징수 방식에는 납세자가 제출한 장부에 근거하여 납부세액을 계산하는 장부조사 방식과 과세기관이 종업원 수, 생산설비, 원재료 등의 사업 현황을 근거로 생산량과 판매량을 실제로 산정하여 납부세액을 계산하는 방식, 생산 또는 판매수량을 조사하여 시장가격을 적용하여 납부세액을 계산하는 방식, 동종 업종의 영업 내용과 비교하여 수입금액과 소득금액을 산정하는 방식, 위탁과세 방식 등이 있다.

② 세액징수제도

징수관리법에서 규정하고 있는 주요 세액징수제도는 원천징수제도, 납기연장제도, 가산금징수제도, 추계경정제도, 납세보전제도, 강제집행제도, 체납징수제도, 환급 및 세액추징제도이다.

세법에서 규정한 원천징수의무자는 반드시 그 의무를 이행하여야 한다. 이를 위반하는 경우에는 법률적 책임을 져야 한다. 과세기관은 원천징수의무자가 그 의무를 성실히 이행하는 경우에는 수수료를 지급한다.

납기연장제도란 납세자가 특별한 사정으로 인하여 납기 내에 세액을 납부할 수 없는 경우에는 성, 자치구, 직할시 국가세무국의 승인을 받아 납부기한을 3월 내에서 연장할 수 있는 제도이며, 특별한 사정이라 함은 불가항력으로 발생한 손실로 정상적인 생산에 커다란 영향을 받은 경우, 당기 자금으로 임금 및 사회보험료를 납부하면 납부하여야 할 세액이 부족한 경우를 말한다.

가산금징수제도란 납세자가 규정된 기한 내에 세액을 납부하지 않은 경우 체납일로부터 1일 5/10000의 가산금을 체납세액에 부과하여 징수하는 것을 말한다.

추계경정제도란 납세자가 장부를 비치, 기장하지 않거나 또는 임의로 장부를 훼손하고 자료의 제출을 거부하는 경우, 장부를 불실하게 기장한 경우, 무신고의 경우, 정당한 사유 없이 부당하게 낮은 가격으로 신고를 한 경우 과세기관은 동일 지역의 규모가 유사한 동종업종의 이익률을 참고로 하여 세액을 결정하거나 또는 원가에 합리적인 이윤을 가산하여 세액을 결정한다. 이외에도 원재료 등의 사용량을 참고로 하여 세액을 결정하거나 또는 기타 합리적인 방법에 의거 세액을 결정한다.

특수 관계가 있는 기업은 반드시 특수 관계가 없는 기업간의 거래에 따라 대가와 비용을 주고받아야 한다. 만일 이를 위반하여 과세소득금액을 감소시키는 경우에는 과세기관이 이를 합리적으로 조정한다.

납세보전제도란 생산경영에 종사하는 납세자가 납세의무를 회피할 가능성이 있다고 판단되는 경우 납세기한 전에 세액의 납부를 명하고, 납세자가 재산 등을 이전 또는 은닉하는 경우 납세담보를 요구하며 이를 위반 시 납세자의 금융자산의 지급을 동결시키거나 세액에 상당하는 재산에 대해 압류 등의 조치를 취하는 것을 말한다.

강제집행제도란 당사자가 법률, 행정법규 등에서 규정한 의무를 이행하지 않는 경우 법적인 강제수단을 이용하여 당사자에게 의무의 이행을 촉구하는 행위로 조세의 강제집행 조치로는 금융기관에서 세액 상당의 예금액을 인출하여 세액에 충당하는 행위와 세액 상당의 재산을 압류 공매하여 세액을 충당하는 행위를 말한다.

납세자의 체납세액이 납세자 재산에 대한 저당권, 질권 또는 압류 이전에 발생된 경우에는 체납세액은 재산에 대한 저당권 등보다 우선하여 징수되며, 기타 행정기관의 벌금, 몰수 등과 경합되는 경우에도 이보다 우선하여 징수된다. 또한 과세기관은 체납자에 대해서는 출국금지를 요청할 수 있다.

납세자가 납부할 세액을 초과하여 세액을 납부한 경우 과세기관은 발견 즉시 초과 납부한 세액을 환급하여야 하며, 만일 납세자가 납부일로부터 3년 내에 이를 발견한 경우에는 과세기관에 초과 납부한 세액과 이에 대한 이자의 환급을 요구할 수 있다. 그러나 납세자 또는 원천징수의무자가 세액을 미납하거나 과소하게 납부한 경우에는 3년 이내에 세액과 체납금을 추징할 수 있다. 그러나 그 책임이 과세기관에 있는 경우에는 체납금을 부과할 수 없다. 이외에 탈세, 부정환급 등으로 인하여 세액을 추징하는 경우에는 기한의 제한을 받지 않는다.

(3) 세무조사

세무조사란 징수관리 업무에 대한 심사 및 감독으로 제보 또는 상부지시, 관련 기관의 자료에 의거 탈세 혐의자에 대해 진행하는 중점세무조사, 납세자의 사업 연한, 납세 현황 등을 고려하여 사전에 확정된 계획에 의거 진행하는 정기조사의 일종인 계획세무조사, 전국적인 범위에서 통일적으로 실시되는 집중세무조사, 정상세무조사 이외의 임시세무조사 및 특정 세목 또는 특정 업종에 대해 실시하는 전문세무조사가 있다.

세무조사 방법에는 납세자의 모든 회계장부, 증빙, 재무제표와 재고 등에 대해 전면적으로 실시하는 전체조사 방법과 일정 기간 내의 제반 자료 중에서 일부만을 추출하여 조사하는 샘플조사 방법, 현장에 임하여 조사하는 현장조사 방법, 장부를 위주로 하여 조사하는 장부조사 방법 등이 있다.

세무공무원은 세무조사 시 세무조사증과 세무조사통지서를 제시하여야 한다. 만일 이를 제시하지 않는 경우 납세자는 조사를 거부할 수 있다.

전산회계를 하는 납세자에 대한 세무조사 시 과세기관은 회계기록을 복사하여 증거로 할 수 있다.

(4) 법률책임

과세기관은 납세자가 사업자등록, 장부의 비치 기장 등 징수관리에 관한 규정을 위반하는 경우에는 일반적으로 2천 위안 이하의 벌금을 부과하고, 원천징수의무자가 원천징수에 관한 장부를 비치 기장하지 아니하거나 또는 보관을 하지 않는 경우에도 2천 위안 이하의 벌금을 부과한다. 또한 무신고의 경우에도 2천 위안 이하의 벌금을 부과한다.

그러나 탈세행위나 허위신고행위, 체납을 하고 재산을 은닉하는 행위, 부정한 방법으로 수출환급을 받는 행위 등에 대해서는 세액과 체납금 및 벌금을 부과하는 이외에 형사책임까지도 묻는 등 처벌을 중하게 하고 있다.

이외에도 납세자의 거래은행 등이 과세기관의 합법적인 은행계좌 조사를 거절하는 행위, 예금동결 요구를 거절하는 행위, 과세기관의 지급정지 통지 수령 후 예금을 지급한 행위 등에 대해서도 금융기관과 책임자에 대해 벌금을 부과한다.

4. 현행 세제의 문제점과 세제개혁 방향

1) 현행 세제의 문제점

1994년 시행된 현행 세제는 사회주의 시장경제체제 발전에 커다란 공헌을 하였다. 특히 조세수입 측면에서 볼 때 상당한 효과가 있었다. 1994년 조세수입은 5,127억 위안에 불과하였으나 1999년에는 1조312억 위안을 기록하였다. 2002년에는 1조7,631.5억 위안으로 세제개혁 원년인 1994년에 비해 3.4배 증가하였고, 조세수입의 증가율은 매년 약 20%에 달하였다.

그러나 이러한 조세수입의 고속성장은 개혁개방 이후 누적된 세원의 증가와 징수관리의 강화에서 비롯된 것이지 실제 상황은 세원이 점점 감소하고 성장력 또한 떨어지는 추세이다. 이는 현행 세제가 사회주의 시장경제로 전환되는 초기에 건립되어 빠르게 발전하고 있는 현재의 경제 상황을 제대로 반영하지 못하고 있기 때문이라고 할 수 있다.

본 장에서는 현행 세제가 가지고 있는 구조적인 문제와 개별 세법상의 문제를 살펴보기로 한다.

(1) 현행 세제의 구조적 문제
① 세제구조상의 문제
세제가 잘 정비되어 있느냐의 여부가 조세수입의 안정적인 확보와 국민경제의 발전에 직접적인 영향을 미친다. 현대 세제의 특징을 보면 일반적으로 선진국은 소득세를 주세목으로 하는 세제를, 개도국은 유통세(또는 간접세)를 주세목으로 하는 세제구조를 가지고 있다. 그러나 대다수 국가들은 현실적으로는 소득세 또는 유통세를 주세목으로 하고 기타의 세목을 보조세목으로 하는 복합 세제의 형식을 취하고 있다. 주세목은 주로 정부의 재정수입을 확보하고 조세의 제기능을 수행하는 목적으로, 보조세목은 특정 행위 또는 자원의 사용을 제한하거나 조절하는 목적으로 사용된다.

중국 역시 증치세와 소득세를 위주로 하는 복합 세제의 형식을 갖추고 있으나, 간접세를 위주로 한 몇 종류의 세목이 전체 세수의 대부분을 차지하고 있어 조세의 경제에 대한 기능 발휘에 문제가 있다. 보조세목의 역할은 상대적으로 너무 낮아 과세 당국이 이에 대한 징수관리를 소홀히 함으로써 상호보완적인 기능이 매우 부족하다.

② 조세부담 구조상의 문제

중국은 지난 수년간 국유기업에 대한 구조조정을 진행하여 많은 국유기업을 민영화하고 있다. 그러나 이러한 민영화의 과정하에서도 조세수입의 대부분을 국유기업에 의존하고 있다. 경제발전에 따라 국민소득이 증가하고 다양한 소유제의 출현으로 개인의 소득이 증가하고 있다고는 하지만 개인소득이 총 조세수입에서 차지하는 비율은 아직도 낮아 조세가 개인소득을 조절하는 능력은 매우 낮은 편이다.

또한 조세부담이 국유기업에 편중되어 있는 반면에 외상투자기업은 많은 조세 감면 혜택으로 국내 기업보다 조세부담이 크게 덜한 편이다. 이러한 조세부담의 편중은 기업의 효율성에 영향을 미칠 뿐 아니라, 재정수입의 안정적인 성장에도 커다란 영향을 미친다.

③ 세목구성상의 문제

재산세와 사회보장세는 사회의 안정을 실현하고 사회복지 수준을 향상시키는 주요한 세목이나 중국의 경우 재산세의 기능이 매우 약한 편이고, 사회복지와 관련된 증여세나 상속세, 사회보장세가 아직 시행되고 있지 않다.

이와 같이 세목의 구성이 매우 취약하여 조세가 상호보완적인 기능을 제대로 발휘하지 못하고 있다.

④ 세제의 투명성에 관한 문제

법제에 대한 투명성 제고는 WTO의 기본 원칙 중의 하나이다. WTO는 각종 법규의 투명성을 제고할 것을 요구하고 있고 세법은 국가 재정 정책의 중요한 수단이므로 당연히 투명성이 제고되어야 한다. 그러나 중국은 전국인민대표회의 이외에도 행정기관이 입법 주체의 역할을 수행하고 있기 때문에 법률적 효력과 권위성을 실추시키고 있다. 이는 WTO가 엄격하게 요구하는 법규에 대한 투명성 제고 원칙에 크게 위배된다.

또한 WTO는 법률의 집행 과정에 있어서도 집행과 업무 수행의 투명성을 제고하여 공평경쟁을 위한 조세 환경을 조성할 것을 원칙으로 하고 있다. 그러나 중국정부는 아직까지 모든 세무행정을 공개적으로 처리하지 않고 있으며 세무공무원의 집행행위 또한 규범화되어 있지 않다.

⑤ 국민대우 원칙상의 문제

세계경제가 하나가 됨에 따라 국제무역과 국제교류가 더욱 빈번하여졌다. 이로 인하여 많은 외국자본과 선진기술이 중국으로 들어오고 있으며 많은 중국 기업과 상품이 국제시장으로 진출하고 있다. WTO는 이에 따라 무차별 원칙을 제정하여 회원국의 세제나 조세 정책에 있어서도 만일 국민대우 원칙을 위배하는 경우에는 이를 조정하여 조세상의 차별을 제거하도록 하고 있다. 그러나 중국의 현행 세제는 아직도 내국기업과 외자기업에 대해 서로 다른 기업소득세와 토지사용세, 자동차선박사용세 및 재산세 등을 실시하고 있으며 도시보호건설세, 경지점용세 등은 아예 외자기업에 대해 징수를 하지 않고 있다. 이러한 세제는 조세부담의 공평과 국민대우를 요구하는 WTO의 원칙에 부합되지 않을 뿐 아니라 내국기업과 외자기업 간의, 또한 연해지역과 내륙지역 간의 불공평 경쟁을 야기한다. 이처럼 공평을 저해하고 국민대우 원칙을 위배하는 세제와 조세 정책은 사회주의 시장경제의 건강한 발전을 저해한다.

2) 현행 주요 세법의 문제점

(1) 증치세

오늘날 증치세를 실시하고 있는 120여 개 국가는 대부분 소비형 증치세를 실시하여 고정자산에 대한 매입세액을 매출세액에서 일시에 공제하도록 하고 있다. 그러나 중국과 인도네시아만이 고정자산 매입세액에 대한 공제를 불허하는 생산형 증치세를 실시하고 있다. 생산형 증치세는 고정자산 매입세액에 대한 공제를 불허함으로써 중복과세 문제를 야기하여 자본집약적, 기술집약적 산업의 발전을 저해하고 신기술이나 선진설비의 사용을 제한하여 경제발전을 제한한다.

현행 증치세법에서는 교통운수업, 건축업, 금융보험업, 우편통신업, 문화체육업, 오락업, 서비스업, 무형자산 양도 및 부동산의 양도를 과세 대상에서 제외하여 영업세를 과세하고 있다. 그러나 이들 대부분의 업종이 증치세 과세 대상과 상당히 밀접한 관계에 있음에도 세금계산서의 발행의무가 없기 때문에 세금계산서에 의한 연결 시스템이 중단되고 중복과세 문제가 발생한다.

증치세의 세율은 17%의 기본세율과 13%의 낮은 세율, 영세율로 구성되어 있다. 또한 소규모납세자에 대해서는 6%와 4%의 징수율을 적용하고 있다. 이외에 면세농산품의 구입에 대해서는 10%의 공제율을, 폐자원의 구입에 대해서도 10%의 공제율을 적용하며 재화를 구입하고 지불하는 운송비용에 대해서는 7%의 공제율을 적용하도록 하고 있다. 이처럼 다양한 세율구조와 공제율은 조세부담의 불공평 문제를 발생시키고 납세자에게 탈세의 기회를 제공하여 징수관리를 어렵게 한다.

(2) 소비세

소비세의 실시 목적은 소비구조를 조절하고 과소비를 억제하여 올바른 소비로 유도하며, 재정수입을 증가시키는 데 있다. 현행 소비세의 과세품목은 11개이나 이중 몇몇 품목은 생활 수준의 향상으로 이미 생활필수품이 되어 소비세의 징수 의미가 없어졌다고 할 수 있다. 또한 빈번하게 새로운 상품과 고급 오락행위가 출현하고 있는 상황에서 과세 대상이 너무 적은 현행의 소비세제로는 그 조절기능이 지나치게 약하다고 할 수 있다.

(3) 기업소득세

중국은 내자기업과 외자기업에 대해 별도의 기업소득세법을 제정하여 적용하고 있는데 이 두 세법은 비용 산입기준, 세전 공제항목 및 자산의 처리 등의 규정이 서로 다르다. 이러한 정책은 시장경제가 중시하는 공평경쟁을 저해할 뿐 아니라 WTO의 무차별 원칙을 위배하고 있다. 내자기업과 외자기업의 세법상의 차이점을 구체적으로 살펴보면 다음과 같다.

① 대손충당금

내자기업의 경우에는 연말의 받을채권 잔액에 대해 0.3~0.5%(금융보험업의 경우에는 대출 잔액의 1%)의 대손충당금을 설정하도록 규정하고 있다. 그러나 외자기업의 경우에는 연말 대출 잔액 또는 받을채권 잔액의 3% 내에서 설정하도록 규정하고 있어 외자기업이 내자기업에 비해 훨씬 유리하다.

또한 내자기업은 채무자가 3년 이상 채무를 상환하지 않아야 비로소 대손으로 확정되나 외자기업은 채무자가 2년을 초과하여 상환의무를 이행하지 않는 경우 대손으로 확정된다.

② 접대비

내자기업에 대한 접대비 처리규정을 살펴보면 업종과 규모에 따라 순매출액과 수입금액을 기준으로 접대비 한도금액을 계산하고 있다. 그러나 외자기업의 경우에는 업종에 따라 구분하여 순매출액 또는 수입금액을 기준으로 접대비 한도금액을 계산한다. 예를 들면 여관업, 음식업, 운수업, 건축설비업, 금융보험업, 자문업 등에 대해 외자기업은 연간 수입금액이 5백만 위안 이하인 경우는 10‰, 5백만 위안을 초과하는 부분에 대해서는 5‰를 적용하나 내자기업은 연간 수입금액 1천5백만 위안 이하인 경우에는 5‰, 1천5백만 위안을 초과하는 부분에 대해서는 3‰를 적용한다. 따라서 연간 수입금액이 동일한 경우 외자기업의 접대비 공제금액이 내자기업에 비해 많다.

③ 급여 및 복리후생비 등

내자기업은 과세급여 규정기준에 기준금액 8백 위안을 한도로 하여 비용으로 산입한다. 다만, 지역에 따라서는 재정부와 국가세무총국의 승인을 받아 기준금액의 20% 한도 내에서 추가로 비용에 산입할 수 있다. 복리후생비에 있어서는 노동조합비, 직원복리비 및 직원교육비로 각각 기준금액 내 과세급여 총액의 2%, 14%, 1.5%의 범위 내에서 비용으로 산입한다. 그러나 외자기업의 경우에는 급여와 복리후생비에 대한 지급기준 및 관련 자료를 제출하여 과세기관의 승인을 받으면 실제 지출금액을 비용에 산입하도록 규정하고 있다.

④ 고정자산의 잔존가치

내자기업은 고정자산의 잔존가치를 취득가액의 5% 내에서 기업이 스스로 확정하되 특수한 경우에는 과세기관의 승인을 받아 잔존가치의 비율을 조정할 수 있다. 외자기업에 대한 고정자산 잔존가치 비율은 취득가액의 10% 이내이다. 만일 잔존가치 비율을 낮추거나 잔존가치를 0으로 할 필요가 있는 경우에는 과세기관의 승인을 받아야 한다.

⑤ 투자소득

내자기업의 투자소득은 과세소득에 포함시켜 기업소득세를 과세하나 외자기업의 투자소득에 대해서는 기업소득세를 면제한다.

⑥ 세율

내자기업과 외자기업에 적용하는 기본세율은 33%로 서로 같다. 그러나 우대세율에 있어서는 차이가 있다. 내자기업은 과세소득의 크기에 따라 세율을 달리하여 적용하는데, 과세소득이 3만 위안 이하인 경우에는 18%의 세율을, 과세소득이 3만 위안 이상 10만 위안 이하인 경우에는 27%의 세율을 적용한다. 반면에 외자기업은 지역에 따라 24%, 15%의 세율을 적용한다. 조세우대 정책의 차이에 따라 서로 다른 세율을 적용하고 외자기업의 우대세율이 내자기업보다 낮기 때문에 내자기업의 조세부담이 외자기업보다 훨씬 높다.

⑦ 조세 감면 정책

외자기업에 대한 조세 감면은 지역적 우대, 산업적 우대, 정기 우대, 업종 우대 및 재투자세액환급 등으로 매우 다양하나 내자기업에 대해서는 주로 취업, 사회복지 및 환경보호 측면에서만 조세 감면을 해 줄 뿐이다. 또한 외자기업의 경우에도 동부지역이 서부지역보다 유리하여 실제 조세부담률에 있어 동부지역과 서부지역 간에 약 6%의 차이가 난다.

외자기업에 대해서는 지방정부가 세법의 규정된 조세 감면 이외에도 자의적으로 다양한 우대조치를 취하고 있다. 이처럼 내자기업에 대해 많은 혜택을 하고 있기 때문에 조세부담의 불공평을 발생시키고 WTO의 무차별 원칙과 공평경쟁 원칙을 준수하기 어렵게 할 뿐 아니라 탈세 등의 원인이 되기도 한다.

(4) 개인소득세

① 분류과세

현행의 분류과세제도는 납세자의 서로 다른 소득에 대해 서로 다른 방식으로 과세소득을 산출함으로써 서로 다른 유형의 소득에 대해 부담률이 서로 다르다. 즉, 동일한 소득을 가지는 납세자의 소득 유형 혹은 소득 원천이 서로 다른 경우 조세부담이 서로 달라지는 횡적 불공평을 발생시킨다. 이러한 분류과세제도는 납세자의 불만을 초래하여 개인소득세의 탈세행위를 유발시킬 뿐 아니라 소득의 분산 또는 소득 유형의 전환을 통한 조세 회피 현상을 발생시킨다.

② 정액공제

1980년 개인소득세가 실시된 이래 급여소득에 대해 정액공제법(기준공제액 8백 위안)을 적용하여 납세자의 생계비용을 계산하고 있다. 그러나 지난 20여 년 동안 물가는 크게 상승하였고 사회 정책의 변화로 인하여 국민들의 교육비,

의료비, 주거비 및 양육비 등의 지출이 크게 증가하였음에도 현행의 개인소득세제에서는 이를 전혀 반영하지 않고 있다. 또한 서로 다른 납세자의 가정 상황, 조세부담 능력의 차이를 고려하지 않고 일률적으로 공제기준을 적용하여 조세부담의 불공평을 초래하고 있다.

③ 세율

현행 개인소득세법은 분류과세제도를 채택하고 있어 서로 다른 소득에 대해 서로 다른 세액산출 방법을 사용하고 있으며 또한 적용하는 세율 역시 매우 다양하다. 급여소득과 생산경영소득에 대해서는 초과누진세율을 적용하고 있으나 적용구간이 서로 다르고, 원고료소득이나 자유직업소득에는 비례세율을 적용하고 있으나 이 역시 서로 다르다. 이처럼 세율이 복잡한 것은 세율을 간소화하는 국제적인 추세와 부합하지 않을 뿐 아니라 조세부담을 낮추는 개혁 추세에도 맞지 않는다.

3) 세제개혁 방향

사회주의 시장경제체제를 건립하고 지속적인 국민경제 발전을 이루며 국가 재정수입을 제고시키기 위해서는 경제상황에 부합하고 국제적인 기준에 맞는 세제의 건설을 이루어야 한다. 이러한 세제는 시장경제 원칙과 WTO의 원칙 등 객관적인 요구에 따라 사회주의 시장경제의 발전에 유리한 방향으로 진행되어야 한다.

(1) 기본 원칙

① 통일 원칙

새로운 세제는 조세 원칙, 시장경제 원칙 및 WTO의 제원칙을 충분히 반영하여야 한다. 따라서 세제의 설계는 법인과 비법인 또는 개인 등 서로 다른 경제 성질, 내국인과 외국인 또는 국내 법인과 외국 법인 등 서로 다른 납세자 및 수입상품과 자국상품 등 서로 다른 상품간에 있어 차별이 없이 통일되게 적용되도록 진행되어야 한다.

② 공평 원칙

WTO 가입 후 시장 개방의 확대에 따라 상품, 자본, 인력 및 기술의 이동이 더욱 빈번해지고 있다. WTO는 회원국들 간에 국민대우 원칙이 지켜져 공평한 경쟁이 진행되도록 요구하고 있다. 공평경쟁은 바로 시장경제의 핵심이다. 새로운 세제에서는 이러한 공평 원칙이 반드시 실현될 수 있도록 하여야 한다. 조세부담의 공평, 경쟁적 지위의 공평, 권익 향유의 공평, 시장 진입의 공평이 실현되도록 제정되어야 한다.

③ 투명 원칙

신세제의 입법 과정과 각종 제도 및 정책은 모두 공개되어야 하고 정책의 조정 역시 제때에 공개되어야 하며 중대한 정책은 사전공개를 통하여 투명도와 예측 가능성을 높여야 한다. 이처럼 모든 것을 공개하여 시장에 공평경쟁을 위한 조세 환경을 하여야 한다.

⑵ 기본 방향

① 국민경제와 함께 성장하는 세제의 건설

신세제는 경제의 지속적인 성장을 보장하고 조세수입의 성장과 안정을 확보할 수 있도록 건립되어야 한다. 이를 위해서는 거시세율을 합리적으로 결정하여 자원이 최적으로 배치될 수 있도록 하여야 한다. 현재의 거시세율은 10% 정도로 개도국의 평균 수준인 15.5%와 비교할 때 낮은 수준이므로 세율을 제고하여 재정수입을 증가시킬 수 있도록 하여야 한다. 이와 함께 조세부담을 경제 유형별로 적절하게 배분하여 소득의 증가와 조세부담의 증가가 서로 부합되도록 하여 조세수입의 GDP 비중이 동일하게 성장하거나 다소 상승할 수 있도록 하여야 한다.

또한 직접세와 간접세의 비중을 합리적으로 확정하여 조세의 탄성을 보장함으로써 조세수입과 국민경제가 같이 성장하도록 하여야 한다. 이를 위해 경제구조와 산업구조를 조정하고 조세부담을 적시에 조정하여야 한다.

이외에도 세제구조를 최적화하고 징수관리를 강화하여 조세수입의 GDP 비중을 제고시켜야 한다.

② 규범화된 세제의 건설

중국의 준조세는 매우 심각한 상황이다. 통계에 의하면 1996년 수수료 총액은 4,636억 위안으로 당해연도 재정수입의 63%를 차지하고 있다. 이러한 준조세를 포함하여 조세부담을 계산한다면 실제적인 조세부담은 매우 높게 나타날 것이다. 이와 같은 예산외수입의 존재는 재정수입의 유실을 가져와 세제의 효율성을 저해할 뿐 아니라 징수관리의 집중성을 해쳐 부패 현상을 만연하게 할 수 있고 또한 지방정부에 대한 중앙정부의 통제권에도 영향을 줄 수도 있다.

따라서 세제는 준조세 등의 예산외수입을 규범화하여 예산 내로 편입시키도록 하여야 한다.

③ 증치세와 소득세 위주의 복합세제의 건설

중국은 아직 개도국의 지위에 있기 때문에 다른 개도국과 마찬가지로 조세수입에서 유통세의 비중이 가장 높다. 국제적인 경험에 따르면 유통세 위주의 세제구조가 소득세 위주의 세제구조로 전환되는 시점을 1인당 국민소득 2천 달러 정도로 보고 있다. 일본, 한국, 싱가포르, 대만 등의 세제 역시 이 수준에서 전환되었다. 중국의 2002년 1인당 국민소득은 965달러(7,997위안)로 아직 이 수준에 도달하지 못하고 있다. 따라서 신세제 역시 유통세를 위주로 하는 세제구조를 갖는 것이 바람직하다. 그러나 중국의 장기적인 경제발전 목표와 경제발전의 요구에 의거 조세수입을 적시에 안정적으로 확보하고 공평한 분배를 할 수 있도록 증치세와 소득세를 위주로 하는 복합 세제를 건립하는 것이 바람직하다.

④ 과학기술의 진보를 촉진하는 세제의 건설

지식경제의 사회에 있어 중요한 것은 과학과 교육의 발전이다. 선진국과의 격차를 줄이기 위해서는 과학기술의 진보와 교육 발전에 유리하도록 법률과 법규를 정비하여야 한다. 따라서 신세제는 이 점을 고려하여 건립되어야 한다. 기업의 기술개발에 일정한 혜택을 부여하고 고정자산 매입세액을 공제하는 등 과학기술을 우대하는 것을 기본으로 하여 조세우대 정책을 제정하여야 한다.

(3) 주요 세법의 개혁 방향

① 증치세

중복과세 문제를 제거하여 자국 상품의 국제경쟁력을 제고하고 기업의 투자와 기술 발전을 촉진하여 국민경제를 발전시키기 위해서는 현행의 생산형 증치세를 하루속히 소비형 증치세로의 전환하여야 하며, 중국의 3차산업의 급속한 발전과 다른 산업과의 조세부담의 형평을 고려할 때 영업세를 증치세에 통합하여야 한다.

세율문제에 있어서는 기본 세율, 낮은 세율 및 영세율로 구분되어 있는 세율체제는 종전대로 유지하되 기본 세율은 조세부담을 고려하여 다소 낮추고 소규모납세자에 대한 징수율은 하나로 통일하는 것이 세제의 간편화 추세에 부합한다 하겠다. 그리고 면세농산품과 폐자원 매입에 대한 공제율은 현행대로 존속시키되 공제율은 합당하게 조정할 필요가 있다.

수출하는 재화에 있어서는 현행의 부분환급제도를 완전환급제도로 전환하여 가격경쟁력의 상실을 방지하여야 한다.

또한 소규모납세자라 할지라도 유통의 첫 단계나 중간 단계에 있는 제조업이나 도매업의 경우에는 매출금액의 크기에 관계없이 모두 일반납세자의 범위에 편입시키도록 소규모납세자 인정기준을 조정함으로써 세금계산서의 연결고리가 중도에 중단되지 않도록 하여야 한다.

② 소비세

현행 과세품목 11개 중 소비세 과세의 의미가 사라진 품목을 과세품목에서 제외하고 사치성 행위나 고가의 전자제품에 대해서는 소비세를 과세하는 등 과세범위를 재조정하여 그 과세범위를 확대함으로써 재정수입을 증가시키고 소비세의 조절기능을 강화하여야 한다.

또한 세율 측면에 있어서는 소비를 올바른 방향으로 인도하고 소비구조를 조절하는 소비세 본연의 기능이 제대로 수행될 수 있도록, 생산성을 저해하는 품목이나 사치성 행위 등에 대해서는 높은 세율을 적용하고 생산 관련 품목이나 비교적 생활화한 품목에 대해서는 세율을 인하하여 현실에 맞게 조세부담을 조정하여야 한다.

③기업소득세

내자기업과 외자기업이 동일하게 조세부담을 지도록 하는 것이 시장경제의 주요 원칙인 공평경쟁을 보장하는 것이며 또한 WTO의 국민대우 원칙을 준수하는 것이므로, 내자기업과 외자기업에 대해 각각 달리 적용하는 기업소득세법을 하나의 기업소득세법으로 통일하여야 한다.

또한 내자기업에 대한 과세표준과 공제기준을 현실에 맞게 조정을 하여야 하고, 내자기업이 지급하는 급여는 현행의 외자기업과 마찬가지로 실제지급액을 비용에 산입토록 하여야 하며, 대손충당금의 설정기준 및 확정 시기, 접대비의 비용산입기준, 고정자산의 잔존가치 등에 대해서도 통일된 기준을 적용시켜야 한다.

현행의 명목세율은 33%이나 조세 감면 혜택이 많은 외자기업의 실제 세율은 11% 정도에 불과한 반면에 조세 감면혜택이 상대적으로 적은 내자기업의 경우에는 실제 세율이 22%로 외자기업에 비해 그 부담이 2배 이상 높다. 오늘날 세계 각국은 '낮은 세율, 넓은 세원'을 세제개혁의 기본으로 하고 있다. 따라서 중국 역시 이러한 추세와 서로 상응하여 세율을 결정하되 기업의 경제효율 수준과 다른 국가들의 세율 수준 및 세원의 크기, 조세 감면의 범위 등을 고려하여야 한다.

이외에도 지역 위주의 조세 감면 정책을 산업 위주, 지역 보조의 정책으로 전환하여 기술집약적 산업과 신기술산업 및 낙후지역의 발전을 지원하고 외자기업의 투자방향을 적절하게 조정하여야 하며, 세액공제가 주인 직접적인 감면 방법을 소득공제 또는 비용공제 등의 간접적인 감면 방법으로 전환해야 한다.

④ 개인소득세법

중국은 지난 10여 년간의 노력으로 국가전산망을 구축하는 금세공정(金稅工程) 사업이 2기까지 완성되었다. 따라서 과세의 전산화 정도와 징수관리의 수준을 고려하여 현행의 분류과세제도를 종합분리과세제도로 전환하는 것이 바람직하다. 지속적으로 발생하는 소득에 대해서는 종합과세를 실시하고 초과 누진세율을 적용하며, 우발적으로 발생하는 소득에 대해서는 분류과세를 실시하여 비례세율에 의거 과세함으로써 조세부담의 공평을 실현하여야 한다.

과세소득의 범위에 있어서는 실질적인 급여의 성격을 가지고 있는 복리후생비를 급여에 포함하는 등 과세범위를 확대하고 종전 세제가 규정하고 있지 않는 새로운 소득항목에 대해 적절한 판정을 통하여 과세소득의 범위에 포함시켜야 한다. 또한 세법에서는 과세소득의 범위에 대해 포괄주의를 채택하여 새로운 과세소득의 출현에 대비하여야 한다.

최근 수년간 사회 정책의 변화로 교육, 의료, 주택제도 등에 대한 국민 부담이 크게 증가하였으나 현행 세법에서 규정하고 있는 단일적인 비용공제기준(8백 위안)은 이를 반영하지 않고 있는바, 현재의 경제상황을 고려하여 비용공제기준을 재조정하여야 한다. 소득 발생에 필연적으로 부수되는 비용에 대해서는 실제 지출된 금액을 증빙에 의거 전액 인정해 주고, 증빙이 없는 경우에는 통상적인 기준에 의거 공제를 해줌으로써 실질과세의 원칙이 지켜질 수 있도록 하여야 한다. 또한 생활비, 의료비, 교육비 등 생계와 관련된 비용에 대해서도 현실적인 상황을 충분히 고려하여 현행의 공제기준을 상향시키거나 새로이 항목을 신설하여야 한다.

⑤ 세목의 신설

현행의 사회보장제도는 사회보장기금의 관리가 통일되어 있지 아니하여 그

관리나 운영에 문제점을 갖고 있다. 사회보장기금은 사회보장비의 형식으로 징수되고 있는바 사실상 조세의 성격을 갖는다 할 수 있다. 따라서 법제화를 통하여 사회보장세를 신설함으로써 통일되게 징수하고 관리할 필요가 있다.

또한 개혁개방 이후 경제성장과 함께 다양한 소유제가 출현하였고 개인간의 소득격차도 날로 심화되고 있으며, 실질적인 사유재산의 보장으로 다음 세대로의 부의 이전이 크게 증가하고 있는바 상속증여세의 시행이 시급하다.

이외에도 현행 징수관리법을 조정하여 세수기본법과 징수관리법으로 이원화하여야 한다. 세수기본법을 신설하여 과세기관의 법률적 지위를 명확하게 하고, 조세행정의 집행 주체와 그 권리 및 의무 등의 법률적 책임을 확실하게 하며, 과세기관의 책임, 조세불복, 세무대리, 납세자의 권리와 의무 등을 명확하게 명시하여야 한다.

제8장 다국적기업과 한국기업의 중국 내 연구개발(R&D) 활동 현황 및 시사점

김혜진(대구경북연구원 책임연구원)

최근 많은 다국적기업들이 중국을 '세계의 공장' 삼아 중국의 저렴한 노동력과 원자재를 이용하여 중국 내에서 생산 활동을 벌이던 것에서 벗어나, 점차 중국에 구매센터, 지역경영센터 등 각종 중심성 기구들을 속속 설립하고 있다. 이는 다국적기업들이 중국의 제조공장으로서뿐만 아니라 판매시장으로서의 중요성 역시 자각하였으며, 다국적기업의 국제적인 활동망이 중국을 중심으로 재편되고 있음을 시사하는 것이다.

1990년대 이래 다국적기업은 중국에 연구개발센터를 설립하기 시작하였는데, 1996년에 이미 10여 개 국가의 기업이 34개의 연구개발센터를 설립하였으며, 1997년에 중국이 '중외합자합작 연구개발센터 설립 장려 정책(鼓勵設立中外合作合資硏發中心辦法)'을 발표한 이후 다국적기업의 중국 내 연구개발센터 설립은 더욱 가속화되었다. 관련 통계에 의하면, 2003년까지 다국적기업의 중국 내 연구개발센터는 4백여 곳에 달하는데, 이러한 연구개발센터의 설립은 다국적기업의 전략 변화가 고도화되었음을 보여주는 증거이며, 실제로 어떤 연구

는 외국기업의 대중국 교역 단계를 무역 단계, 기술이전과 설비투자 단계, 합자
및 독자기업 설립 단계, 지주회사 및 지역본부 설립 단계 및 연구개발센터 설립
단계의 5가지로 구분하고 있다(寇文煜, 2004, p. 90). 즉, 다국적기업의 중국 내
연구개발센터 설립은 다국적기업의 중국 투자 발전의 가장 심화된 형태를 보여
주는 것이다.

이에 다국적기업의 지배구조 변화와 연구개발 활동의 중국 이전, 다국적기
업의 중국 내 연구개발 활동 현황 및 목적, 한국기업의 중국 내 연구개발 활동
현황 등의 문제를 짚어 보고, 다국적기업과 한국기업의 차이점 및 문제점을 도
출하는 것은 다국적기업의 중국 투자 발전 추세를 진단하고 이에 대응하기 위
한 방안을 강구하는 데 효과적인 지름길이 될 것이다.

1. 다국적기업의 지배구조 변화와 연구개발(R&D) 활동의 중국 이전

1) 연구개발 활동의 모국 집중화와 해외 분산화 촉진 요인

1970, 80년대 이래로 기업의 활동 영역이 자국의 범위를 넘어서 점차 국제
화, 세계화되고 거대 다국적기업이 속속 출현하고 있다. 다국적기업은 전 세계
를 하나의 거대 시장으로 보고 총체적인 경쟁 태세에 돌입하였으며 기술 발전,
교통·통신시설의 발달, 소비자의 동질화 등으로 이러한 경쟁 상태는 나날이 심
화되고 있다.

이에 기업 활동 역시 모든 부문을 뭉뚱그리는 하나의 통합된 활동으로서가
아니라 생산, 유통, 마케팅, 연구개발 등 각 세부 단계 중 특정 부문을 선택하여
기업의 역량을 집중함으로써 기업 경쟁력이 창출될 수 있으며, 이러한 특정 부

문에서 전 세계적으로 효과적인 조직과 각국 자회사 간의 유기적인 협조가 기업 성패를 결정짓는 중요한 요인이 되었다. 이는 즉, 기업 활동의 '배열(coordination)'과 '조정(configuration)'의 문제인데(Porter, 1997), 전자는 기업 활동의 국제적인 분포 문제, 즉 어떻게 각종 부가가치 활동을 전 세계를 배경으로 가장 효율적으로 배치할 것인가의 문제이며, 기업은 각종 활동을 모국에 집중시킬 수도 있고 여러 나라로 분산시킬 수도 있다. 후자는 다국적기업이 이렇게 세계적으로 배치된 기업 활동을 어떻게 서로 정합시킬 것인가의 문제이며, 이는 배치된 활동간의 조화와 균형을 도모하는 행위이다.

기업의 연구개발 활동 역시 이러한 세계적인 배열과 조정의 문제에 직면해 있는데, 기업은 내부 기술 유출을 꺼려하여 또는 여러 경제적인 이유로 연구개발 활동 영역을 국내로 제한하기도 하나, 해외의 좋은 연구개발 조건, 해외시장의 중요성 등의 이유로 연구개발 활동을 해외로 이전하기도 한다. 기업의 연구

〈표 8-1〉 기업 활동의 국제적 배열과 조정

활동	배열	조정
생산	부품이나 완성품 생산설비의 입지 선정	분산된 생산설비간 생산 임무 할당, 각국 공장망 조직, 각국 공장간 기술과 생산 방법 이전
마케팅	상품선 선정, 시장 선정, 광고 및 마케팅 지역 선정	브랜드의 공동화, 유통망과 상품의 유사화, 나라간 가격 통일화
서비스	서비스 조직의 입지 선정	각국 서비스 표준과 서비스 과정 유사화
연구개발	연구개발센터의 수량 및 입지 선정	분산된 연구개발센터간 연구 임무 할당, 각국 연구개발센터간 내부 교류, 타시장 수요를 위한 상품 개발
구매	구매 입지 선정	타국 공급상의 선정과 관리, 중간재 시장 지식 이전, 공동 구매 조절

개발 활동은 그 입지 선정에 있어서 크게 모국 집중적인 요인들과 해외 분산적인 요인들의 영향을 받는데, 워젤(Wortzel, 1985)은 기업으로 하여금 연구개발 활동을 모국에 집중하도록 하는 것으로 소수 정예의 연구개발 인력 확보 필요성과 연구개발의 규모의 경제 등을 들었으며, 연구개발 활동이 모국에 집중되어 있다면 본사와의 교류와 협조가 편리하며 생산과 판매 등 기타 업무와의 연계 효과가 큰 장점들이 있다고 하였다.

또 피어스(Pearce, 1989)는 기업 연구개발 활동의 입지선정 영향 요인을 '중심 지향력', 즉 연구개발 활동을 국내로 집중시키는 '힘'과 '중심 이탈력', 즉 연구개발 활동을 해외로 분산시키는 힘으로 구분하였다. 그는 또 구체적인 영향 요인들로 연구개발의 규모의 경제, 연구개발 요소간의 조화, 해외 판매와 생산 수준, 연구개발 밀도, 상품의 질, 회사 연구개발 비용 중 해외에서 획득하는 판권비가 차지하는 비중 등을 들었다.

그란스트란드·하칸슨·소란더(Granstrand·Hakanson·Sjolander, 1992)는 피어스의 연구를 더욱 심화시켜, 중심 지향력으로 기업의 전문기술 보호 중시, 국내 시장의 공급 상황 양호, 연구개발의 규모의 경제, 기업의 통제 원가 최소화 수요, 연구개발 활동을 본사에 집중시켜 온 습관 등을 들었다. 또 중심 이탈력을 수요 지향적 요인과 공급 지향적 요인의 2가지로 분류하였는데, 전자로는 해외 기술 지원기구의 변화, 시장 접근의 필요, 모국 정부의 통제, 현지국 정부의 요구 등을 들었고 후자로는 외국 과학연구 시설 이용, 연구개발 원가절감, 인수 합병되는 기업의 기술경쟁력 등을 들었다.

또한 챙과 보론(Cheng·Bolon, 1993)은 기업 연구개발 활동의 해외 분산화의 이유로 우선 해외의 생산성 자회사로의 기술 이전 시 기본적인 설계 이외에 일정 정도의 조정이 필요할 때, 현지국 연구자원 이용을 위해 해외에 연구개발 기구 설립이나 인수 합병이 필요할 때, 연구개발 활동이 해외시장에 근접하여

회사가 현지 자원을 더 잘 이용할 수 있을 때, 현지국이 모국보다 더 유리한 우대 정책을 하여 현지 연구개발 투자를 장려할 때, 현지국 시장이 회사의 전략상 매우 중요할 때 등을 들었다.

이를 종합해 보면, 기업 연구개발 활동의 해외로의 이전 원인으로 우선 해외의 투자 환경 측면에서 살펴보면, 현지에 대학과 연구기관 및 과학기술 기초시설 수준이 비교적 높을 때, 현지 시장에 특화된 상품의 개발이 필요할 때, 현지로의 투자 경쟁이 심할 때, 현지국이 각종 우대 정책을 할 때 등이 있다. 또 본사 및 모국의 측면에서 살펴보면, 국내에 수준 높은 전문 인력이 부족하거나 연구 원가가 높을 때, 상품의 다양화 정도가 높고 품질 요구가 높을 때, 연구개발이 생산지와 근접해야 할 때, 자회사로의 기술이전 원가가 높을 때, 기업이 다층적이고 복잡한 연구개발 기구망을 관리할 능력이 있을 때, 모국이 특정 분야의 연구개발 활동을 통제할 때 등을 들 수 있다.

2) 다국적기업 본사와 중국 자회사 간 기술 권한의 통제와 이양

일반적으로 볼 때, 다국적기업의 연구개발 활동은 기업 활동의 핵심 부문에 속하며, 기술 권한의 본사에의 통제 또는 자회사로의 이양은 전 세계 자회사 조직망을 관리하는 중요 수단이 된다. 다국적기업 중국 자회사 115개를 대상으로 실시한 한 조사에 의하면, 다국적기업 본사가 중국 자회사를 관리하고 이에 영향을 미치는 수단들로 '본사에 대한 보고 비율', '재무회계 관리', '기업문화 관리', '기술', '조직기구와 관리 방식', '마케팅 정책', '기기설비', '인력자원 관리 정책', '최종 수출 비율', '원재료 도입 비율', '유통경로'의 순으로 나타났다(趙景華, 2002, p. 207). 이는 다국적기업 본사가 중국 자회사와 긴밀한 정보망과 연락체계를 수립하고, 각종 재정 금융상의 지원이나 다차원적인 회계보고 방식

〈표 8-2〉 기업 R&D 활동의 집중화와 분산화 요인

관련 요인	R&D 집중화 요인	R&D 분산화 요인
요소 공급	*국내 연구개발 능력이 해외보다 높음 *연구에 필요한 외국어 훈련을 제공하기 어려움 *현지에서 적합한 인력을 찾기 어려움 *본사 내의 규모의 경제가 외국에서 실현되기 어려움	*현지의 대학과 연구기관 및 과학기술 기초 시설 수준이 높음 *현지의 생산 수준이 비교적 높으며 상품의 현지화가 필요 *국내에 수준 높은 전문 인력이 부족 *현지국 자본 획득에 용이 *수직적 합병으로 본사 연구 능력의 상호 보완적인 해외 연구기구 획득 *외국기업과 연구개발 합작기업 건설
시장 수요	*연구개발 성과의 유출 방지 *기술과 상품의 현지화 수요가 높지 않음 *본사의 기술 능력에 의지하여 외국에서 연구개발 기구를 설립할 수 있음	*기술 이전 원가가 높고, 연구개발이 생산지와 근접해야 함 *현지의 투자 경쟁이 심함 *경쟁기업이 현지에 연구개발센터를 설립 *본사의 규모가 크고 국제화 정도가 높음
정부 정책		*현지국이 지적재산권 보호에 강함 *현지국이 금융 재무상의 우대를 제공
원가 조절	*외국의 연구개발 활동이 필요한 임계 규모에 도달하기 힘듦 *기술 이전 원가가 높음 *수평적 확장이 연구개발 능력을 중복시키거나 해외 연구개발 활동 원가를 통제할 필요가 있음	*상품 다양화 정도가 높고 품질 요구가 높음 *국내 연구 원가가 높음
관리 능력	*전 세계 범위 내에서 연구개발 활동을 조절하고 억제할 능력 결여	*다층적이고 복잡한 연구개발 기구망을 관리할 능력 구비
관리 조건		*통제망을 피하고 소재지의 기술정책이 지식 창신이나 필요한 인력 자원 획득에 유리

등을 이용하여 자회사의 활동을 관리 감독하며, 본사의 기업문화를 현지에 이식하고 조화시킴으로써 이문화 요소가 야기할 수 있는 부작용들을 최소화시키

기 위해 애쓴다는 것이다.

뿐만 아니라 중국 자회사는 기술 부문에 있어서 본사에 대한 의존 정도가 비교적 크며, 본사 역시 종종 핵심기술을 장악하거나 국내에 이미 쇠퇴기에 있는 기술을 이전함으로써 중국 자회사의 본사에 대한 기술상의 의존을 증가시킨다. 전체 11개 요인 중 '기술'은 4위에 속하는데, 이는 그만큼 다국적기업 본사가 중국 자회사를 강하게 구속하거나 반대로 중국 자회사의 현지 권한과 자율성을 극대화시키는 데 기술이 중요한 정책적 수단으로 작용한다는 것이다.

또한 동일한 조사에서 중국 자회사의 자율권을 7가지로 분류할 때 역시 비슷한 결과를 볼 수 있는데, 자회사 자율권은 '인사 자율권', '구매 자율권', '마케팅 자율권', '관리 자율권', '기술 자율권', '재무 자율권', '정책 결정 자율권'의 순으로 나타났다. 중국 자회사는 현지 고용문제, 현지 생산을 위한 원부자재 구매 문제 및 완성품의 중국시장 판매 문제 등 자회사의 생산 판매 활동에 있어서는 비교적 큰 자율성을 가지고 있었으나, 기업의 지식이 집결되는 기술 부문에 있어서의 자율성은 상대적으로 적은 편이다. 전체 7가지 자율권 중 '기술 자

〈그림 8-1〉 다국적기업 본사의 중국 자회사 통제 요인

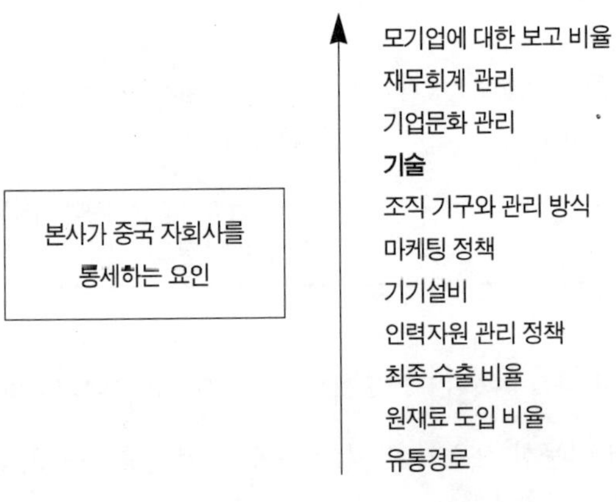

본사가 중국 자회사를
통세하는 요인

모기업에 대한 보고 비율
재무회계 관리
기업문화 관리
기술
조직 기구와 관리 방식
마케팅 정책
기기설비
인력자원 관리 정책
최종 수출 비율
원재료 도입 비율
유통경로

율권'은 5위에 머물러, 중국 자회사의 자율권은 기업 활동의 하부와 비핵심 부문에서 출발하여 점차 상부나 핵심 부문으로 확대되는 것을 알 수 있으며, 기술 권한의 중국 자회사로의 분산 또는 이전은 이미 자회사가 상당한 정도의 독립성과 활동성을 부여받았으며 높은 수준의 현지화를 이루었음을 의미한다.

실제로 다국적기업 활동의 여러 부문 중 연구개발은 국제화가 가장 어려운 부문이라고 할 수 있으며, 다국적기업의 해외 연구개발 활동은 주로 선진국 상호간에 이루어지고 개발도상국에서 연구개발 활동을 수행하는 경우는 매우 드물다. 즉, 대부분의 다국적기업은 핵심적인 연구개발 기능은 본사에 그대로 두고, 이를 보완하는 부차적인 연구개발 활동은 다른 선진국에서 수행하는 것이다. 그러나 개발도상국임에도 불구하고 다국적기업의 중국으로의 연구개발 활동 이전이 해마다 크게 증가하고 있는 것으로 볼 때, 중국은 단순한 개발도상국으로서가 아닌, 다국적기업의 연구개발 투자를 흡인하는 복합적인 여러 유인들을 보유하고 있음을 알 수 있다.

〈그림 8-2〉 다국적기업 중국 자회사의 자율성 정도

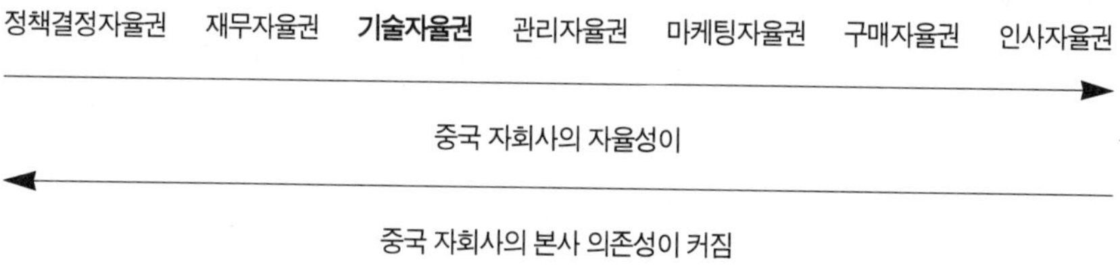

정책결정자율권	재무자율권	**기술자율권**	관리자율권	마케팅자율권	구매자율권	인사자율권

중국 자회사의 자율성이

중국 자회사의 본사 의존성이 커짐

2. 다국적기업의 중국 내 연구개발(R&D) 활동 현황

1) 다국적기업의 중국 내 연구개발센터 설립 추세

다국적기업의 중국 내 연구개발 활동은 여러 가지 방식으로 이루어지는데, 크게 중국 자회사 내부에 소규모의 연구개발 부서를 두고 본사 제품이나 생산방식의 개조 등 비교적 단순한 작업을 수행하는 경우, 자회사와는 별도로 전문적인 연구개발센터를 설립하여 상품 개조에서 신제품 개발에 이르는 보다 심도 깊은 연구를 수행하는 경우, 또 중국에서 이미 어느 정도의 지명도와 연구 업적을 갖춘 대학이나 연구개발 기구와 합작하여 연구개발 업무를 수행하는 경우 등으로 분류될 수 있다.

다국적기업의 중국 내 연구개발 활동의 조직형태에 대해서 앤화하이·천진샌(閻化海·陳金賢, 1999)는 우선 독자 연구센터나 기술개발센터 설립, 둘째, 기업 내부에 연구개발 부문을 보유, 셋째, 중국의 대학, 과학연구 기구와 합작하여 연구센터나 실험실 설립 등으로 분류하였다. 또 장샤오쥔(江小涓, 2000)은 다국적기업의 연구개발 기구를 그 설립 장소에 따라 첫째, 내설식(內設式) 기구, 즉 다국적기업 내부에 설립한 전문 연구개발 기구와 외설식(外設式) 기구, 즉 다국적기업이 중국에 설립한 독자 연구개발 기구나 다국적기업 지역본부 내에 설립한 연구개발 부문, 또 합작식 기구, 즉 다국적기업과 중국의 대학이나 과학연구 기구가 합작하여 설립한 연구개발 기구 등의 3가지로 분류하였다.

쉬에란·선췬홍·왕슈꿰(薛蘭·沈群紅·王書貴, 2002)는 다국적기업의 중국 내 연구개발 기구를 그 조직 규모에 따라 첫째, 생산과 판매 부문 안의 연구개발 활동, 둘째, 생산과 판매 부문 중 독립된 연구개발 부서의 연구개발 활동, 셋째, 대학, 과학연구 기관, 기업의 기술 합작, 넷째, 독립된 연구개발 기구의 4가지로 분류하였다. 또 장성기업전략연구소(2002)는 외자 독립 연구개발센터의 2가지 요건으로 첫째, 현지국에서 생산이나 판매기구와는 독립적으로 연구와 개발을 주요 기능으로 할 것, 둘째, 외자측이 50% 이상의 지분을 가지고 있을 것 등을 들었다.

1990년대 이래 다국적기업은 중국에 연구개발센터를 설립하기 시작하였는데, 1996년에 이미 10여 개 국가의 기업이 중국에 34개의 연구개발센터를 설립하였으며, 1997년에 중국이 '중외합자합작 연구개발센터 설립 장려 정책'을 발표한 이후 다국적기업의 중국 내 연구개발센터 설립은 더욱 가속화되었다. 관련 통계에 의하면, 2003년까지 다국적기업의 중국 내 연구개발센터는 4백여 곳에 달하며, 그중 현재 비교적 규모가 큰 연구개발센터는 〈표 8-3〉을 참조할 수 있다.

2) 국가별·산업별·지역별 특징

2003년 통계에 의하면, 중국에 설립된 외자 연구개발센터는 176개의 다국적기업에 의한 316개에 이르는데, 국가별로 살펴보면 주로 미국과 유럽 등 지역 위주이며, 그중 미국기업이 151개를 설립하여 다국적기업 중국 내 연구개발센터 총수의 약 48%를 차지하였다. 그다음으로 대만기업이 40개의 연구개발센터를 설립하였고, 일본기업이 39개를 설립하였으며, 독일·스웨덴·프랑스 등 유럽 국가가 각각 10개 이상의 연구개발센터를 설립하였다. 한국 역시 중국 내에 상당수의 연구개발센터를 설립하여, 이미 4개의 다국적기업이 10개의 연구개발 기구를 설립한 것으로 나타났다.

산업별로 살펴보면 주로 전자, 정보, 소프트웨어, 화학, 전기, 생물의약, 가전 등 산업에 분포되어 있으며 그중 전자, 정보산업의 비중이 가장 크다.

〈표 8-3〉 다국적기업의 중국 내 주요 R&D 센터

명칭	분야	외자측	소재지
노키아(중국) 연구개발중심	정보통신	핀란드	베이징
후지쯔 연구개발중심 유한공사	정보통신	일본	베이징
루슨트 과기(중국)유한공사 벨실험실	정보통신	미국	베이징
모토로라 중국연구원	정보통신	미국	베이징
인텔 중국연구중심	정보통신	미국	베이징
마이크로소프트 중국연구원	정보통신	미국	베이징
IBM 중국연구중심	정보통신	미국	베이징
베이징 삼성 통신기술연구 유한공사	정보통신	한국	베이징
베이징 Delphi 자동차계통 기술개발유한공사	자동차	미국	베이징
노보자임 생물제약 연구중심	생물의약	스웨덴	베이징
베이징 P&G 기술유한공사	화학	미국	베이징
SMC 칭화대학 기동기술중심	자동차	일본	베이징
金寶 전자(베이징)유한공사	전자	대만	베이징
베이징 SENAO VIA 전자유한공사	정보통신	홍콩	베이징
Schlumberger 기술(중국)유한공사	계기	프랑스	베이징
NEC 중과원 소프트웨어연구소 유한공사	정보통신	일본	베이징
베이징 시마쯔 분석중심	생물의약	일본	베이징
GM 전기의료계통 유한공사	의료설비	미국	베이징
파나소닉 전기연구개발(중국) 유한공사	정보통신	일본	베이징
베이징 Pharmacia 생물기술중심	생물의약	스웨덴	베이징
바이엘 상하이 집합물 연구개발중심	화공	독일	상하이
에릭슨 통신소프트웨어 연구개발중심	정보통신	스웨덴	상하이
듀퐁과기	화공	미국	상하이
로나-프랑크	화공	프랑스	상하이
벨 실험실	정보통신	미국	상하이
바스푸	화공	독일	상하이
GM 자동차	자동차	미국	상하이
Givaudan 집단	화공	스웨덴	상하이
히타치-샤프	가전	일본	상하이
알카텔	정보통신	프랑스	상하이
도시바	가전	일본	상하이
Delphi 자동차공사	자동차	미국	상하이
IBM 소프트웨어 연구개발중심	정보통신	미국	상하이
유니레버	화공	영국	상하이
광둥 Nortel 연구개발중심	정보통신	캐나다	광저우
광저우 혼다 기술중심	자동차	일본	광저우
컴팩 선전 연구개발중심	정보통신	미국	선전
루슨트 과기 선전 연구개발중심	정보통신	미국	선전
홍콩 Vtech	전자	홍콩	선전
일본 후지쯔	정보통신	일본	선전

* 자료 : 중국 내 각종 자료 정리

<표 8-4> 다국적기업 중국 내 R&D 센터의 국가별 분포

국가	기업 수(개)	연구개발센터 수(개)
미국	60	151
대만	29	40
일본	28	39
독일	12	15
스웨덴	4	14
프랑스	10	13
한국	4	10
홍콩	7	7
스위스	6	7
캐나다	3	4
기타	12	16
합계	175	316

* 자료 : 李蕊, 『跨國公司在華研發投資與中國技術跨越式發展』, 經濟科學出版社, 2004.

<표 8-5> 다국적기업 중국 내 R&D 센터의 산업별 분포

산업	센터 수(개)	비율(%)
전자	98	31
정보	78	24.7
소프트웨어	30	9.5
화학	26	8.2
전기	19	6
생물의약	17	5.4
가전	14	4.4
자동차	9	2.9
반도체	8	2.5
기계	6	1.9
기타	11	3.5
합계	316	100

* 자료 : 상동

다국적기업의 중국 내 국가별, 산업별 연구개발센터 설립 특징을 종합해 보면, 미국기업은 주로 정보·전자 및 소프트웨어산업에 집중되어 있으며, 화공·전기 등 산업의 연구개발 투자 역시 많은 편이다. 유럽 국가 중 독일기업은 화공산업에, 스웨덴 기업은 정보산업에 집중되어 있다. 아시아 국가 중 대만기업은 전자산업에 집중되어 있으며, 일본기업은 전자·가전과 소프트웨어산업에, 한국기업은 전자산업에 집중되어 있다.

지역별로 살펴보면 다국적기업의 중국 내 연구개발센터는 다국적기업의 중국 투자가 밀집한 지역을 따라 베이징(北京)을 중심으로 하는 환발해(環渤海) 지역, 상하이(上海)를 중심으로 하는 창장삼각주(長江三角洲) 지역, 선전(深圳)을 중심으로 하는 주장삼각주(珠江三角洲) 지역에 분포되어 있다. 그중 상하이

⟨표 8-6⟩ 다국적기업 중국 내 R&D 센터의 국가별·산업별 분포

	미국	대만	일본	독일	스웨덴	프랑스	한국	홍콩	스위스	캐나다
화학	11		1	5	1	1			3	1
반도체	5		1							
생물의약	2	2	2	1	1	2	1	3	1	
전자	47	29	8			2	6	2		
전기	8	4	3	3		1				
석유						1				1
농업									1	
인쇄	2									
기계	1		2			1			1	
자동차	5		3	1						
소프트웨어	18	3	6			1				
정보	48	2	4	2	11	2	3	2		2
식품	1		1			1			1	
가전	3		7	3	1					
상업			1							
고무							1			

* 자료: 상동

에 설립된 연구개발센터가 105개로 외자 연구개발센터 총수의 약 1/3을 차지하며, 그다음으로 베이징에 76개, 광둥성(廣東省) 선전과 광저우(廣州)에 36개, 장쑤성(江蘇省) 쑤저우(蘇州), 난징(南京) 등지에 40개 가량이 설립되어 있다.

상하이는 공업 부대시설이 비교적 잘 완비된 곳으로, 다국적기업의 연구개발 투자 중 화학·생물의약·자동차 등 전통 공업산업이 많으며, 베이징은 대학과 연구기관이 밀집해 있는 특성에 따라 전자·소프트웨어 등 지식집약적 산업이 많은 편이다. 특히 상하이의 푸둥(浦東)과 베이징의 중관춘(中關村) 지역은 다국적기업의 연구개발센터가 밀집된 지역인데, 이들 지역은 시설·교통·정보교류 등 연구 인프라 측면에서 우세하고, 우수한 연구인력 확보가 용이하며, 적시에 기술 발전 동향과 중앙정부의 정책을 파악할 수 있는 등의 장점을 가지고 있기 때문이다.

또 광둥성 일대의 다국적기업 연구개발센터는 주로 정보산업에 집중되어 있으며, 장쑤성 일대의 연구개발센터는 주로 일본과 대만의 전자산업에 의한 것이다. 그 외에 다국적기업의 중국 내 연구개발센터의 평균적인 규모는 그다지 크지 않은데, 연구 인력의 수로 볼 때 1천 명 이상의 연구기구가 2개, 5백～1천 명이 2개, 1백～5백 명이 4개이며, 대부분 그 연구 인력의 수가 1백 명을 넘지 않는 것으로 나타났다.

3. 다국적기업의 중국 내 연구개발(R&D) 활동의 목적

1) 다국적기업의 중국 내 연구개발 활동의 주요 내용

다국적기업의 중국 내 연구개발센터의 활동 유형은 크게 3가지로 분류할

<표 8-7> 다국적기업 중국 내 R&D 센터의 지역별 분포

지역	기구 수	비율(%)
상하이	105	33.2
베이징	76	24.1
선전	28	8.9
쑤저우	19	6
난징	12	3.8
톈진	8	2.5
광저우	8	2.5
시안	8	2.5
청두	7	2.2
항저우	6	1.9
기타	39	12.4

* 자료: 상동

수 있는데, 첫째는 중국시장에 적응하기 위한 연구개발 활동으로, 본사로부터 도입한 기술을 변형하여 현지의 수요구조에 적합하게 개조하는 것이며, 둘째는 전문적으로 중국시장을 목표로 한 연구개발 활동으로, 중국시장의 특수성을 염두에 두고 중국시장 및 소비자 특성에 부합하는 상품을 개발하는 것이다. 또한 셋째는 본사의 기술을 이전받는 것이 아니라 본사와 비교할 때 동등하거나 더 새로운 기술개발 업무에 종사하며, 중국 자회사에 의한 연구성과가 역으로 다른 자회사 및 본사의 기술 수준을 높일 수 있는 것이다.

다국적기업이 중국에 연구개발센터를 설립할 때 가장 중요시하는 것은 중국의 거대 시장이며, 다국적기업의 중국에서의 연구개발 활동은 본사의 선진기술과 중국 특유의 시장 수요를 결합하는 수단이 된다. 다국적기업은 중국에 연구개발센터를 설립함으로써 모국의 기술을 중국화하고, 판매시장을 중국으로 확대할 수 있다. 많은 다국적기업들은 미국과 유럽에 이미 연구개발센터를 보유하고 있으며, 아시아지역 연구개발센터를 시장 잠재력이 큰 중국에 설립하고 있다. 마이크로소프트사는 중국시장을 공략하기 위해 베이징에 마이크로소 프트 중국 연구개발센터를 설립하였는데, 주요 업무는 마이크로소프트가 개발 한 최신 상품들을 중국시장 수요에 맞춰 중국화하는 것이다. 1995년 이래 마이 크로소프트 중국 연구개발센터는 중문판 Windows 95, Office 95, Windows 98, Office 97 및 Windows NT3.51과 4.0 등을 성공적으로 중국시장에 공급하였으 며, 1994년부터 2000년까지 중국시장을 겨냥한 107개의 소프트웨어 상품을 내 놓았다(홍성범, 2003).

또한 일부 다국적기업은 중국의 연구개발 환경을 높이 평가하여 중국에 연 구개발센터를 설립하고 있는데, 이는 현지 시장만을 위한 제한적인 위치에서 벗어나 본사의 핵심기술을 연구하는 주요 역량이 되기도 한다. 미국 P&G는 전 세계를 대상으로 24시간 생산과 관리, 혁신을 진행하고 있는데, P&G가 중국에 설립한 연구개발센터인 P&G 중국연구센터는 중국 현지를 위한 연구개발뿐 아 니라 전 세계 18개 연구개발 기구들과 네트워크를 형성하여 전 세계를 대상으 로 한 연구개발을 진행하고 있다(홍성범, 2003).

다국적기업의 중국에서의 연구개발 활동은 중국시장을 대상으로 한 상품 개발 위주의 응용성 연구가 대부분이며, 일부 규모가 큰 선진 다국적기업에 한 해 기초 부문의 연구 역시 이루어지고 있다. 중국에 연구개발센터를 설립한 30 개 다국적기업을 대상으로 실시한 한 조사에 의하면, 중국에서의 연구개발 활 동의 주요 목적은 '새로운 과학과 기술 탐색', '중국의 과학기술 단체와의 관계 증진', '신제품 개발' 등의 순이었는데(寇文煜, 2004, p. 168), 이에 다국적기업이 중국 현지의 과학기술 자원의 이용 및 현지 기관과의 관계 강화 등을 통해 중국 시장에 적합한 상품을 개발하는 것을 연구개발 활동의 주요 목표로 하고 있는 것을 알 수 있다. 반면 본사 상품이나 생산 방법의 부분적인 개조나 생산 공장 및 판매기구와의 협력 등은 상대적으로 덜 중요하게 여기는 것으로 나타나, 연구개발 활동의 주요 목적이 전문적으로 중국시장을 목표로 하는 것이며, 자회사의 생산 판매 활동의 보조 역할을 수행하고자 하는 것이 아님을 알 수 있다.

또한 다국적기업의 중국 내 연구개발센터 설립의 영향 요인으로 중국의 연구인력 고용이 가장 높은 점수를 차지한 것으로 보아, 다국적기업이 중국 인재의 과학기술 개발 능력을 높이 평가하고 그들과의 협력을 중요시하고 있는 것으로 나타났다. 이에 중국 내에서의 연구개발 활동이 점차 본사의 중요 연구개발 업무를 대체하며 본사 기술개발의 중심으로 부상할 가능성이 있는 것이다. 이들 다국적기업들은 해외 유학파들과 화교 출신 전문가들을 적극 흡수하고, 고임금으로 현직 인재들을 스카우트할 뿐만 아니라, 일련의 교육 계획이나 경쟁 프로젝트를 추진하여 기업에 대한 호감도를 높이는 데 앞장서고 있다. 또한 중국시장 수요에 맞는 상품 개발 역시 중요하게 여기는 것으로 보아 이들 연구인력과의 협력을 통해 전문적인 중국시장 판매상품의 개발을 중시하고 있는 것을 알 수 있다. 반면 여기서도 상품이나 생산 방법 개조 등의 초보적인 수준의 개발 업무 및 시간과 비용 절감 효과 등의 영향은 부차적인 것으로 드러났다.

〈표 8-8〉 다국적기업 중국 내 연구개발 활동의 주요 목적

항목	평균 점수	중요(%)	보통(%)	중요하지 않음(%)
새로운 과학과 기술의 탐색	4.41	94	6	0
중국 과학기술 단체와의 관계 증진	4.00	71	29	0
신제품 개발	3.94	65	35	0
상품 개조	3.76	45	45	10
생산공장과의 협력	3.65	65	29	6
중국 과학기술 정보 획득	3.59	53	41	6
판매기구와의 협력	3.35	47	47	6
생산방법 개조	2.94	41	41	18

* 자료 : 寇文煜, 『跨國公司研發本地化實證硏究』, 中國財政經濟出版社, 2004.

<표 8-9> 다국적기업 중국 내 연구개발 활동의 영향 요인

항목	평균 점수	중요(%)	보통(%)	중요하지 않음(%)
중국의 연구 인력 고용	4.47	82	18	0
중국시장 수요에 맞는 상품 개발	4.35	82	18	0
개발 시간 단축	4.12	65	35	0
상품 현지화 개조	3.94	76	12	12
연구개발 비용 절감	3.82	71	29	0
관련 기술 습득	3.29	47	35	18
생산 방법 현지화 개조	3.0	53	12	35
중국의 관련 정책	2.76	30	35	35

* 자료 : 寇文煜, 『跨國公司硏發本地化實證硏究』, 中國財政經濟出版社, 2004.

2) 연구개발센터 설립과 중국 현지화 수요와의 관계

중국시장의 거재 잠재력과 특수성은 다국적기업으로 하여금 중국에서의 연구개발 활동 및 연구개발센터 설립을 촉진하는 주된 요인이다. 다국적기업은 생산 규모의 확대, 시장의 확대 및 중국에서의 현지화 등의 필요성이 강한 산업일수록 더욱 적극적으로 중국에 연구개발센터를 설립하며, 중국 현지의 연구개발 인력을 고용하여 연구개발 활동을 수행하는 경우가 많다. 중국에 연구개발센터를 설립한 산업은 주로 전자통신, 일용화학, 자동차 등의 산업이었는데 비록 공업설비·화공 등에서 다국적기업이 중국에 생산 공장을 설립한 비율이 상당히 높으나 연구개발센터를 설립한 비율은 상대적으로 낮다. 이는 이러한 산업이 현지 자원에 대한 수요 정도가 낮으며 중국시장 및 소비자와 밀착된 산업, 즉 현지화 수요가 높은 산업이 아니기 때문이다.

다국적기업이 중국에서 연구개발센터를 설립하는 것은 다국적기업의 투자액, 시장점유율 등과 밀접한 관련이 있는데, 투자액이 큰 동시에 시장점유율 역시 큰 기업에서 연구개발센터를 설립할 가능성이 높아진다. 또 다국적기업의 중국 내 연구개발센터 설립은 그것이 속해 있는 주요 영역에서의 시장 경쟁의 정도 및 상품 차별화 압력과도 밀접한 관계가 있다. 즉, 상품 차별화 정도가 큰 부문에서는 시장 경쟁의 압력 역시 커질 수 있으며, 이는 다시 새로운 상품 차별화 노력으로 이어져 다국적기업의 중국 내 연구개발센터 설립에 영향을 미치는 것이다. 또한 산업의 시장 분할적 특징과 지리적 차이가 상대적으로 명확한 회사, 중국에서 현지 부합적인 전략을 더욱 많이 이용하는 회사는 더욱 연구개발 기구를 설립하는 경향이 있다(寇文煜, 2004, p. 182).

다국적기업의 중국 내 연구개발센터 설립은 중국시장에서 기업의 지명도를 높이고 기업 이미지를 개선하는 데 역시 효과적이며, 중국정부 및 관련 부서와의 협력을 강화할 수 있는 수단이 된다. 다국적기업의 연구개발센터 설립으로 중국은 신기술 취득과 연구인력 양성, 연구기구 경영 관리 등에서 많은 이점을 향유하고 있다. 연구개발센터의 설립 여부는 중국정부와 기업, 국민들이 현재 다국적기업이 중국에 이익을 주고 있는가를 판단하는 하나의 기준이 되었으며, 다국적기업들이 중국에서 호평을 얻는 중요 수단이 되고 있다.

4. 한국기업의 중국 내 연구개발(R&D) 활동 현황

1) 한국기업의 중국 내 연구개발 활동의 특징

현재 중국에 비교적 규모가 큰 독립 연구개발센터를 설립하여 연구개발 활동을 수행하고 있는 한국기업은 몇 개의 대기업에 국한되어 있으며, LG가 설립한 베이징LG전자부문종합연구소(北京LG電子部門綜合研究所), 선전LG연구개발센터(深圳LG硏發中心), 삼성이 설립한 삼성SDS베이징연구센터(三星SDS北京 硏究中心), 베이징삼성통신기술연구유한공사(北京三星通信技術硏究有限公司) 등이 있는데, 모두 IT 산업 관련 연구개발 활동을 수행하고 있다. 그 외의 한국 기업의 중국 자회사의 주요 활동은 여전히 생산 단계에 집중되어 있으며, 중국 에서 연구개발 업무까지는 본격적으로 추진하지 않고 있다.

산업자원부가 실시한 2003년 누계 한국기업의 중국, 홍콩, 동남아지역으로 의 제조업 투자에 관한 한 조사에 의하면(「한국금형저널」, 2004: 1993, 2003년 누계 한국기업의 이들 지역으로의 투자 중 중국이 약 85%를 차지하며, 홍콩을 포 함한다면 더욱 클 것이므로 중국 투자를 대변할 수 있다고 판단됨), 중국 투자 한 국기업 중 현지에서 연구개발 업무를 수행하고 있는 기업은 매우 적은 것을 볼 수 있는데, 조사 대상 기업의 현지 자회사 중 그 내부에 연구개발 부서를 보유 하고 있는 비율은 17.2%이며, 독립된 연구소를 보유하는 비율은 2.3%에 불과 하여 현지에서 연구개발 활동을 수행하는 비율은 20%에 못 미치고 있다. 또 자 회사가 연구개발과 관련한 활동을 전혀 수행하지 않는 비율이 80%에 달하여, 일반적으로 본사가 연구개발 업무를 담당하며, 자회사는 모회사가 그들에게 이 전한 기술과 상품만을 활용하고 있는 실정이다.

한국기업의 중국에서의 연구개발 활동의 후진성은 다른 나라 다국적기업의 중국 내 연구개발 활동 유형과 비교할 때 더욱 명확해진다. 한국기업의 중국 자 회사는 연구개발 활동을 수행하더라도 그 주된 업무는 모국의 연구개발 활동과 연계된 보조적이고 부차적인 활동에 국한되어 있는데, 연구개발 활동을 수행하 는 자회사의 업무 유형을 보면 주로 기본적인 상품 개조이며 신상품, 신모델 개 발 또는 기초연구 등 창신성 활동의 비중은 매우 적다. 상술한 다국적기업의 중 국 내 연구개발 활동과 관련한 조사에 의하면, 다른 다국적기업의 중국에서의 연구개발 활동의 주요 목표는 새로운 과학과 기술의 탐색, 중국 과학기술 단체

〈그림 8-3〉 한국 기업 중국 자회사의 R&D 업무 조직 형태

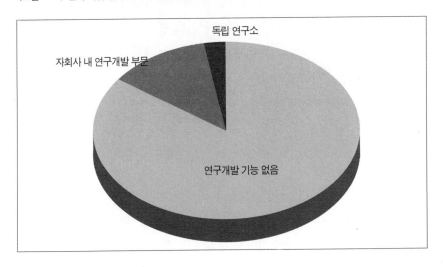

와의 관계 증진 및 신상품 개발 등이었던 반면, 한국기업의 중국 내 연구개발 부문이 주력 수행하는 업무는 상품과 생산 방법 개조 및 단순 시장조사 활동이 었으며, 기초과학 연구는 가장 뒷전으로 밀려났다.

중국에서 연구개발 활동을 수행하는 기업은 많건 적건 중국 내수를 목표로 하고 있는 기업일 것이라고 가정할 수 있는데, 그 대부분의 연구개발 활동이 간단한 상품 또는 생산 과정의 개조에 국한되어 있다. 이에 중국시장에서 판매되는 상품 중 상당 부분이 한국에서 판매되는 상품을 중국에서 생산하여 약간의 가공을 거쳐 다시 중국에 판매하는 것이며, 전문적인 중국시장과 소비자를 대상으로 한 상품의 개발은 아직 본격적으로 이루어지지 않고 있음을 알 수 있다. 또 한국기업이 중국에서 기초과학 연구 활동을 수행하는 경우는 극히 드문데, 한국기업이 중국의 과학기술 인력이나 기초시설을 이용하여 중국에서 기업의 핵심 연구를 수행하려는 의지는 그다지 크지 않음 역시 알 수 있다. 이는 중국의 기초과학 연구 환경이 기업들을 유치하기에 아직 미성숙한 이유도 있겠으나

또 한편으로는 한국기업이 기업 내부기술의 유출을 크게 우려하고 있기 때문이기도 하다.

다국적기업의 중국 내 연구개발 활동은 대체로 IT 업종에 집중되어 있는데, 이는 다른 어떤 분야보다도 중국 IT 시장의 잠재력이 중시되고 있기 때문이며, 또한 대국이라는 특성으로 인하여 중국은 IT 관련 기술표준의 설정에 있어서 큰 영향력을 행사할 수 있기 때문에 다국적기업들은 중국 표준에 맞는 제품 개발을 위해 중국 내 IT 연구개발 역량을 강화하려 하고 있다. 한국과 중국의 IT 산업 경쟁력 수준을 기술, 인력, 투자 등 각 방면에서 비교한 한 조사에 의하면, 비록 현재는 거의 모든 방면에서 한국의 경쟁력이 중국보다 우월하나 2010년경에 이르면 양국 간의 격차가 축소되고 몇몇 부문에서는 중국에 추월당할 수도 있는 것으로 나타났다(박정수, 2004). 중국은 첨단과학 기술인력 수, 연구개발 부문에 대한 투자, 기초산업 등 부문에서 한국을 추월할 것으로 예상될 뿐만

〈그림 8-4〉 한국 기업 중국 자회사의 R&D 활동 유형

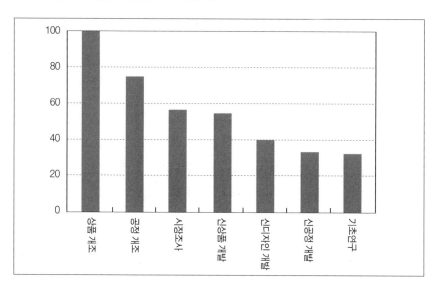

아니라, 현재 중국의 양호한 해외투자 환경과 빠르게 증가하는 시장구매력은
외국의 연구개발 투자를 가속화시킬 것이다.

관련 통계에 의하면, 한국의 IT 산업의 해외투자 지역 중 아시아가 69%를
차지하여 유럽이나 미주지역보다 더욱 큰 비중을 차지하고 있을 뿐만 아니라,
아시아 국가 중에서도 중국이 64%를 차지하고 있으며, 홍콩과 대만을 포함한
다면 70%에 이르는 것으로 나타나, 한국의 IT 산업의 해외투자의 상당 부분이
중국에 집중되어 있는 것을 알 수 있다. 그러므로 중국투자 한국기업은 기술개
발 투자를 강화해야 할 뿐만 아니라, 그 연구개발 활동을 중국으로 이전하여 적
극적으로 현지의 과학기술 자원을 이용하여 중국에서 상품 개발에서 판매에 이
르는 전체 기업 활동의 일체화를 고려해야 한다. 기업 핵심기술의 유출에 대한
우려가 있으나, 투자 목표의 점차적인 중국 내수로의 전환에 따라 한국기업은
자회사의 현지에서의 연구개발 활동 범위와 독립된 상품개발 기능을 더욱 확대
할 필요가 있다.

2) 다국적기업과 한국기업 중국 자회사의 기술 수준 비교

중국투자 다국적기업은 중국 자회사와 적극적으로 본사의 선진기술을 공유
하며, 중국 자회사가 중국에서 이용하는 기술은 비핵심기술이 아니라 오히려
중국기업, 심지어는 본사와 비교할 때도 매우 선진적인 기술인 경우가 많다. 베
이징, 상하이, 선전, 쑤저우 등지의 127개 다국적기업 자회사를 대상으로 한 한
조사에 의하면, 87%의 자회사가 본사의 가장 또는 비교적 선진적인 기술을 도
입해 이용하고 있었으며, 일반 기술을 이용하는 자회사는 13%에 불과했다(江
小涓, 2002, p. 53). 다른 연구에서도 이와 유사한 결과를 볼 수 있는데, 68.4%의
자회사가 가장 또는 비교적 선진적인 기술을 이용하고 있었으며, 31.6%의 자

회사가 비교적 선진적인 기술과 일반 기술을 혼용하고 있었다(王洛林, 2000).

이외에 최근 많은 다국적기업이 중국에 전문적인 연구개발센터를 설립하여 적극적으로 기술개발 업무에 종사하고 있으며, 그 연구 범위 역시 신제품 개발 등에서 기초기술의 연구로 확대되고 있어 자회사의 본사에 대한 기술 의존성은 점차 감소할 전망이며, 일부 기업의 기술 이전 방향은 이전의 본사에서 중국 자회사로의 방향에서 역으로 중국 자회사에서 본사의 방향으로 전환될 가능성 역시 보이고 있다.

이와 비교할 때, 산업자원부가 실시한 한국기업의 중국 자회사의 생산기술에 관한 한 조사에 의하면, 본사와 비교하여 자회사가 동등한 수준의 상품을 생산하는 비율은 60.5%, 보다 수준 높은 상품을 생산하는 비율은 6.6%, 보다 낮은 수준의 상품을 생산하는 비율은 24.4%로 본사와 동등한 수준의 상품을 생산하는 비율이 가장 크다. 한국기업 본사의 중국 자회사로의 기술 이전 역시 비교적 낙후되어, 본사가 중국 자회사로 핵심기술을 이전하는 비율은 30.4%이며, 비핵심기술을 이전하는 비율은 45.6%, 심지어 어떠한 기술 이전도 없는 경우 역시 22.1%에 달했다(「한국금형저널」, 2004). 이들 수치로 볼 때 한국기업

〈표 8-10〉 다국적기업 중국 자회사의 기술 수준

	기업 수	비율(%)
본사와 비교할 때		
가장 선진기술 이용	53	42
비교적 선진기술 이용	57	45
일반기술 이용	17	13
중국 기업과 비교할 때		
중국에 없는 기술 이용	83	65
선진기술 이용	44	35

* 자료 : 江小涓, 『中國的外資經濟』, 中國人民大學出版社, 2002.

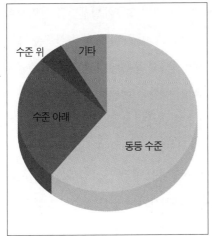
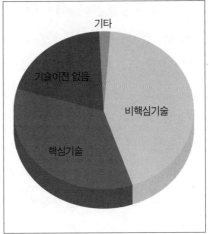

중국 자회사의 생산 및 상품 수준은 다른 다국적기업 중국 자회사와 비교해 볼 때 상대적으로 낮은 편이며, 본사의 자회사에 대한 기술 통제 역시 비교적 강한 편인 것으로 나타났다.

5. 맺음말

1990년대 중·후반기에 이르러 다국적기업들은 중국에서 적극적으로 연구 개발 활동을 수행하기 시작하였으며, 연구개발센터의 설립에도 박차를 가하고 있다. 이러한 다국적기업의 중국 내 연구개발 활동은 무엇보다도 중국의 거대 시장을 염두에 둔 것이며, 이를 증명하듯 대다수 연구개발 활동은 중국시장에 적합한 상품 개발을 위주로 하고 있다. 그러나 일부 다국적기업에 있어 기초연 구 역시 이루어지고 있는데, 이는 다국적기업이 중국의 상대적으로 저렴하고도

풍부한 과학기술 개발 능력 및 연구 환경을 높이 평가한 데 기인한다. 이렇듯 다국적기업들은 중국 내 연구개발센터의 설립을 통하여 중국에서의 일차적인 생산 및 내수에서 한 걸음 더 나아가 중국시장 깊숙이 침투하고 정착하려는 장기적인 발전 목표를 지향하고 있다. 그러나 한국기업의 중국에서의 연구개발 활동은 상품과 공정 개조 등 주로 모국의 연구개발 활동과 연계된 보조적이고 부차적인 활동에 국한되어 있으며, 본사의 중국 자회사로의 기술 이전 정도 역시 비교적 낙후된 수준이다.

다국적기업들이 중국에서의 연구개발 활동을 꺼려하는 가장 큰 이유는 중국으로의 기술 유출로 인하여 기업이 역타격을 입지나 않을까 하는 우려이다. 다국적기업들의 중국 내 연구개발센터 설립 붐은 중국의 산업구조 고도화와 기술 혁신체제 구축을 촉진시켜 우리와 중국 간의 기술 격차를 축소시킬 가능성이 있다. 그 밖에 중국의 연구개발 환경에 있어서 역시 연구개발 인력의 부족, 중국의 지적재산권 보호 미흡, 연구개발 부대시설의 등의 문제가 남아 있다.

그럼에도 불구하고 중국시장의 성장 잠재력과 세계시장에서 중국시장이 차지하는 비중 등을 고려할 때, 중국 내 연구개발센터의 위상과 역할은 앞으로 크게 제고될 전망이다. 실제로 여러 기업들이 향후 중국 내 연구개발센터의 활동을 중국시장용 제품 개발에서 세계시장용 제품 개발로 확대하고, 각 계열사에 내부 기구로 존재하던 연구소들을 통합하여 대형화, 독립 법인화하는 등 인력 및 자금 투입 규모를 대폭 확대할 계획을 속속 발표하고 있다. 그러므로 중국투자 한국기업은 그 연구개발 활동을 중국으로 이전하여 적극적으로 현지의 과학기술 자원을 이용하여 중국에서 상품 개발에서 판매에 이르는 전체 기업 활동의 일체화를 고려해야 한다. 투자 목표의 점차적인 중국 내수로의 전환에 따라 한국기업은 자회사의 현지에서의 연구개발 활동 범위와 독립된 상품개발 기능을 시급히 확대할 필요가 있다.

〈참고문헌〉

長城企業戰略研究所, 『R&D擁抱中國: 跨國公司在華R&D的研究』, 廣西人民出版社, 2002.

李蕊, 『跨國公司在華研發投資與中國技術跨越式發展』, 經濟科學出版社, 2004.

寇文煜, 『跨國公司研發本地化實?研究』, 中國財政經濟出版社, 2004.

趙景華, 『跨國公司在華子公司戰略研究』, 經濟管理出版社, 2002.

江小涓, 『中國的外資經濟―對增長, 結構升級和競爭力的貢獻』, 中國人民大學出版社, 2002.

楊先明, 『國際直接投資, 技術轉移與中國技術發展』, 科學出版社, 2004.

王忠明, 『世界500强在華經營戰略』, 廣東經濟出版社, 2002.

孫遇春·徐培華 主編, 『著名跨國公司在華競爭戰略』, 中國出版集團東方出版中心, 2004.

邁克兒·波特, 『競爭優勢』, 華夏出版社, 1997.

楊先明·葛順奇, "跨國公司R&D的國際化戰略", 「世界經濟」, 2000年 第10期.

閻化海·陳金賢, "跨國公司在華R&D的當地化趨勢", 「鄭州紡織工業學院學報」, 1999年 第10期.

薛瀾·沈群紅·王書貴, "全球化戰略下跨國公司在華研發投資布局―基于跨國公司在華獨立研發机構行業分布差异的實證分析", 「管理世界」, 2002年 第3期.

康敬琦, "核心競爭力與跨國公司在華發展戰略之研究", 「商業研究」, 2003. 8.

章文光, "跨國公司价值鏈布局與中國企業", 「中國流通經濟」, 2004年 第1期.

『中國統計年鑒』, 2003, 2004.

홍성범, 「중국 내 다국적기업의 연구개발거점 확보 전략」, 과학기술정책연구원, 2003. 2.

김석진, 「글로벌 R&D 기지 꿈꾸는 중국」, LG경제연구원, 2004. 9.

이문형, 「중국의 세계 R&D 거점화에 대비해야」, 산업연구원, 2005. 5.

박정수, 「한국과 중국의 IT 산업 경쟁력 비교」, 산업연구원, 2004.

지만수, 『중국투자 한국기업의 경영 현황과 시사점』, 대외경제정책연구원, 2004.

"해외 제조업 투자실태 조사결과 분석", 「한국금형저널」, 2004. 1.

"중국투자의 최대 동기는 '비용 절감·시장 개척'", 「물류잡지」, 2004. 2.

「한국의 중국투자 현지법인 경영현황 분석」, 한국수출입은행, 2004. 2.

중국 상무부 사이트 www.mofcom.gov.cn

중국 과학기술통계 사이트 中國科技統計 www.sts.org.cn

제9장 중국 내 기업의 사회공헌 활동 실태 조사 연구 및 한국기업의 대응

1. 서론 : 중국 내 기업들의 사회공헌 활동, 왜 중요한가?

오늘날은 기업과 사회의 관계가 날로 밀접해지는 시대로 기업과 사회가 공동으로 이익을 나누고 서로 함께 발전해야 할 때이다. 현대의 지식경제사회에서는 인간과 인간, 사회 안의 각종 관계망이 중시되기 때문에 기업과 사회가 좋은 관계를 형성하는 것은 양자 모두에게 이익을 가져와 서로가 함께 발전할 수 있는 토대가 된다. 특히 경제발전과 더불어 사회 안정을 꾀하고 있는 중국에서, 샤오캉(小康) 단계에 이르기 위하여 인민의 삶의 질 향상이 필수불가결한 요소가 되었다. 개혁개방 이후, 중국의 눈부신 경제발전은 중국 위협론으로 이어질만큼 빠르게 진행되고 있다. '한솥밥(大鍋飯)' 정책으로부터 '선부론(先富論)'에 근거한 경제발전의 과정 동안, 많은 기업들과 사람들은 돈 버는 문제만을 중요시하게 되었고, 그 결과 일련의 사회부작용(부정부패 문제, 소득격차 문제, 지역발전의 불균형, 분배문제, 실업문제, 전통 미덕을 저해하는 사회윤리 문제 등등)

이 드러나고 있다. 이러한 문제들은 최근 들어 많은 사람들의 관심을 불러일으키게 되었는데, 특히, 2003년 중국에서 발생한 사스(SARS)를 계기로 중국인들은 '인민 생활의 삶의 질' 문제를 심각하게 돌아보는 기회를 갖게 되었다. 중국이 바라는 현대화의 궁극 목표는 사회주의 경제발전과 사회발전을 동시에 이루는 것이다. 즉, 전 인민이 공동으로 발전하고 공동으로 부유해지는 것이다. 그러나 현실적으로 중국은 넓은 국토와 각기 다른 지역의 발전 속도 등의 여러 요인으로 인해 전 인민이 평등한 복지 혜택을 받는다는 것이 힘든 상태이다. 이에 필자는 민간복지 재원, 특히 기업복지 재원의 민간 조달이 사회복지의 재분배 문제에 긍정적인 영향을 미침에 따라, 기업의 사회책임의 중요성을 강조하는 바이다.

경제발전과 동시에 사회 안정을 꾀하려는 중국정부의 정책이 잘 이루어지려면, 먼저 부(富)를 축척해 발전하고 있는 중국기업의 역할이 무엇보다도 중요하다고 생각한다. 중국정부의 노력도 중요하지만, 먼저 부유해진 기업들의 사회를 생각하는 마음이 실질 인민사회 안정과 발전으로 이어지기 때문이다.

2003년 중국은 미국을 제치고 세계 최대의 외국인 직접투자 유치국으로 부상했다. 중국기업뿐 아니라 중국에 진출한 많은 외자기업들이, 이제는 물건을 만들어 파는 일에서 한 단계 올라가 기업 이익을 사회에 환원하는 일을 생각해야 중국의 진정한 선부론에서 공동부유론이 실현됨은 물론, 기업 자신의 장기 발전으로도 이어질 수 있다. 경제성장 속도에 못지않게, 중국사회의 의식도 빠르게 변화하고 있다. 중국사회는 끊임없이 외자기업들의 사회 활동을 주시하고 있다. 필자는 중국에서 많은 외자기업들이 단순히 물건을 파는 일뿐 아니라 맥도날드(교통카드 대리판매, 아이들과 함께하는 오락 활동)나, 기타 외자기업들이 사회사업을 병행하여, 사회 환원의 기업정신을 실천하는 모습들을 볼 수 있었다. 이러한 활동들은 기업의 시장 공략을 위한 전략 중의 하나로, 기업의 이미지 제고를 위해 시작했다고 할 수 있지만, 근본적으로는 기업 자신의 발전과 연관된 기업의 사회책임의 수행이라고 할 수 있으며, 인민의 생활 수준 발전과도 연결되고 있다. 중국에 투자한 기업들이 장기적으로 성공하기 위해서는 중국사회의 발전과 그 요구도 빠르게 읽어 내어 대응해야 한다. 이를 위해서는 새로운 기업정신과 기업문화가 확립되어야 할 것이다.

이에 따라, 본 글에서는 중국에서의 기업 사회책임 의미를 살펴보고, 중국기업과 외자기업들의 중국 내 사회공헌에 관한 실태조사를 통해 우리 기업들이 중국사회를 새롭게 인식하고 대응해야 함의 중요성을 일깨우려는 데 목적이 있다. 먼저 중국사회의 발전과 기업의 역할, 중국기업들의 사회책임에 대한 인식과 발전 과정의 변화를 고찰하고, 중국기업과 외자기업들의 중국 내 사회공익 활동은 어떤 동기와 방식으로 이루어지고 있는지 실태조사를 통해 비교연구를 하고자 한다. 그리고 이를 토대로 한국기업의 대응 방안을 모색하고자 한다.

2. 중국에서의 기업과 사회의 관계

1) 중국에서의 기업과 사회관계의 변화

중국의 사회주의 계획경제 시기, 기업과 사회의 관계는 시장기제하의 기업과 사회관계와는 조금 다른 형태를 보인다. 특히 계획경제 시기, 기업과 사회의 환경 관계를 연구하다 보면 사회와 정치 부분이 기업에 특별한 영향을 미치고 있음을 알 수 있다. 다시 말해, 정부의 경제 정책 요소가 기업의 수량과 업종, 생산품 종류의 결정에 깊은 영향을 미치며, 중앙과 지방정부는 기업과 상당히 밀접한 관계를 맺고 있다. 사회 부분은 특히 기업의 업종과 특수상품의 생산 결정, 기업의 공회 및 기타 조직의 관계 형성에 밀접한 영향을 미치고 있다. 즉, 사회 환경의 요소가 기업에 큰 역량을 발휘하고 있으며, 기업은 그 환경에 적응하는 관계의 형태를 보인다. 계획경제 시대의 기업의 환경이란 상당히 제한적인 환경이라 할 수 있으므로, 지금 우리가 기업의 사회책임을 논할 때 사용하는 기업과 사회의 관계와는 조금 다르다고 할 수 있다. 다시 말해 기업의 사회책임이라 논하기보다는 정부의 사회책임이라는 말이 어울릴 수 있겠다. 오히려 이 시기 기업의 사회책임은 미시적 환경하의 사회책임이라고 할 수 있는데, 이처럼 사회적·환경적 요소가 기업에게 큰 영향을 미치고 있었던 시기, 특히 1958~1960년 중국의 '대약진' 시기와 '인민공사' 운동의 좌경화 시기는 기업이 사회 환경적 요인을 가장 크게 받았던 시기로 대표할 수 있다. 이때 정부는 기업 관리의 '시아팡(下方)'만을 강조한 정책 때문에 기업의 정상적 경영 질서를 깨는 결과를 초래한 대표적 시기로서, 사회 환경이 기업에 과도한 영향 관계를 행사했던 대표적 시기이다. 즉, 계획경제 시기에는 사회발전의 책임이 국가에 있었기 때문이며, 기업의 사회 역할은 단지 국가가 안배한 환경 내에서만 발휘될 수 있도록 되어 있었기 때문에, 기업의 자율적 사회책임 활동은 찾아보기 힘든 시기였다.

1978년 개혁개방 노선의 선택 이후 1979년부터 기업개혁이 시작되었는데, 기업의 자주권을 확대함으로써 기업의 효율을 제고하고 생산력을 증가시키려는 국가의 정책이 그것이다. 이때부터 중국기업들은 시장 개념에 대한 이해와 더불어 서비스 개념, 기업간의 경쟁 개념 등등을 새롭게 인식하게 되었으며, 기업과 사회에 관한 인식 자체가 변화하게 되는 전환점을 맞이하게 된다. 계속되는 기업개혁으로 기업들은 사회책임에 대한 인식도 달라지게 되었고, 법률로써 기업과 사회의 영향 관계[1]가 새롭게 조정되게 된다. 그러나 기업개혁의 주요한 목표가 기업의 시장 적응 능력과 기업 자아의 경영 능력 발휘에 주된 초점이 맞춰져 있었기 때문에 기업의 사회책임의 측면보다는 기업의 사회 환경에 대한 작용과 영향에 더 크게 치중되어 있었다. 결과적으로 사회 환경은 기업의 생존과 발전에 유리한 환경으로 변하였다. 이는 기업의 시장 환경이 안정적으로 성숙하지 못하였고, 기업의 사회 환경 자체가 변동성이 강할 뿐 아니라. 그 환경의 변화 역시 비균형적인 성격을 띠고 있었기 때문이다. 1990년대 이후, 중국에 진출한 다국적기업의 적극적인 사회 활동과 그 영향으로 인해 중국기업계에서도 사회를 새롭게 인식하기 시작하였으며, 기업의 사회적 역할과 영향 그리고 그 책임 등에 대해 적극적인 인식 변화가 시작되었다. 또한 기업 자체의 경영혁신 노력, 중국 경제사회의 발전과 변화 역시 기업이 사회를 재인식하는 데 큰 역할을 하였다.

중국사회 발전에 문제에 대한 중국기업의 역할은, 크게 중국 경제발전과 사

〈그림 9-1〉 중국기업의 경영 환경 변화

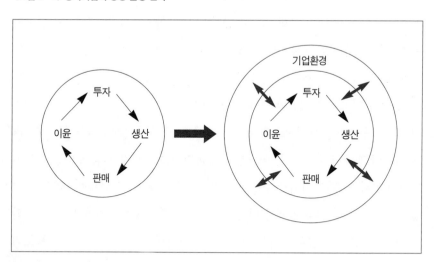

---

1) 기업의 사회책임 방면으로는 소비자권익보호법, 환경보호법, 에너지자원사용에 관한 법 등을 들 수 있다.

회발전의 협조문제에 대한 기업의 역할문제, 빈부 차이의 확대문제와 사회 빈곤층 문제 해결에 대한 기업의 역할문제, 중국사회 발전의 지역균형 문제에 대한 기업 역할의 문제 등을 꼽을 수 있다.[2]

2) 중국기업의 사회책임 발전

일반적으로 기업의 사회책임(corporate social responsibility)이란 기업 활동으로 인해 발생하는 경제·사회적 문제를 해결함으로써 기업을 둘러싼 이해 관계자와 사회 일반의 요구나 기대를 충족시켜 주기 위한 기업 행동의 규범적 체계를 의미한다. 기업의 사회적 책임에 대한 문제는 미국에서 자유로운 경쟁을 부당하게 제한하던 카르텔이나 트러스트를 금지하기 위해 시작되었으며, 베트남전쟁 이후 사회의 가치와 제반 환경이 변하면서 본격적으로 논의되었다. 특히 현대 기업은 규모의 확대로 막강한 기업권력(경제적, 사회적, 정치적 측면에서의 영향력)을 행사할 수 있게 됨에 따라, 그에 따르는 책임의 수행을 사회로부터 적극적으로 요청받게 되었다. 따라서 현대 기업은 사회적 이익의 증진을 위해 기업과 사회 사이에 형성할 수 있는 바람직한 관계를 갖도록 노력해야 한다는 것이다. 경영학자 캐롤(Carrol, 1979)은 기업의 사회적 책임을 4가지로 분류하고 있다. 즉, 경제적(economic), 법적(legal), 윤리적(ethical) 책임, 자유재량적(자선적) 책임이 그것인데, 이후 캐롤은 기업의 자선적 책임 부분을 '기업시민 정신(corporate citizenship)'이라고 명명하였다[3](김영재·조창욱, 2002, p. 256). 기업의 사회적 책임에 대해 많은 시간 동안 반대론과 찬성론의 논쟁[4]은 계속되어 왔지만, 최근 들어서는 반대론과 찬성론을 종합한 '기업 전략적 차원

---

2) 정혜영, 「중국기업의 사회공익사업 발전에 관한 연구」, 중국인민대학교 경제심리학 박사학위 논문, 2005. 5., pp. 35~45 참조.

의 사회책임' 논의가 주류를 차지하고 있다.

중국에서의 사회책임이란 기업이 스스로 생존 발전하는 것을 보장함과 동시에 전체 사회의 요구에 부응되며 사회와 경제가 정상 운영되는 조건하, 국가와 인민의 전체 이익을 보장하는 의무 이행을 말한다. 중국에서의 기업 사회책임에 대한 관심의 역사는 그리 깊지 않다. 주로 기업의 생산과 경영 활동에 관심을 두고 있던 중국기업계는, 최근 들어 다국적 외자기업들이 중국의 사회책임과 대중의 영향 관계를 중시하는 경영에 관심을 두기 시작하면서 본격적인 사회책임에 관심을 갖게 되었다.

중국에 있어서의 기업 사회책임의 가치관은 역사 단계에 따라 비교적 큰 차이를 보인다.

첫째, 중국의 전통 사회윤리에 기초한 기업의 사회책임을 살펴보자면, 윤리에 있어 사회감독 부분을 경시하고 인(人)과 인(人)의 관계와 개인수양적 윤리를 중시하였다. 이 때문에 사회책임 부분에 있어 형식화된 제도 부분보다는 비정식화된 사회 메커니즘에 의해 사회윤리가 성립되었다. 특히 유교 문화의 영

---

3) ① 경제적 책임. 경제학자 밀턴 프리드만(Milton Friedman)이 주장하는 이윤극대화의 관점으로, 기업의 이윤 증대를 유일한 사명으로 하는 이윤 지향적 기반 위에서 활동해야 한다는 주장이다. 이러한 접근법은 경제적 이익 창출로 사회 부를 증가시키는 것만이 기업의 유일한 사회적 책임이라 인식하고 있다.
　② 법적 책임. 기업이 경제적 책임을 수행하는 데 있어서 각종 법률과 규정을 준수해야 하는 제약조건이다. 법은 사회적으로 옳고 그른 행동을 성문화해 놓은 것이므로 기업은 이를 충실히 지켜야 한다는 주장이다. 환경 관련법, 소비자보호법 등과 같은 기업이 사회에서 활동해 나가기 위해 반드시 지켜야 할 기본적인 책임이다.
　③ 윤리적 책임. 반드시 성문화할 필요는 없고, 기업의 직접적인 경제적 이익과는 관련이 없는 행동도 포함한다. 옳고 그름에 대한 사회적인 규범에 따라 기업을 운영해야 한다는 것이다.
　④ 자유재량적 책임. 법률이나, 윤리에 의해 강요되거나 혹은 사회적으로 기대되는 것이 아닌, 기업이 순수하게 자발적으로 떠맡는 책임을 말한다. 김영재·조창욱 등 공저, 『기업과 사회』, 삼영사, 2002, p. 256 참조.
4) 기업의 사회책임에 있어 자발성은 사회적 책임의 본질인데, 부정론은 사회적 책임의 자발성과 자율성을 거부하고 그것을 제약조건으로 하는 데 반해, 긍정론은 그것을 전제로 하고 있다. 양론의 공통점은 자유기업체제를 인정하며, 정부 활동의 증대, 기업 자유의 축소 방향으로 나아갈 가능성을 인정한다는 것이다. 여기에 문제가 되는 것은 기업의 자주성, 자율성, 주체성의 요구와 정부의 기업에 대한 제약, 통제, 간섭, 제재와 역설(paradox)이다. 이러한 역설을 해결하기 위해서는 정부와 기업의 상호존중과 협력관계 수립이 중요하다(정수영, 1996, p. 432).

향 아래 기업들은 인격화된 기업의 모습이 중시되어 왔다. 중국 전통 상업의 도덕 정신에서 강조하는 '상경지도(商經之道)'란, '상도(常道)', 즉 '인도(人道)'를 말하는 것으로 예로부터 상인은 국가와 백성을 위해 사회책임감을 지녀야 함이 강조되었다. 상인의 사회책임 정신과 자선사업은 중국 상업의 발전 과정 중에 끊임없이 강조된 덕목이며, 상인의 품성에 기본이 되는 덕목이기도 하다.

둘째, 사회주의 계획경제 시기에 있어서 기업가는 이윤만을 추구할 경우 곧 비판의 대상이 되었다. 국유기업은 곧 국가계획경제의 단순한 집행 단위였을 뿐 아니라 인민생활의 복지 장소가 되었다. 즉, 기업은 사회 운영(企業辦社會)을 맡아야 하고, 국가에서 주는 밥(大鍋飯)을 일괄적으로 먹어야 하는 것이다. 이 시기 경제학계는 기업의 사회책임을 구체적으로 언급하지는 않았지만, 실질적으로는 기업은 사회책임을 충실히 실행하고 있었다고 할 수 있겠다. 실제 기업들은 노동자의 복지문제를 요람에서 무덤까지의 과중하게 부담하고 있었으므로 기업의 사회책임 문제를 강조할 필요가 없었는지도 모르겠다. 정부가 전체 사회책임의 문제를 계획하고, 기업은 이를 실천하는 구조로 되어 있었으므로, 후에는 기업경영 자체의 효율문제에 직면하는 장애를 초래하였다. 그리하여 한때는 사회의 기업책임 문제, 즉 기업 발전에 유리한 사회 환경을 조성하여 기업경영에 활력을 불어넣어 주기 위한 사회의 기업책임 문제가 대두되기도 한다. 특이할 만한 것은 이 시기 '단위제(單位制)', 사회 속의 단위조직은 국가(정부)에 의탁하고 있었으며, 개인은 단위조직에 의탁되어 있는 구조였다(李路路, 2000, p. 3). 여기에 다시 국가는 단위조직을 통제하고 관리하는 구조하에 사회를 정합시키는 역할을 하고 있었으므로, 사회구조 자체가 마치 벌집 모양으로 나뉘어져 있었으며 각각의 조직은 수직 방향으로 연결이 되어있을 뿐 횡방향으로는 연결되지 못하였다. 따라서 사회참여의 방향도 수직 방향으로 존재할 뿐 각 사회조직 간의 횡향 연결로 이루어지는 활동을 찾아보기 힘든 상태였다. 따라서 국가(정부)를 제외하고는 그 어떤 사회조직(기업 포함)도 사회구성원을 대상으로 한 직접적인 사회공헌 활동의 전개를 찾아보기 어렵다. 기업의 사회참여 역시 국가로부터의 조직동원하에, 수직적 형태로만 가능하였다. 사회의 공공 영역은 본래 정부의 영역이었으며, 사회복지와 공익 활동 역시 정부의 영도하에 진행되었기 때문에 현대적 의미의 기업 사회공헌 활동은 찾아보기 힘들다 하겠다. 이 시기 사회복지 영역의 활동은 국가가 중국인민구제총회(中國人民救濟總會), 중국홍십자회(中國紅十字會), 중국복지회(中國福利會), 중국아동보호국가위원회(中國保衛兒童全國委員會)[5] 등의 조직을 두어, 각기 그 영역에서 중요한 공익 활동을 전개하고 있었다. 이들은 단체나 개인의 자격으로 정부조직과의 협력하에 사회사업이나 복지 활동에 참여하고 있었으며, 실제 기업이 스스로 사회의무를 부담하는 경우는 거의 찾아보기 힘들다. 현대 사회에서 우리가 말하는 자선사업의 개념은 사회의 횡적 영역의 참여이지만, 단위제 사회에서의 자선사업은 국가 차원의 수직적 공익사업이라 할 수 있다. 한편, 기업이 자율적인 사회참여를 실시하지 못했던 제도적 이유를 정리하자면, 먼저 기업경영자는 개인 기업재산을 소유하지 못했으며, 둘째, 기업은 각급 행정기관의 부속물에 불과한 역할을 하고 있었기 때문에 정부의 지령성 지시만을 수행할 뿐 독립적인 결정권을 지니지 못했기 때문에 사회 활동의 참여도 자유롭지 못했다. 셋째, 기업 자체가 이미 사회복지 부분을 충분히 부담하고 있었기 때문에 다시 과중한 사회책임의 의무를 수행하기를 꺼려했다. 넷째, 기업 영도자 역시 국가의 행정관리인에 불과한 직책이었으므로 현대 기업에서 말하는 기업가의 성격과는 차이가 있었다. 따라서 그들이 지닌 책임과 권한의 내용이 다를 뿐 아니라 외부로부터 그 어떤 사회책임 경영의 의무 이행 압력이 없었기 때문이다.

---

5) 中國社團硏究會, 『中國社團發展史』, 北京 : 當代中國出版社, 2001. 11, pp. 671~672 참조.

셋째, 개혁개방 정책과 기업개혁의 시작 이후 비로소 중국에서는 1980년대 말 본격적으로 기업의 사회책임이 논해지기 시작하였다. 경제발전 위주의 성장 정책으로 나타난 부작용, 즉 환경오염, 기업의 부정당 행위, 실업자 발생문제, 국유자산 유실 등의 문제를 해결하기 위한 기업의 사회책임과 도덕성 확립 운동이 그것이다. 구체적으로는 기업의 기본 경제 활동 직무의 발휘, 기업과 국가관계의 발전, 기업과 사회관계의 발전, 기업과 인류의 발전문제 등이 언급되었다. 이 시기에는 기업은 사회주의 방향의 사회책임을 견지함과 동시에 사회주의 정신 문명 건설에 이바지해야 함이 강조되었을 뿐, 기업의 자선 책임의 단계는 구체적으로 언급되지 못했다. 사회주의 시장경제체제가 본격적으로 확립되어 가던 1994년부터는 '기업의 사회책임'이 많은 사람들의 주목을 받기 시작하였는데, 국유와 집체기업은 경영권과 소유권 분리가 확립되어 독립적 경영이 실현되고, 사영기업과 개체기업의 기업수가 증가함에 따라 기업들이 자신의 이익만을 중요시하여 나타나는 사회부작용들이 노골적으로 드러나던 시기였기 때문이다. 하지만 중국에서는 인민 군중의 의식이 아직도 정부의 권위에 도전할 만큼 크게 성장하지 못하였으며 오히려 정부 권위에 의지하고 있는 만큼, 서방에서처럼 강력한 시민의식이 기업의 활동을 견제할 정도로 크게 작용하지 있지는 못했다. 따라서 기업의 사회책임과 감시와 견제 역시 정부가 제정한 기업법(公司法)[6] 등에 의지하고 있는 상태이다. 중국에서는 아직도 기업의 사회책임에 대한 명확한 정의와 경계 설정이 없을 뿐 아니라 이에 대한 평가 표준도 확립되어 있지 않은 상태이다. 이러한 상황하에 다국적 외자기업과 일부 중국 기업들은 이미 시장에서의 우위와 지역사회 관계 강화를 위해 기업의 사회책임을 충실히 이행하고 있다.

---

6) 중국의 기업법(公司法)은 기업의 사회책임 정신을 강화하는 항목을 포함하고 있는데, 기업영리 획득과 사회책임 이행의 2가지 기업 목표를 동시에 인정하고 있다.

〈표 9–1〉 중국기업의 사회책임 역사 함의 변천

내용 분류	계획경제 시기	→ 사회주의 시장경제 시기
명칭	기업의 사회 운영	→ 기업의 사회 책임
본질	기업 발전의 무거운 부담	→ 기업의 사회자본
수익자	기업 노동자 및 그 가족	→ 기업의 이해 관계자
핵심 내용	노동자의 사회복지 제공	→ 기업이익 제고 / 사회 공헌
행위의 근거	국가 정책	→ 기업 시민의식 / 법률 법규 / 윤리의식
행위의 방식	정치 행위	→ 기업의 경제, 도덕 행위
실행 목적	행정 임무 수행	→ 기업과 사회의 상호 발전과 이익
행위 주체	상급기관	→ 기업 / 기업주 및 경영자
행위 방식	무제한의 복지 제공 '大包干'	→ 사회 공익(자선) 활동
자금원	국가 자금	→ 기업 경영자금
행위 참여자	기업	→ 기업의 직원 및 경영자
행위 결과	기업의 경영 부담 가중	→ 기업, 사회, 정부에 효익 제공

3) 중국기업의 사회공헌 활동

일반적으로 기업 사회공헌 활동(corporate philanthropy)에 대한 정의를 명확하게 내리는 것은 쉽지 않다. 이것은 사회공헌 활동의 개념이 가끔 기업의 사회적 책임, 기업윤리, 기업의 지역사회 활동, 기업의 자선행동 등의 개념과 부분 또는 전체적으로 혼동되어 쓰이기 때문이다. 사회공헌이란 사회문제를 일시적으로 위안하는 데 머물지 않고 민간 차원에서 사회문제를 적극 해결하고, 나아가 삶의 질(quality of life)을 향상시키기 위해 행하는 기업의 비영리적인 행위 전부를 포함하는 것이다. 기업 사회공헌 활동의 가장 큰 특징은 기업 고유 활동(유통, 생산, 판매, 인적자원 관리, 재무관리 등)과 직접적인 관계가 없는 곳에, 기업의 자원을 단지 '사회를 위해서'라는 의미로 투입한다는 것이다. 이러한 사회공헌 활동은 물질적 자원과 인적 자원 활동을 통해서 일어나는데, 인적 자원 활동은 주로 봉사 활동을 중심으로 진행되고 있다. 물질적인 공헌 활동은 다시 기업재단을 통하는 것과 기업이 직접기부(corporate giving program)하는 2가지 형태가 있다. 이와 같은 활동은 사회 속에서 이미 기업이 사람과 마찬가지로 하나의 책임과 역할을 맡고 있는 존재로 인정되고 있음을 뜻하는 것이다(김영재·조창욱, 2002, p. 302). 사회공헌의 대부분을 차지하는 공익사업은 원래 정부가 담당하는 분야지만 개개인의 다양한 욕구를 수렴하기 위해 기업이 공공 분야에 참여하는 일이 필요해졌으며, 이러한 다원성이 사회 전체의 후생을 향상시킨다. 또한 사회공헌의 확대는 기업의 권력 증대에 따른 사회적 이슈를 완화시키며 사회와 기업 모두에게 인간성 회복의 도움을 준다. 또한 기업이 사회공헌 활동의 결과로 얻은 좋은 이미지는 곧 기업의 무형자산이 된다. 기업공헌 활동은 동기 유형에 따라, 다시 기업시민론과 기업경영 전략론으로 분류할 수 있다.[7] 많은 현대 기업들은 경영 전략론적 가치에 근거하여 공익 활동에 참여

---

7) 기업시민론적 가치에서 말하는 이익이란, 사회 전체가 좋아짐으로써 저절로 주어지는 이익이고 또한 반드시 해당 기업에게만 주어지는 것이 아니라 모든 기업이 다같이 공유할 수 있는 장기적, 간접적 이익을 의미한다. 만일, 기업공익 활동이 단기적, 직접적 이익을 주어야 한다고 생각한다면 이것은 기업경영 전략론이라 할 수 있다. 기업시민론적 지향성을 가진 기업은 사회공헌 활동을 해야 하는 이유를 다음과 같이 정당화한다. 즉, 모든 기업은 사회를 발전시키는 데 기여해야 할 책임을 가지며, 기업은 사회발전을 위한 책임을 수행하기 위한 노력의 일부로서 공익 활동에 참여해야 한다는 것이다. 반면에, 기업경영 전략론적 지향성을 가진 기업은 사회공익 활동의 이유를 다음과 같이 정당화한다. 즉, 기업이 공익 활동을 해야 하는 이유는 공익 활동에 참여하는 것이 기업에게 이익이 되기 때문이라는 것이다(이수경, 1999, pp. 4~8).

기업에 따라 기업경영 전략론적 가치와 실행 동기는 다를 수 있는데,

첫째, 기업경영 전략론적 가치는 기업의 매출액을 증가시키려는 생각으로 나타날 수 있다. 이와 같은 생각에 근거한 기업공익 활동을 흔히 '공익 연계 마케팅(cause-related marketing)'이라 부른다.

둘째, 기업경영 전략론적 가치는 기업의 공중관계(public relations)를 향상시키려는 의지(willingness)로 나타날 수 있다. 이와 같은 의지를 가진 기업의 경우에는, 공익 활동에 대한 참여 여부가 공익 활동에 참여함으로써 기업의 성패에 중요한 영향을 미칠 수 있는 주요 이해 당사자들(stakeholders)로부터 얼마만큼의 긍정적인 인식을 얻어 낼 수 있는가에 따라 결정될 것이다.

셋째, 기업경영 전략론적 가치는 기업의 노사관계를 향상시키려는 생각으로 나타날 수 있다.

넷째, 기업경영 전략론적 가치는 기업의 조세 전략의 일환으로 나타날 수 있다. 공익 활동에 대한 기업 기부금에 관련된 세제상의 혜택이 변화됨에 따라 기업의 기부액이 변화한다면, 그 경우의 기업은 공익 활동을 조세 전략의 일환으로 사용하는 경우라 할 수 있다.

하고 있으며, "우리 기업에게 지금 현재 이익이 되는 것이 무엇인가?"에 따라 공익 활동에의 참여 여부와 공익 활동의 구체적 전략을 결정한다.

개인의 자선행위와 마찬가지로 기업의 사회 활동 역시 각국의 사회·문화적인 전통, 정부의 역할, 복지체계와 분배구조 등에 따라 다양하게 나타난다. 일반적으로 기업 사회공헌 활동은 주로 기업 기부, 기업재단 기부, 공동 모금, 기업 인력의 자원(自願) 참여 등의 유형으로 참여하며 그 대상은 교육, 의료, 사회복지, 문화, 예술 등 다양하게 펼쳐진다. 그러나 중국에서는 과거 사회주의 경제체제의 영향과 그리 깊지 않은 기업개혁의 역사로 인해, 기업들의 재단 성립이 아직 미비할 뿐 아니라 기업 사회공헌 사업에 대한 구체적인 실천 방법도 발전해 있지 않다. 이 분야에 대한 정부 지원도 미비한 상황이며 기업들의 실제 참여도 적극적이지 않았지만, 본 연구조사 결과 중국기업 경영자들은 기업 공익사업에 관하여 깊은 관심과, 효과적인 참여에 많은 관심을 가지고 있음이 나타났다. 중국에서의 기업 사회공헌 사업은 '기업 사회공익 사업'으로 흔히 일컬어지고 있으며, 기업들은 주로 기업 기증의 형태로 참여하고 있다. 1999년 통과된 '중화인민공화국공익사업기증법'[8]에 의하면, 공익사업을 비영리적 성격의 재해 구조, 빈곤 구제, 장애인 등의 사회 빈곤계층에 대한 사회단체 및 개인의 자선 활동, 교육, 과학, 문화, 의료, 체육 등의 사업과 환경보호, 사회 공익시설의 건설 및 사회발전 촉진을 위한 기타 사회 공공복지 사업에 두루 포함시키고 있다. 중국기업의 공익사업 역사 기원은 '중화자선사업' 편의 민간의 사회성 구제사업(비강제적 성격을 지님)에서 찾을 수 있으며(鄭功成, 1999, pp. 32~40), 그 사상 연원은 중국 고대의 자선사상에 기초를 두고 있다. 즉, 불교의 교의(敎義)뿐 아니라, 서주(西周) 이래의 민본(民本)주의 사상, 유교의 인의(仁義)

---

8) '中華國人民共和國公益事業捐贈法'(1999年 6月 28日 通過), 第三條

학설과 자선(慈善)사상 및 선악(善惡)응보설, 민간의 도교(道敎)사상에 복합적으로 귀의한다(王衛平, 1999).

개혁 전 중국의 사회체제는 재분배에 의한 교환기능이 주도적 작용을 하였다. 즉, 계획경제체제는 시장의 교환기능이 아닌 계획에 의한 재분배체제였다. 정부는 기업을 직접 관리하며, 행정적 수단을 통해 자금·생산·인력 등을 안배하였고, 기업은 국가의 평균주의를 실천하기 위한 생산과 판매를 관리하였다. 모든 인민은 자신이 속한 단위(單位) 내에서 그들의 복지문제를 완전 해결하였다. 특히 국영기업은 생산의 단위였을 뿐 아니라 사회보장의 단위였다. 이러한 행정기제는 강제성을 지니고 있었지만 그 책임은 모두 상급기관에 있었으므로 정책과 계획의 잘못으로 인해 초래된 손실 등은 기업 자체에서 책임지지는 않았다. 이러한 교환 방식에 오랫동안 길들어져 왔던 이유로, 경제개혁 이후에도 사회보장이나 사회복지의 영역이 되는 공공성 물품과 서비스 등은 여전히 정부의 중요한 역할이라고 많은 기업들은 여기고 있다. 일부 기업들은 기업 사회복지의 강조는 다시 기업개혁 시기 전의 기업 부담으로 거슬러 올라가는 것이 아니냐는 의심을 품기도 한다. 따라서 기업 사회공헌 활동에 대한 기업의 관심은 소원하였고, 시장기제에 적응하기 위한 기업들의 노력은 경제 활동에 집중될 수밖에 없었다.

비록 사회사업이 비영리적 성격을 가지고 있기는 하나, 제한적인 자원으로 효율적인 복지 운영을 해야 하는 과제를 안고 있는 중국정부로서는 사회복지 문제의 사회화를 기할 수밖에 없는 실정이다. 중국에서의 인민복지 문제는 현재 국가 안배가 1차적 수단이며, 2차적 안배는 시장을 통한 개인에게 부담되어 있다. 그리고 3차적 안배가 기업을 포함한 제3의 비영리 조직 활동의 안배라고 할 수 있는데, 이는 큰 틀에 불과할 뿐 2차와 3차의 복지 안배가 온전치 않은 상태하에서 국가는 오로지 세수(稅收)에 의존하여 시장에 공공 서비스를 하고 있어, 나날이 증대되는 사회 복지수요에 대한 국가 부담은 더욱 커질 것이다. 현실적으로도 중국정부는 기본적 보장을 하기도 힘든 듯 보인다. 오히려 시장경제 조건하의 재분배기능은, 이전의 계획경제 조건하의 재분배기능보다 현저하게 저하되어 있기 때문에 중국정부의 재분배기능을 보충할 만한 새로운 대상이 필요한 때이며, 이를 대신할 만한 대상은 경제 능력을 갖춘 기업의 역할이 기대된다. 특히 국유자본을 가진 국유기업의 재분배기능은 상당히 중요한 의의를 가지는데, 실제 조사에 따르면 다수의 국유기업은 기업개혁 이후, 시장기능에 적응하기 위한 기업 자체 경영상의 어려움으로 인해 오히려 사회공헌 활동에 있어 소극적인 반응을 보이고 있는데, 주목할 만한 것은 사회공헌 활동에 대한 관심과 책임감은 여전히 강한 경향을 보인다는 것이다. 2000년 중국 국무원 통지 '國務院辦公廳轉發民政部等部委 "有關于加快實現社會福利社會化意見"'에 의하면 사회복지 문제의 사회화를 위해, 투자 주체의 다원화, 서비스 대상의 공중화, 서비스의 다원화, 서비스 단체의 전문화를 언급하고 있다. 이러한 정부 정책은 실제로 비영리 부문 및 기업이 사회복지 부문에서의 역량을 인정하고 있는 것으로 볼 수 있다.

3. 중국 내 기업들의 사회공헌 활동 실태조사

1) 실증연구의 설계와 조사 방법

본 설문조사는 베이징(北京) 소재의 기업을 대상으로 하여, 기업 사회공헌 활동의 실천 현황과 그 문제점 등을 파악하기 위하여 실시되었다. 연구 범위는 기업 사회책임의 집행 영역 중 기업 내부에서 발생하는 직원 복지와 기업의 직접적인 생산 활동과 관련된 영역 이외의 기업의 외부적 사회공헌 사업 및 복지 활동을 중심으로 하였다. 구체적으로는 기업 사회공헌 활동의 참여와 그 동기, 참여 영역, 참여 방법, 평가, 향후 계획 등이 주요 조사항목으로 구성되어 있다. 특히 참여 동기의 측정 부분에서는 순자선성 동기의 기업시민형 동기와 기업의 경영 전략형 동기를 측정함으로써, 중국에서의 기업 사회공헌 활동의 참여 성격을 분석하고자 하였다. 설문지 조사는 2004년 2월과 3월에 진행되었고, 조사기업 대상은 '재중국일본상공회의소', '재중국미국상공회의소', '재중국한국상공회의소'에 등록된 베이징 회원 기업들을 대상으로 진행되었으며, 중국기업은 '중국국가공상행정관리총국'에 등록된 회원 기업들과 필자가 직접 방문한 기업들이 주 대상이 되었다. 그중에서도 주로 '2003년의 500대 최우수 중국기업'과 '2003년 영업이익의 최우수 500대 외자기업'의 명단에 선정된 기업을 중요한 조사 기업 대상으로 적극 반영하였다. 업종별로는 상업, 제조업, 건축업, 정보산업, 무역업, 서비스업, 금융업, 교육업과 의료보건업 등의 업종이 포함되어 있으며, 목표 조사 기업 수는 250여 개 기업으로 정하였다. 조사 과정은 7백 개 기업을 우선 대상으로 1차 우편 설문조사를 진행하였다. 그후 회수된 설문지는 170여 부였으며, 다시 2차 전화 요구와 직접 방문, 그리고 설문지 재발송을 통해 180여 부의 설문지를 회수하였다. 총 980부의 설문지 발송에 따른 총 회수량은 265부이다. 본 연구는 이를 바탕으로 하여 SPSS 및 Excel의 빈도 분석과 비교연구를 진행하였다.

⟨설문지 구성 및 내용 설계⟩

설문지 구성은 필자가 설계한 항목 내용에 따라 크게 사회공헌 활동의 유경험 기업의 조사 부분과 무경험 기업의 조사 부분으로 나뉘며, 각각의 내용에 따라 다시 향후 유계획 기업과 무계획 기업의 의향에 따른 조사가 실시되도록 설계하였다. 기업 사회공헌 사업의 동기 측정을 위하여, 설문 항목에는 머레이 (Murray)의 기업공민가치의 신념측정 항목과 기업경영 전략가치의 신념측정 항목을 첨가하였다. 각각의 측정 항목은 6가지로 구성되어 있으며, 각 문항의 척도는 ① 그렇다 =1점, ② 아니다 =0점으로 측정하여 기업의 참여 가치를 분석 하였다. 설문 내용은 구체적으로 다음과 같다.

(1) 업체 개요
- 기업 업종
- 기업 소속 국가
- 기업 소유제 분류
- 기업의 사회공헌 사업 필요성 측정
- 기업 사회공헌 사업의 필요성 인식 이유

(2) 유경험 기업 조사
- 기업 사회공헌 사업 참여 동기 측정(기업시민론적 가치와 기업경영 전략론적 가치 측정)
- 기업 사회공헌 사업의 집행액과 규모
- 기업 사회공헌 사업의 자원 방식
- 기업 사회공헌 사업의 집행 영역 / 기간 및 계획
- 기업 사회공헌 사업의 정책 결정 방법
- 기업 사회공헌 사업 사후 평가(집행의 애로사항, 내부 효과 / 만족도, 적극성 평가)
- 기업 사회공헌 사업의 향후 계획
- 기업 사회공헌 사업의 환경 평가(환경 조건 / 정부 역할)

(3) 무경험 기업 조사

—기업 사회공헌 사업의 미참여 이유

—기업 사회공헌 사업의 참여 동기 / 요인 평가

—기업 사회공헌 사업에 있어서의 정부 역할

—향후 기업의 참여 의향

(3-1) 장래 유계획 기업조사

—기업 사회공헌 사업의 참여계획 수립의 동기

—기업 사회공헌 사업의 정책 결정의 가장 중요한 영향 요인

—기업 사회공헌 사업의 담당부서 및 계획

—기업 사회공헌 사업의 집행계획

—자원의 예산액

—전체 영업액 중 예산액의 대비 비율 계획

—참여 영역의 계획

2) 기업 사회공헌 활동의 조사 결과

(1) 조사 기업의 기본 현황

조사 참여 기업 수 265개사 중 사회공헌 활동 참여 경험이 있는 기업은 83개사(31.3%)였으며, 참여 경험이 없는 기업 수는 182개사(68.7%)로 나타났다. 이로써 조사 기업의 과반수 기업은 사회공헌 활동의 참여 경험이 없는 것으로 나타났다. 유경험 기업 83개사 중 중국(내자)기업 42개사(16%), 외자기업은 41개사(15%)였다. 총 조사 대상 기업의 구성은 중국(내자)기업 153개사(58%), 외자기업 112개사(42%)이며, 그중 외자기업의 소속 국가를 살펴보면 한국기업 29

개사(11%), 미국기업 22개사(8%), 일본기업 25개사(9%), 기타 국가 36개사(13%)로 나타났다.

총 조사 참여 기업의 업종별 분포를 보면, 가장 많은 순으로 제조업(21%), 정보산업(19%), 서비스업(15%), 무역업(7%), 금융업과 상업(6%), 의료보건업과 건축업(5%), 부동산업·교육업·전파 및 방송업이 각각 3%씩을 차지하고 있다. 총 조사 참여 기업의 소유제 분포는 아래와 같다.

〈표 9-2〉 조사 참여 기업의 기본수량 분석

국가	유경험	무경험	합계
중국(내자)기업	42개사(16%)	111개사(42%)	153개사(58%)
다국적 외자기업	41개사(15%)	71개사(27%)	112개사(42%)
합계	83개사(31%)	182개사(69%)	265개사(100%)

〈표 9-3〉 조사 참여 기업의 소유제 분석 현황

	국영기업	사영기업	주식제기업	외상독자	중외합자	중회합작	기타	합계
수량	27	85	48	74	23	5	3	265
백분비	10.2%	32.1%	18.1%	27.9%	8.7%	1.9%	1.1%	100%

〈표 9-4〉 기업 사회공헌 활동 유경험 기업의 소유제 분석 현황

	국영기업	사영기업	주식제기업	외상독자	중외합자	중회합작	기타	합계
수량	18	14	14	24	9	3	1	83
백분비	21.7%	16.9%	16.9%	28.9%	10.8%	3.6%	1.2%	100%

〈기업 사회공헌 활동의 필요성 측정 결과〉

기업 사회공헌 활동의 필요성 측정 분석 결과 비록 총 조사 기업 265개사 중 과반수 기업이 사회공헌 활동 참여 경험이 없었으나, 기업 절대 다수 81%(215개사)가 그 참여 필요성을 인식하고 있었다. 기업에 사회공헌 활동이 필요한 이유는 '사회책임을 위하여'가 42%를 차지하였고, '소비자 신임 획득 및 상품 판매를 위하여'가 35%로 그다음을 차지하였다.

(2) 사회공헌 활동의 유경험 기업 특징 분석

다음 〈표 9-6〉은 사회공헌 활동 경험이 있는 기업들의 조사 결과이다.

〈표 9-5〉 기업 사회공헌 활동의 필요성과 그 이유 측정

사회공헌 활동의 참여 필요성(백분비 / 누적 백분비)	사회공헌 활동의 참여 이유(수량 / 백분비)
아주 필요함(19.2 / 19.2) 필요함(61.9 / 81.1) 모르겠음(15.1 / 96.2) 그다지 필요하지 않음(3.4 / 99.6) 전혀 필요하지 않음(0.4 / 100.0)	사회책임을 위하여(111 / 41.9) 소비자 신임 획득 및 상품 판매를 위하여 (93 / 35.1) 사회 요구에 대응(37 / 14.0) 기타(24 / 9.1)
합계 100.0	합계 265 / 100.0

〈표 9-6〉 기업 사회공헌 활동에 참여한 기업 수량

국가	유경험 기업의 수량
중국 내자기업 (다국적) 외자기업(한국+일본+미국+기타 국가)	42개사(16%) 41개사(15%)(11개사+15개사+8개사+7개사)
합계	83개사(31%)

① 기업 사회공헌 사업의 집행 동기 측정 결과

유경험 기업들의 참여 가치관을 조사한 결과, '시장 전략형 가치관'에 중심을 두고 있음이 밝혀졌다. 중국 내 기업들은 사회참여의 필요성 조사에서 비록 '사회책임을 위하여'라는 명분을 제시하고 있지만, 실제 측정 결과 '소비자의 신임 획득과 영업 확대'를 위한 실리를 위해 사회 활동에 참여하는 것으로 나타났다.

② 집행 내용

–집행액 분포를 살펴보면, 인민폐 1만 위안에서부터 1백만 위안 이상까지의 참여액을 4단계로 나누어 조사한 결과, 현재 사회공헌 활동에 참여하는 베이징 기업들의 반수 가까이가 소액 지출을 선호하고 있는 것으로 나타났다. 한편, 총 영업이익액 대비 기증액의 지출을 보면 그 당해연도의 0.3% 이하의 지출을 하는 기업이 가장 많은 것으로 나타났다. 대부분의 기업(95%)들이 총 영업수입액의 1%에도 미치지 못하는 적은 금액으로 사회참여를 하고 있었다. 그 기금 마련은 세후이윤 항목에서 출자하는 방식으로 기금을 조달하는 기업이 많았다.

–기업 사회공헌 활동의 자원 방식 조사 분석 결과, 대부분의 기업(79.5%)이 '현금' 방식 혹은 '자사 물품의 기증' 방식을 선호하고 있었고, 전문 인력 혹은 전문 기술을 이용한다거나 직원들이 직접 참여하는 방식 등은 지양되고 있음을 알 수 있었다.

–기업 사회공헌 활동의 집행 방법으로는 '기업의 어느 한 부서에서 일임하여 진행', '독립기금회 설치하여 진행', '기업 내 전문 부서나 담당자를 통해', '다른 사회 활동 기관을 통해' 참여하는 4가지 방법의 선택 설문으로 진행되었는데, 조사 결과 81%의 대다수 기업들이 '기업의 어느 한 부서에서 일임하여

〈표 9-7〉 기업 사회공헌 활동의 집행 규모

총 기증액(인민폐)		수량	백분비(%)	누적백분비(%)
소액(小額)	1만 위안 이하	11	13.3	13.3
	1~3만	18	21.7	34.9
	3~5만	7	8.4	43.4
중액(中額)	5~10만	9	10.8	54.2
	10~30만	12	14.5	68.7
대액(大額)	30~50만	2	2.4	71.1
	1백만 이내	13	15.7	86.7
거액(巨額)	1백만 이상	11	13.3	100.0
합계		83	100.0	—

진행'하는 것으로 나타났다. 국외에서 보편적으로 진행되는 독립기금회 및 재단이 설립이 절실히 필요함을 알 수 있다.

—기업 사회공헌 활동의 집행 영역 조사는 다중선택 방식으로 진행되었는데, 조사 결과 중국의 기업들이 가장 선호하는 참여 영역은 '재해 구조'이며 그 다음은 '교육과 학술 부문'인 것으로 나타났다.

—기업 사회공헌 활동의 집행형식 조사 결과, 집행 기간의 계획 및 실천에 있어, '구체적인 계획이 없이 케이스 바이 케이스(case by case)'로 집행하는 기업(43%를 차지)들이 가장 많았다. 그다음으로 '장기와 단기계획을 혼합하여 진

〈표 9-8〉 기업 사회공헌 활동 집행 영역

영역	재해 구조	학술 연구	지역 사회 서비스	교육	예술 문화	국제 교류	사회 복지	체육 보건	의료	환경 보호	국가/ 민족 사업	기타
백분율	22.1%	12.9%	8.6%	20%	2.1%	6.4%	9.3%	3.6%	7.1%	5.7%	0.7%	1.4%

행'하는 기업들이 41%를 차지하고 있었으며, 장기계획 집행이 14%, 단기계획의 진행이 1%를 차지하였다. 공헌 활동의 집행 계획은 참여 영역과 깊은 관련이 있는데, 일반적으로 환경보호 사업이나 국가 / 민족성 사업인 경우 장기계획이 필요한 사업이며, 반면 재해 구조 등의 사업은 사업 진행이 비교적 용이하고 구체적 계획이 없어도 언제나 참여할 수 있으며, 사업 후 기대효과도 비교적 크다고 할 수 있다. 중국에서 진행되는 기업의 사회참여는 비교적 간단하면서도 기업의 집행이 용이한 영역들이 선호되고 있음을 알 수 있다.

　─기업 사회공헌 활동의 정책 결정 방법을 아래 〈표 9─9〉와 같이 살펴보자면, 중국의 기업들은 '기업 CEO와 최고경영층의 주관의지에 따라' 비교적 단순화된 정책 결정에 의지하여 기업의 사회참여를 결정하는 것으로 나타났는데, 기업의 참여효과를 극대화하기 위하여 좀 더 적극적이며 전문적인 정책 결정 방법의 도입이 필요할 것이다.

③ 기업 사회공헌 활동의 평가 및 계획

　─기업 사회공헌 사업 집행의 어려움을 묻는 질문에 대하여, 기업들은 '관

〈표 9─9〉 기업 사회공헌 활동의 정책 결정 방법

정책 결정 방법	백분율(%)
기업 CEO와 최고경영층의 주관의지에 따라	37.4%
사회 수요에 따라	29.3%
시장 경쟁자의 정책 결정에 따라	1.0%
기업의 재무 상태에 따라	6.1%
기업 혹은 기금회의 연도 예산에 따라	13.1%
지역사회와의 우호관계를 고려하여 결정	8.1%
국가 및 사회의 지원 상황을 보고 결정	2.0%
기타	3.0%

련 사업의 교육 및 정보 부족'을 가장 큰 어려움으로 꼽았다. 그다음으로는 '예산 부족'과 '전문 인력 부재'로 나타났다. 사회공헌 사업 참여 후 내부 효과 정도를 묻는 질문에서는 반수 이상이 '효과가 있었다'는 긍정적인 대답을 하였으며, 사업 참여 후 내부 만족도 측정에서는 '보통'이거나 '비교적 만족스럽다'는 대답이 주를 이루었다. 기업 내부 참여도를 묻는 적극성 평가에서는 '적극적이다'라는 질문에 반수가 가까운 기업들이 대답하였는데, 이로써 기업의 사회공헌 활동 참여가 기업 내부 긍정적 반향을 가져오고 있음을 알 수 있다. 자세한 결과는 아래 표와 같다.

〈표 9-10〉 기업 사회공헌 활동의 집행상의 어려움

사업 집행의 어려움	백분율(%)
예산 부족	18.3%
전문 관리자 및 전문 관리 부서의 부재	16.1%
관련 사업의 교육 및 정보 부족	20.4%
CEO의 집행 의지 부족	3.2%
관련 법규 및 정부의 지원 정책 부재	6.5%
사회공헌 사업의 중요성 인식 부족	12.9%
사내 기타 부서의 협조 부재	5.4%
기타	17.2%

〈표 9-11〉 기업 사회공헌 활동의 진행 후 내부 평가

기업 사회공헌 사업에 대한 기업 내부의 효과 평가(%)	기업 사회공헌 사업에 대한 기업 내부의 만족도 측정(%)	기업 사회공헌 사업에 대한 기업 내부의 적극성 평가(%)
효과가 크다. 9.6	아주 만족 8.4	상당히 적극적 14.5
약간의 효과가 있다. 57.8	비교적 만족 44.6	적극적 34.9
모르겠다. 18.1	보통 45.8	보통 7.0
큰 효과는 없다. 12.0	불만족 1.2	소극적 3.6
효과가 없다. 2.4	아주 불만족 0.0	상당히 소극적 0.0
합계 100.0	합계 100.0	합계 100.0

• 기업 사회공헌 활동의 향후 계획

기업 사회공헌 사업의 향후 계획에 대한 질문(확대/현상 유지/축소/기타)에 대하여, '현상 유지'로 대답한 기업이 55%로 가장 많았고, 그다음으로 '확대'(25%)의 순으로 대답을 하여 비교적 소극적 태도를 보였다.

• 기업 사회공헌 활동의 환경 평가

조사에 참여한 기업들은 중국에서의 사회공헌 활동을 발전시키기 위해 '기업 자신의 적극성'(48%)을 가장 중요한 요인으로 꼽았으며, 그다음으로는 '사회 내 자선문화를 형성 발전'(27%)을 두 번째 중요한 환경 요인으로 대답하였다. 다음 순으로는 '정부 지지'와 '기타'가 각각 19%, 6%를 차지하였다. 중국 기업의 사회공헌 활동을 활성화시키기 위하여, 기업들이 가장 기대하는 정부의 역할은 '세금 감면'(43%)으로 나타났으며, 그다음으로는 '사회공헌 사업 집행에 유익한 정보'(27.7%), '기업신용평가제도 도입'(21.7%), '기타'(7.2%)의 순으로 나타났다.

〈유경험 기업의 조사 결과 분석〉

사회공헌 활동의 유경험 기업 조사 분석 결과, 아래와 같은 특징을 발견할 수 있었다.

첫째, 중국기업의 전반적인 사회공헌 활동 수준이 그다지 높지 않음을 알 수 있다. 전체 조사 대상 기업 265개사 중 유경험 기업 수는 반수에도 미치지 못하는 31%(83개사)에 불과하였다. 향후 계획을 묻는 질문에는 55%의 기업이 '현상 유지'라고 답한 것으로 보아, 중국기업의 적극적 사회참여가 절실히 요구된다.

둘째, 유경험 기업의 참여 동기 분석 결과, 기업들은 '소비자 신임과 영업

촉진을 위하여' 사회공헌 사업에 참여하는 것으로 나타났는데, 이러한 시장 전략성 동기는 동기에만 그칠 뿐 실제 구체적 실행 과정 중의 전략적 대응이 부족한 것으로 나타났다.

셋째, 유경험 기업의 사회공헌 활동 집행액은 반수에 가까운 기업들이 적은 규모의 금액을 사용하고 있었으며, 총 영업매출액 대비 비율도 0.3% 이하로서, 지출 규모가 작은 기업들이 대부분이었다. 한국과 일본 등 국외에서 진행 중인 '1%' 금액 참여 운동과 비교해도 여전히 적은 규모이다.

넷째, 기업 사회공헌 사업의 자금 방식으로는 대부분의 기업이 '현금' 방식을 선호하였고, 담당 집행 부서로는 대부분의 기업들이 '기업 내 어느 한 부서에서 일임하는 것'으로 대답하였다. 국유기업의 경우 전문 담당부서가 따로 있는 경우도 있었는데, 여기서 말하는 전문 부서란 전문 사무실을 두거나 공회 같은 부서에서 임시적으로 맡아 공익사업을 처리하는 경우를 말한다. 나머지 중국기업들은 대외업무부서 등에서 일임하여 처리하고 있는 경우가 많았다. 기업들이 가장 선호하는 참여 영역은 '재해 구조' 부분이며, 그 집행 역시 구체적인 계획이 없이 '케이스 바이 케이스'로 집행하는 기업들이 가장 많은 것으로 보아 집행 기간은 단기적 성격이 강한 것을 알 수 있다. 한편 기업들은 비교적 단순화된 정책 결정 과정에 의지하여 기업의 사회참여를 결정하는 것으로 나타났는데, 기업의 참여 효과를 극대화하기 위해서는 기업 사회참여의 계획과 정책 결정의 과정에서부터 좀 더 적극적이며 체계적인 전략 접근이 이루어져야 할 것이다.

다섯째, 기업들은 기업 사회공헌 활동의 가장 큰 집행상의 어려움을 예산 부족이 아닌 '사회공헌 사업에 관한 정보 접근'으로 지적하였는데, 사회(유관기관)와 정부로부터의 정보 공유체제 마련이 우선 과제임을 알 수 있다. 기업들이 정부에게 바라는 가장 큰 애로사항은 '세금 감면'이었다.

여섯째, 회사 내부 평가의 분석 결과에 의하면 기업들은 대체적으로 긍정적인 평가와 만족도를 나타냈는데, 이는 기업의 사회공헌 활동 참여가 회사 내부에 긍정적 영향을 미치고 있음을 나타내는 것이다. 즉, 중국에서 기업들이 사회활동에 참여하는 것은 기업 자신의 단결과 화합 발전에 도움이 된다는 것을 반증하는 것으로 볼 수 있다.

(3) 사회공헌 활동의 무경험기업 특징 분석

이번 기업조사 결과, 조사 참여 과반수(68.7%)는 사회공헌 사업의 참여 경험이 없는 것으로 나타남에 따라 중국에서의 기업들은 사회공헌 활동에 그리 적극적이지 않음을 알 수 있었다. 무경험 기업 182개사 중, 중국 내자(內資)기업은 111개사를 차지하였고, 외자(外資)기업은 71개사로 나타나, 중국 내자기업의 참여도가 특히 저조한 것을 알 수 있다.

① 무경험 기업의 미참여 이유 분석

무경험 기업의 미참여 이유 분석은 경제적 원인, 관리상의 원인, 관념상의 원인, 외부 환경적 원인을 제시하여 설문조사를 하였는데, 그 결과 기업들은 관리상의 이유, 즉 '전문 관리자와 부서의 부재'(42%)를 가장 큰 미참여 이유로 꼽았으며, '예산 부족'(16%)과 '기업 사회공헌 활동에 관한 교육과 정보 부재'(13%)가 그다음을 이었다. 기업들은 전략적 사회참여를 집행하기 위하여 관리 방면의 노력이 최우선적으로 필요했는데, 이는 공익사업이 기업 이미지 제고와 주식 상장과의 관계와도 밀접한 관계가 있다.

② 무경험 기업의 참여

무경험 기업들은, 중국에서의 사회공헌 활동 참여 확대를 위하여 유경험 기업들과 마찬가지로 '기업 자신의 적극성'(65%)을 가장 중요한 요인으로 꼽았으며, 그다음으로는 '정부의 지원'(15%)을 두 번째 중요한 환경 요인으로 대답하였다. 그다음으로 '사회 내 자선문화를 형성 발전'(14%)을 꼽았다. 조사 결과 무경험 기업은 유경험 기업들에 비해 정부의 지원에 대한 기대 수준이 더 높은 것으로 나타났는데, 구체적으로 기대하는 정부의 역할 중, 최우선 순위는 '사회공헌 활동 참여에 유익한 정보'(41%)이었으며, 그다음이 '세금 감면'(37%)과 '신용평가의 표창제도 도입'(15%) 순으로 나타났다.

③ 무경험 기업의 장래계획 결과 분석

향후 기업들의 참여 의향을 묻는 질문에 대해 전체 무경험 기업 182개사 중 단지 54개사(30%)에 이르는 기업들만이 향후 참여 의사를 나타냈다. 조사 결과, 절대 다수의 무경험 기업들은 여전히 기업 사회공헌 활동에 관심이 크지 않음을 알 수 있었다.

향후 참여 계획이 있는 기업들은 어떠한 구체적 참여 의향을 나타냈는지 살펴보면 다음과 같다.

• 기업들의 참여 동기는 '사회책임을 위하여' 37%(20개사)와 '소비자 신임 획득과 상품판매 촉진을 위해서' 35%(19개사)라는 대답이 근소한 차이를 보였다. 기업시민형 가치관과 시장 전략형 가치관의 차이가 분명치 않다는 것은 기업의 사회공헌 활동 참여가 아직 시장 공략의 단계가 아님을 반증하는 결과로도 볼 수 있겠다.

• 무경험 기업들이 사회공헌 사업 참여를 결정할 때 가장 먼저 고려하는 요소는 '공익사업의 내용' 부분인 것으로 나타났는데, 구체적인 결과는 아래 〈표 9-12〉와 같다.

• 사회공헌 사업의 담당 부서와 집행 기간을 묻는 질문에 대해서는 무경험

〈표 9−12〉 장래 공헌 활동 참여 계획시 최우선 고려사항

장래 공헌 활동 참여 계획시 최우선 고려사항	백분율(%)
예산	14.8%
사회공헌 활동의 특징 및 중요성	27.8%
사회공헌 사업의 사회 영향력	18.5%
피찬조자의 공신도와 집행 능력	5.6%
기업문화와 기업 경영철학과의 배합성	22.2%
기업 상품 판매 촉진과의 연계성	3.7%
기업 이미지 제고와 직원 단결력과의 연계성	3.7%
수익 대상	3.7%

기업의 과반수(81%) 이상이 '현재 기업의 보유한 부서에서 사회공익 활동을 관리하겠다'는 대답이 가장 많은 수를 차지했다. 집행 기간에 대해서는 단지 '케이스 바이 케이스로 진행'(40%)하겠다는 대답이 가장 많았다.

　•무경험 기업의 예상 집행액 규모와 유경험 기업의 참여 집행액 규모를 비교한 결과, 인민폐 3만 위안 이하 소규모 자금 투입과 예산이 가장 많았는데, 규모면에서 큰 차이를 보이지 않았음을 알 수 있다. 총 영업이익액 대비 차지하는 규모 역시, 소규모 집행 계획(0.3% 규모 이하의 예산 투입)의 기업들이 가장 많았다.

　•무경험 기업의 사회공헌 활동 예상 집행 영역 조사 결과, 기업들이 가장 많은 관심을 보이는 영역은 '환경보호'(19.3%)의 영역이었으며, 그다음으로 '재해 구조'(18.2%), '교육'(13.6%)의 영역 순인 것으로 나타났다. 분석 결과 환경보호의 영역이 기업들에게 새로운 사회참여 관심 분야로 떠오르게 될 것을 알 수 있다.

〈무경험 기업의 조사 결과 분석〉

사회공헌 활동의 무경험 기업의 조사 결과 장래 계획을 지닌 무경험 기업과 이미 참여 경험이 있는 기업의 사회공헌 활동 집행 내용에는 분명한 차이를 발견할 수 없었는데, 아래와 같이 요약할 수 있다.

첫째, 무경험 기업의 절대 다수는 사회공헌 활동에 관한 관심이 부족한 것으로 나타났다. 전체 무경험 기업의 30%만이 향후 참여 계획을 가지고 있었다.

둘째, 사회공헌 사업에 대한 전반적으로 '관리' 의식이 부족한 것으로 나타났다. 사회참여에 대한 관리와 책략적 대응이 부족하며, 사회공헌 활동을 기업 경영과 기업이익에 적극적으로 연계하려는 의식이 부족한 것으로 나타났다.

셋째, 무경험 기업들의 사회공헌 사업 참여의향 및 동기 측정을 분석한 결과 기업시민형 가치관과 시장 전략형 가치관의 차이가 분명치 않다는 것을 알 수 있었는데, 기업의 사회공헌 활동 참여가 아직 시장 공략의 전략적 단계가 아니며, 중국 내 기업 사회공헌 사업이 단순 자선형 단계에서 시장 전략형 단계로 넘어가는 과도기에 처해 있음을 알 수 있다.

넷째, 무엇보다 중국에서 기업 사회공헌 활동을 활성화시키기 위해서는 기업 자신의 적극성이 가장 중요한 요인으로 나타났는데, 여기에 사회와 정부의 환경적·정책적 지원이 더해진다면 기업들은 보다 적극적으로 참여할 수 있을 것으로 판단된다.

다섯째, 현재 중국기업들은 사회문제에 대한 인식을 새롭게 바꾸고 있는데, 특히 이전에 관행적으로 참여해 오던 사회참여 영역의 관심사가 다른 영역으로 바뀌고 있다는 것은 기업과 사회의 관계 인식이 새롭게 변화하고 있다는 것을 반증한다. 앞으로 중국기업들은 좀 더 다양한 방식과 시각을 가지고 사회 활동에 참여하게 될 것이다.

3) 중국 내자기업과 외자기업의 사회공헌 활동 비교연구

　서방사회 속에서의 기업은 장구한 역사를 가지고 있다. 따라서, 기업시민의
식 역시 오랜 시간 속에서 기업과 사회의 관계에 깊은 영향을 미쳐 왔다. 이는
자연스럽게 기업의 사회참여 활동을 활성화시켰으며, 기업의 적극적 사회공헌
활동으로 이어졌다. 본 연구에서는 오랜 기업 역사와 사회 경험을 가진 다국적
외자기업들이 중국사회 내에서는 어떻게 참여하고 있는지 구체적인 현황을 파
악하기 위해 중국의 내자기업과 외자기업 간의 사회공헌 활동 비교분석을 하였
다. 사회공헌 활동이 전략적으로 잘 진행되고 있는 국외의 선진 경험이 중국 내
에서는 어떠한 방향으로 진행되고 있는지와 이들의 사회참여가 한국기업들에
게 어떤 시사점을 줄 수 있는가를 분석해 내는 것이 연구의 주된 과제라고 할
수 있다.

　비교 대상기업은 사회공헌 활동에 경험이 있는 기업 총 83개사 중에서 중국
내자기업 42개사와 다국적 외자기업 41개사로 구성되었다.

　비교분석할 대상인 중국 내자기업의 업종 분포를 보자면 서비스업이 가장
많았고, 그다음이 정보산업 순이다. 소유제 분류를 보자면 국유기업이 가장 많
은 수를 차지하였고, 그다음이 사영기업 순이다. 다른 한편의 분석 대상인 중국
외자기업의 업종 분포를 보자면 제조업이 가장 많았고, 그다음이 정보산업 순

〈표 9–13〉 비교분석 대상 기업의 구성

분류	유경험
중국 내자기업	42개사(51%)
다국적 외자기업	41개사(49%)
합계	83개사(100%)

이다. 소유제 분류를 보자면 외상 독자기업이 가장 많은 수를 차지하였고, 그다음이 중외 합작기업의 순이었다.

중국 내자기업과 외자기업의 사회공헌 활동 비교연구를 위해 사용되는 항목은 집행 동기, 집행액 규모, 기업의 자원 방식, 집행 단위, 참여 영역, 집행 기간, 정책 결정, 내부평가, 향후계획 등의 항목이다. 이러한 세부항목 비교를 통하여, 기업들의 전략 사회참여 등을 분석하게 되는데, 아래 〈표 9—14〉는 자세한 비교 결과를 간략히 정리한 것이다.

〈중국 내자기업과 외자기업의 사회공헌 활동 비교연구의 결과 분석〉

내자기업과 외자기업의 비교연구 분석 결과, 몇 가지 집행 내용을 제외하고는 대체적으로 큰 내용 차이를 보이지 않았다. 동기 측정의 결과, 필자가 '자선형'으로 가설을 세웠던 내자기업의 참여 동기 역시 '시장 전략형' 동기를 나타냄에 따라, 중국기업들은 사회공헌 활동을 통해 기업 이미지를 제고시키고 기업 이익의 실리도 함께 얻으려는 경향을 나타냈다. 특히 내자기업들은 시장 전략형 동기를 지녔음에도 불구하고 집행 내용을 분석한 결과, 사회공헌 활동이 아직 초보적 수준에 머물러 있음으로 드러났다. 중국에 진출한 많은 다국적기업(외자기업)은 실제 국외에서 전략적 사회공헌 활동을 활발히 진행하고 있다. 그러나 분석 결과, 필자의 예상과는 다르게 중국 내에서는 몇 가지 집행 항목을 제외하고는 외자기업들이 그리 적극적인 공헌 활동을 펼치고 있지 않은 것으로 나타났는데, 그 이유는 불완전한 기업 사회공헌 활동의 환경 여건에 기인하는 것으로 사료된다. 중국사회는 아직 기업의 사회공헌 사업에 대해 충분한 인식과 평가를 하여 주지 못하는 상황이며, 소비자 수준 역시 기업의 사회 활동에 대해 명확하며 표면적인 평가의 발전 수준에 이르지 못한 상황이기 때문이다. 전체적으로 볼 때, 중국의 자선 환경 자체가 발전 과정 중에 있다고 볼 수 있다.

〈표 9-14〉 내자기업과 외자기업 간의 사회공헌 활동 비교분석

비교 내용	중국 내자기업	다국적 외자기업
① 기업 사회공헌 활동의 집행 동기	시장 전략형	시장 전략형
② 기업 사회공헌 활동의 집행액과 규모	집행액 규모: '소형'이 비교적 많음 연도 총 영업액 대비 집행 규모: 0.3% 이하	집행액 규모: '대형'이 비교적 많음 연도 총 영업액 대비 집행 규모: 0.3% 이하
③ 기업 사회공헌 활동의 자원 제공 방식	금전 제공 방식	금전 제공 방식
④ 기업 사회공헌 활동의 집행 단위	기업 내 어느 한 부서에서 일임	기업 내 어느 한 부서에서 일임
⑤ 기업 사회공헌 활동의 참여 영역	1. 교육(25%) 2. 재해 구조(23%)	1. 재해 구조(21%) 2. 학술연구(16%)
⑥ 기업 사회공헌 활동의 집행 기간 계획	구체적 계획 없이 케이스 바이 케이스(case by case)로 진행	장기와 단기 계획의 결합 운영
⑦ 기업 사회공헌 활동의 정책 결정 의거	1. 기업 CEO와 최고경영층에 의거(44%) 2. 사회 수요에 의거(28%) 3. 지역사회와의 우호 관계 유지에 의거(12%)	1. 기업 CEO와 최고경영층에 의거(31%) 2. 사회 수요에 의거(31%) 3. 기업 및 기금회의 연도 예산(18%)
⑧ 기업 사회공헌 활동 참여 후 기업 내부 평가	사업 집행의 애로사항: 예산 부족(28%) 효과 평가: 약간의 효과 만족도: 비교적 만족 적극성 평가: 보통	사업 집행의 애로사항: 사회공헌 사업에 관한 교육과 정보 부족(23%) 효과 평가: 약간의 효과 만족도: 보통 적극성 평가: 보통
⑨ 기업 사회공헌 활동의 향후 계획	현황 유지	현황 유지
⑩ 기업 사회공헌 활동의 환경 평가	환경 조건 인수: 기업 자신의 적극성 정부 역할: 세금 감면	환경 조건 인수: 기업 자신의 적극성 정부 역할: 기업 신용평가를 위한 표창 제도의 도입

또 다른 원인을 살펴보자면 중국에 주재하는 다국적기업의 종래의 대외 활동은 사회공익 활동에 종사하는 것 보다는, 각종 사회관계의 '관계(關係)'를 중요시하는 일이 중요한 대외 활동과 사회관리의 주업무였다고 할 수 있다. 외자기업은 설립 이래, 대중적인 공공관계보다는 각종 관계망을 통한 대외적 '관계' 업

무 관리를 더 중시하여 왔다는 것이다. 그러나 앞으로는 중국의 사회의식 성장과 더불어 기업들의 사회공공관계 관리가 점점 더 중요해질 것이다. 한편, 정부의 역할 부족에서도 그 원인을 찾을 수 있는데, 기타 국가와 비교해 볼 때 중국정부는 기업의 세금우대, 각종 기업의 편의와 공헌사업 관련 정보, 사회연결망 형성 등의 환경 마련에 미흡한 것을 알 수 있다. 내자기업과 외자기업의 집행상의 애로사항을 비교한 결과 내자기업은 '예산 부족'을 꼽은 반면, 외자기업은 '공익사업과 관련한 교육과 정보'를 들었다. 특히 중국에서는 기증법의 시행시기가 늦어졌을 뿐 아니라, 초기에는 적지 않은 기업들이 1999년 9월 1일부로 시행된 '중화인민공화국 공익사업기증법'의 세금우대 규정 내용을 잘 모르고 있었기 때문에 세제상의 우대 혜택을 받지 못하는 기업들이 속출하기도 하였다. 이는 중국정부가 어떠한 방면에 힘써야 하는지를 알려주는 결과라 할 수 있다. 아래 〈표 9-15〉는 미국, 일본, 한국, 중국정부의 기증액에 대한 세액 감면비율의 비교이다.

이번 조사의 분석 결과, 외자기업의 사회공헌 사업 집행 후 기업 내부 평가수준이 자국 내 본사에서 진행하는 활동의 내부 평가 수준과 차이가 있음을 알 수 있었는데, 이는 다국적기업의 중국 내 사회공헌 활동이 '시험적 집행의 초기 단계' 혹은 '본격 실시 전의 효과 검정 단계'에 있음을 나타내 준다. 전반적으로 미흡한 중국 내 기업들의 사회공헌 활동을 활성화시키기 위해서는, 무엇보다도 기업의 사회 활동에 대한 중국정부와 사회의 적극적 관심과 인식·평가

〈표 9-15〉 미국·일본·한국·중국정부의 기증액에 대한 세액 감면 비율 비교

	미국	일본	한국	중국
개인세액 감면 비율	50%	25%	10%	30%
법인세액 감면 비율	10%	25%	5%	3%

가 필요하다. 동시에 기업 스스로가 적극적으로 사회 활동에 참여하고, 기업 발전과 연계한 다양한 참여 방법을 연구 개발하여야 할 것이다.

4. 결론 및 한국기업의 대응

1) 중국 내 기업 사회공헌 활동 전개의 환경 분석

각국 기업의 사회공헌 활동은 개인의 사회공헌 활동과 마찬가지로 역사·문화·제도 등의 환경 영향을 흡수하여 조금씩 다른 모습으로 발전한다. 중국의 사회공헌 활동 역시, 중국의 사회주의 경제체제의 역사 배경과 기업 발전 과정으로 인하여 다른 국가의 발전과는 상이한 과정을 거친다. 즉, 계획경제체제의 과중한 사회책임 부담을 경험한 중국기업들은 사회주의 시장경제체제 전환 후, 기업은 경제발전의 임무에만 충실히 하는 것이 곧 국가사회의 발전에 공헌하는 것이라는 믿음으로 사회책임의 문제를 정부의 영역으로 떠넘겼다. 이것이 바로 중국기업들의 사회책임 부담을 약화시키는 결과를 낳았는데, '선부론' 정책 역시 기업들로 하여금 돈 버는 문제에 치중하게 만드는 결과를 낳았다. 곧이어 중국사회 내에는 부의 축적과 더불어 부의 재분배 문제가 화두가 되기 시작했는데, 이를 계기로 중국사회에서는 경제와 사회가 공동으로 발전하는 문제가 화두가 되었다. 한편 정부는 사회복지 부담에 한계를 느끼고, 복지재정의 사회화를 단행하기 시작했는데, 이로써 중국기업들도 사회복지를 책임질 제3의 영역이 되어 가고 있는 것이다. 필자는 본 조사를 통해 중국에서의 기업 사회공헌 활동 전개에 있어 몇 가지 어려운 환경적 요인을 발견하게 되었는데, 아래와 같이 간단히 정리하고자 한다.

첫째, 정부의 정책적 지원 부족의 문제이다. 민간사회 부문의 의식이 완전히 성장하지 못한 상태에서는 사회의 각종 이익관계를 조정하는 정부의 역할이 중요하다. 특히 중국에서 소비자 권익 보호, 사회약자 보호, 환경보호 및 지역사회 이익, 노동자의 이익, 중소 경쟁자의 이익 등을 보호하기 위한 정부의 역할은 중요한 부분이 되는데, 특히 기업의 사회공익 활동은 이러한 정부의 역할에 큰 도움을 주는 활동으로 기업 자신의 발전과 사회발전을 동시에 이룰 수 있는 기업의 사회책임 활동이다. 또한 사회복지와 사회보장 재원 마련의 사회화를 적극적으로 추진하려는 중국정부에게는 좋은 재원 조달의 창구가 될 수 있다. 이러한 중국기업의 사회공헌 활동 활성화를 위해 정부는 적극적인 지원으로 기업의 참여 환경을 마련해야 한다. 정부가 취할 수 있는 구체적 방법은 세액 방면의 우대 조치와 정보, 기업신용을 평가할 수 있는 표창 제도를 설치하는 것 외에도, 관련 법규와 법률을 다시 정비하고 감독하는 일이다. 또한 각종 정부의 자선조직이 사회단체 및 기업과 연계될 수 있도록, 제3부문에 대한 정부의 현 지배 역량을 감소시켜야 하며, 시장과 사회의 역량이 자선사업 영역으로 자연스럽게 미칠 수 있도록 도와야 할 것이다. 또한 비영리조직을 발전시키고, 기업 기금회와 기업재단의 활성화를 도와 기업이 자선사업에 참여할 수 있는 제3의 공간을 확대해 주어야 할 것이다. 기업이 사회에 기증하는 기증 금액 사용에 대한 투명한 관리를 위해 법률과 법규, 실시세칙 등을 정비하여 기업들이 안심하고 기증할 수 있는 투명한 자선 환경을 마련해 주어야 할 것이다.

둘째, 사회자선 부문에 대한 사회관심의 문제이다. 사회주의 계획경제시대의 '단위제' 조직하의 수직적 관계에 익숙해 있던 중국사회의 구조적 문제로 인하여, 기업과 인민들의 수평적 사회참여 활동(자선 활동)은 그리 활발하지 못하였다. 이러한 영향으로 일반 대중의 사회업무에 대한 관심과 참여의식 역시 저하되었다. 다행스럽게도, 중국기업의 자선사업이 40여 년 동안 중단되었음에도 불구하고 중국인의 자애(慈愛)심은 기업가들의 자선사업 참여에 꾸준한 영향을 미쳐 왔다. 크고 작은 천재지변의 재해가 있을 때마다, 민간회(民間會) 내 개인(기업가) 자선 활동은 외부의 압력 없이도 끊임없이 이어진 예를 보면 알 수 있다. 특이할 만한 것은 중국 기업가들이 보편적으로 인식하는 기업 자선은 기업의 장기이익으로 이어진다는 의식에서 참여했다기보다는 기업가 개인 덕행의 수양이라는 의미로 참여했다는 것이다. 2002년 베이징인들을 대상으로 한 중국 기업가 역할 조사 결과에 따르면, 중국 기업가는 '사회의 재부 창조' (93.3%)와 '기업제도의 개혁'(87.9%)에는 적극적 역할을 하였는데, 사회책임 수행의 역할에는 소극적이라는 평가를 얻었다. 사회자선 부문에 대한 사회관심의 문제는 수평적 사회관계와 밀접한 관계가 있음에 따라, 앞으로 중국사회 내의 횡향참여 활동의 활성화가 기업뿐 아니라 개인의 자선 활동에 깊은 영향을 미치게 될 것이다. 특히 시장, 여론과 매체, 사회관계, 행정 등의 기제를 동원한 자선에 대한 관심과 보도는 사회와 기업 모두에게 자선사업에 대한 관심과 지지를 높일 수 있는 중요한 기제가 된다. 이러한 관심을 통해 중국의 자선사업 자체가 지닌 사회구조성 문제, 자선조직의 자금 부족 문제, 자선 부분에 대한 정부 역량의 간섭과 관리상의 문제 등이 자연히 해결될 수 있을 것이다.

셋째, 자선사업에 대한 기업의 인식문제이다. 과거 사회복지 활동의 중심이 되었던 국유기업들은 그 개혁의 과정 속에서 재정적 어려움을 들어 사회공익 활동에 낮은 관심을 보였다. 또한 사회공헌 활동 자체가 무계획이었던 기업들조차 기업경영 실적이 좋은 상황하에서도 기업 이미지나 공익에 관한 문제에 큰 관심을 보이지 않았다. 왜냐하면 기업들은 공익사업 부분이 정부의 책임 영역이라고 믿었거나, 사원 개인의 관심 영역으로 생각하고 있었기 때문이다. 또한 중국의 자선 환경 혹은 조직에 대한 투명도에 불신을 가졌기 때문이다. 사회공익 활동에 참여한 경험이 없는 기업의 가장 큰 애로점은 경제적인 예산상의 어려움을 들어 참여를 회피해 왔다는 것이다. 그러나 1990년대 이후, 기업경영의 전략 차원과 기업 이미지 관리 차원에서 이제는 많은 기업들이 경쟁적으로 자선사업에 뛰어들고 있다. 여기에는 다국적기업들이 기업의 사회참여를 시장 경쟁적 구도로 이끎에 따라, 상업적 성격을 띤 사회공헌 활동도 빈번해졌다. 그러나 실제 조사 결과, 사회공헌 활동 참여 경험이 있는 중국기업의 대다수는 그 집행 내용 조사 결과 그다지 전략적이고 효율적인 집행을 하지 못하고 있는 것으로 드러났다. 중국기업들 중에서 일부 기업들은 기업의 사회공헌 활동을 기업 이미지와 연결시켜 활동하려는 경향을 보이고 있기는 하지만 많은 수의 기업들은 아직 전략적인 사회공헌 활동을 행하지 못하고 있었는데, 비록 동기면에서 전략적인 의도로 참여하고 있다고 답하기는 했으나 실제 집행 내용, 집행 방법, 집행 영역 등에서 단순한 참여를 하는 것으로 나타났다. 자선사업에 대한 중국기업의 전략 인식에 대하여서도 새로운 검토와 개발이 다시 필요하다.

넷째, 다국적기업의 선진적이고 전략적 사회경영 기술과 경쟁해야 하는 기업경영 환경의 문제이다. 중국에는 많은 다국적기업들이 진출해 있다. 이들은 중국시장에서 인정받기 위해 치열한 경쟁을 벌이고 있는데, 기업의 자선사업도 시장 공략을 위하여 전략적으로 전개되고 있다. 모국에서의 전략적 사회공헌 활동에 대한 많은 노하우를 가지고 중국시장에 진출한 이들 외자기업은 아직 중국사회의 자선 인식 부족과 투자 단계의 시간적인 이유로 적극적 참여를 보류하고 있지만, 사회참여에 대해 보다 장기적 안목으로 계획하고 바라보고 있음이 조사 결과로 나타났다. 이것으로 보아 중국에서의 기업자선 활동이 향후 경쟁적 구조로 향할 가능성 또한 배제할 수 없는데, 중국의 사회의식 성장에 따라, 기업들의 사회참여는 좀 더 조심스럽고 신중한 검토와 더불어 사업 집행 전의 철저한 조사연구가 필요해질 것이다.

2) 중국 내 기업들의 사회공헌 활동 활성화를 위하여

중국정부는 그동안 기업과 경제발전 우선 정책인 선부론 정책을 펼쳐 왔다. 이제 중국기업은 여유 자원의 사회 환원이라는 자선의 동기를 넘어, 시민사회를 구성하는 공동체의 일원으로서 기업 구성원들의 노력을 통해 만들어 낸 귀중한 자원을 중국사회 발전에 자발적으로 공헌하겠다고 하는 사회와의 약속을 하여야 한다. 그래야만 사회와 경제가 골고루 발전할 수 있는 사회주의 시장경제를 완성할 수 있는 것이다. 한편, 현재 많은 외자기업들이 중국사회 내에서 전략적 구상으로 사회공헌 활동을 펼침으로써 소비자들의 환영과 인정을 받아가고 있는 현실을 감안해 보면, 기업들의 사회적 역할은 좀 더 조직적이고 치밀한 전략적 접근이 필요할 것이다. 이는 시장에서 살아남기 위한 또 하나의 생존전략이 아닐 수 없다.

이에 중국의 기업들을 위하여, 기업 사회공헌 활동의 패러다임 변화에 따른 사회참여 발전 방향에 대해 몇 가지 방법론을 제시하고자 한다.

첫째, 사회공헌 활동의 다양한 참여 방식을 활용하여, 기업이 재정적으로 어려운 때에도 지속적 활동을 전개하여 양호한 기업 이미지 형성을 위해 노력해야 할 것이다. 사회공헌 활동이 물질 지원 중심이어야 한다는 선입견을 버리고 기업이 보유하고 있는 각종 인력자원이나 제품, 서비스를 활용하는 방안을 강구하여 사회와 우호적 관계를 지속한다. 기업들의 순수 현금 기부뿐 아니라 현물 기부나 사원 참여를 확대하기 위해 정부 차원이나 비영리조직에서도 이들의 기부를 인정할 수 있는 제도나 프로그램들이 마련되어 기업에서 사내체제 및 제도로 도입할 수 있는 여건이 형성되어야 할 것이다.

둘째, 기업의 전략이나 이념, 기업문화 등에 맞는 특화된 자신만의 공헌 활동 프로그램을 개발한다. 중국기업들의 대다수의 사회공헌 내용이 거의 대동

소이한 경우가 많다. IBM과 같은 컴퓨터 전문회사에서 컴퓨터를 통한 교육사업을 주요 공헌 활동으로 추진했던 것처럼 기업 이미지와 연계한 전문적 공헌 활동을 발굴하여 기업과 사회가 동시에 발전하는 상생(win-win)의 효과를 얻을 수 있도록 한다.

셋째, 기업이 속한 지역사회에 대한 관심을 적극 확대한다. 기업과 지역사회와의 관계는 대부분의 기업에 아주 중요한 경영 전략의 하나가 되는데, 이는 양질의 인력을 지역으로부터 확보할 수 있을 뿐 아니라, 지역 소비자들에게 심어진 기업 이미지가 매출의 증대와도 연결되기 때문이다. 선진국의 많은 기업들 중에는 기업의 사업장이 위치한 지역사회에 봉사활동을 하는 기업이 많다. 예를 들어 중국 맥도날드는 일정 시간이 되면 점포문 앞에서 아이들을 위한 놀이와 율동 활동을 직원들이 함께 참여하여 진행한다. 맥도날드에 대한 어린이들의 관심뿐 아니라, 버스의 월표(정액권)를 매장 내에서 대리로 판매하여, 지역주민들의 편의를 위해 노력하고 있다. 이처럼 외자기업들이 사회봉사에 적극 나서는 것은 '현지화'를 하려면, 지역사회에 기여하는 것부터 시작해야 한다는 판단에서 비롯된 것이다. 실제 중국의 향진기업(鄕鎭企業)들 중에서는 지역사회에 이바지하며 기업 발전을 도모하는 회사들이 많다. 비록 규모는 작지만 지역사회에 환영을 받으며 지역주민과 상부상조의 정신으로 기업을 일구는 향진기업들이 많은데, 이들의 이러한 공헌 방식은 과거 사회주의체제 영향의 잔재인 동시에 중국인들의 정서에 부합하는 적합한 공헌 방식이라 할 수 있다. 기업들은 이러한 공헌 방식을 적극 이용하여 중국인의 정서에 맞는 사회공헌 방식을 연구할 필요가 있을 것이다.

넷째, 중국의 대부분의 기업들은 사회봉사 활동을 기업 단독으로 단기적 계획에 의해 실시되고 있는 실정이다. 공공기관(정부기관), 비영리단체들과 연계(단순 연계가 아니라 선정과 참여에 있어 전략적 제휴를 함)하여 실시한다면 비용과 노력을 절약하고 효과적인 결과도 기대할 수 있다. (즉, IBM사는 1970년대부터 기업 자원봉사를 포함하여 사회공헌 활동을 진행하던 중, 1990년대 들어 경영악화로 회사가 축소되자 줄어든 사내 자원봉사자를 대신하여 지역사회의 비영리단체들과 연결된 컴퓨터 교육을 강화하고, 지역주민들은 자원봉사자로 양성하기 시작하였다.)

다섯째, 중국기업의 사회공헌 활동에 관한 소원한 관심을 증대시키려면 정부 차원의 정책 변화도 중요한 변수 중의 하나가 된다. 1980년대 레이건 대통령은 대통령 직속으로 '민간 영역에 대한 대통령 실무팀(The President's Task Force on Private Sector)'을 구성하였다. 1981년 12월에 구성된 이 실무팀은 자원봉사 활성화 방안에 대한 종합보고서를 내는 한편, 향후 4년 동안 민간 모금과 자원봉사의 수를 두 배로 늘리는 것을 정책 목표로 제시하였다. 그리고 그 가장 중요한 대상을 기업체 사원들로 지목했다. 그 방법으로는 개인의 자원봉사 시간을 현금으로 환산해 세제혜택을 주는 것과 퇴직자 자원봉사 격려금을 주는 기업에 역시 세제혜택을 주는 것을 제시했다. 또 종업원들의 자원봉사 시간을 보상해 주는 기업들에게 역시 세제혜택을 했다. 이러한 정책으로 기업의 관심을 고조시켰고, 이후 기업은 사원과 퇴직자들의 자원봉사 프로그램을 다양하게 개발하기 시작하였다. 이에 체이스맨해튼은행, IBM사 등이 사원 개인의 이름으로 5백 달러, 팀의 이름으로 1천 달러씩을 비영리기관들에게 분배하기 시작하였다고 한다. 이렇듯 정부의 관심과 정책의 변화는 기업의 사회공헌 활성화를 위한 중요한 요소가 된다. 실제 세제혜택에 관한 부분과 정보의 부분은 많은 중국기업들이 관심이 대상이 되고 있다는 것을 조사 결과로 알 수 있었다.

3) 중국 내 한국기업의 사회공헌 활동 성과 제고를 위하여

1990년대 이후 WTO 체제로 세계경제가 재편되는 등 전 세계를 대상으로 기업의 경영 활동이 확대됨에 따라 기업의 해외 진출이 일반화되고 있는 상황에서 각 기업들은 진출 지역의 발전에도 기여하고 자사의 경영 활동에도 유리한 환경을 만들기 위하여 해당 지역에 밀착한 자선 활동을 전개하고 있다. 사회운동이 활성화되어 있는 미국시장에서는 기업이 자선 활동으로 자신을 부각시키는 일이 제한적인 반면, 새롭게 경제적으로 도약을 시도하고 있는 중국과 같은 국가에서는 기업의 작은 기여도 큰 반향을 불러올 수가 있다. 회사 이익의 대부분을 해외에서 창출하고 있는 많은 다국적기업들은 진출 지역의 정부 지도자들과 친분을 쌓고 규제를 완화하며 소비자들의 호응을 얻는 데 있어서 자선 활동이 가장 좋은 수단이라고 믿고 있기 때문이다. 기업 경쟁이 나날이 치열해지고 있는 중국시장에서 기업 경쟁 우위를 갖추는 일은 기업의 성패와도 연관되어 있는데, 이제는 기업이 하는 상품의 질이나 그 창출되는 이익만으로는 기업을 경쟁력을 키우는 데 한계에 직면할 것이다. 글로벌 경쟁이 심화되는 현 중국의 상황에서 기업의 사회참여는 또 하나의 기업간 경쟁력이 될 것이다.

중국 내 기업들의 사회공헌 활동 전개는 자금투자의 문제, 자선 환경의 미성숙, 다국적기업과의 경쟁, 중국사회 문화 적응 등의 요인으로 그 성공이 결코 쉽지만은 않다. 그럼에도 불구하고 크고 작은 많은 기업들은 자신만의 방식에 적합한 사회공헌 활동을 진행하고 있다. 여기에 중국에 진출한 우리 기업들이 사회공헌 노력을 게을리할 수 없는 이유가 있다. 기업이 사회공헌 노력을 게을리할 수 없는 또 다른 이유는 사회공헌 활동이 기업홍보, 마케팅, 인적자원 개발 등과 연관되어 시너지 효과를 창출할 수 있을 뿐 아니라, 기업 이미지 향상이라는 홍보 효과와 고객과의 친밀한 관계 형성, 신뢰감 조성 및 기업에 대한 종업원의 헌신 등의 이중효과를 가져다주기 때문이다. 이외에도 종업원의 자원봉사 활동 참여는 종업원의 리더십 개발과 사내 화합 등 교육적 목적에도 활용될 수 있다.

개인의 자선행위와 마찬가지로 기업의 사회공헌 활동도 각국의 사회 문화적인 전통, 정부의 역할, 복지체계와 분배구조 등에 따라 다양하게 나타난다. 한국기업의 중국 내 사회공헌 활동 역시 중국의 문화와 중국인 정서에 부합하여야 하며, 한국기업의 경영 실정에 맞는 형태로 자리 잡아가야 할 것이다. 기업은 사회참여를 통해 기업과 사회의 조화로운 발전을 기해야 하며, 이는 이 시대가 필요로 하는 세계적 기업상이 아닐까 싶다. 우리 기업들이 중국에서 사회공헌 사업 집행을 준비할 때 고려해야 할 몇 가지 사항들을 정리하며 글을 맺기로 한다.

① 기업 사회공헌 사업 전개에 있어 다국적 외자기업뿐 아니라 중국기업과도 경쟁해야 하는 상황하에, 기업은 남는 이익으로 사회공헌 활동에 참여하려는 소극적 자세가 아니라 사회적 공헌을 일상적인 경영 활동으로 수행함으로써 기업 이미지를 제고시키려는 적극적인 자세로 대응해야 한다.

② 중국인 정서에 맞는 사회공헌 활동이어야만 효과를 극대화시킬 수 있다. 예를 들어 단순한 선전, 혹은 고액의 기증액을 투입하는 방식은 과거 "의(義)를 중시하고 리(利)를 경시", "재부(財富)를 무시하는 좌경사상", "평균주의 의식"에 익숙한 중국인의 정서에 부합하지 못한다. 따라서 중국인의 공감대를 형성할 만한 사업을 찾는 것이 효과적이다. 재정적 지원 방법 이외에 기업이 보유하고 있는 기술과 지식, 서비스 및 인적자원 등을 적극 활용한다.

③ 지역사회가 필요로 하는 사업에 앞장서서, 지역 실정에 맞는 실천 프로그램 개발 및 실행을 한다. 이는 진출 지역의 발전에도 기여하고 자사의 경영 활동에도 유리한 환경을 조성할 수 있다는 장점이 있으며, 동시에 지역주민의

공감대 형성에 효과가 크다. 특히 해당 지역에 밀착한 직원 자원봉사 활동은 기업 불황기에도 사회와의 우호적인 관계를 유지할 수 있는 방법이다. 왜냐하면 지역사회가 안정되는 것이 기업에도 장기적으로 이익을 가져다주기 때문이다.

④ 공헌 활동의 성과를 극대화하기 위한 지원 프로그램의 개발에서부터 사후관리까지 중국인 중심의 접근을 해야 한다. 즉, 마케팅 이론 및 기법을 활용한 시장조사, 고객의 요구 파악, 고객만족도 조사 등을 활용하는 것은 사업의 효과를 극대화시킬 수 있는 방법이다.

⑤ 전문적 지식이 필요할 경우 정부 자선단체 또는 시민단체 등과 전략적 연계를 하거나 현지 전문가나 관련 종사자의 도움을 받는다.

⑥ 경영과 사회공헌 활동의 조화를 통해 기업문화로 정착시키며, 경영자가 도덕적 수양을 갖춰 윤리적 경영에 모범을 보임으로써 효과를 극대화시킨다.

⑦ 타 기업과의 차별성을 부각시키려는 노력을 한다.

〈참고문헌〉

李路路·李漢林, 『中國的單位組織—資源, 權力與交換』, 浙江 : 浙江人民出版社, 2000.

鄭功成, 『中華慈善事業』, 廣州 : 廣東經濟出版社, 1999.

王衛平, "論中國古代慈善事業的思想基础", 『江蘇社會科學 第2期』, 1999.

万曉蘭, 『跨國公司新論』, 北京 : 經濟科學出版社, 2003.

中國社團研究會, 『中國社團發展史』, 北京 : 當代中國出版社, 2001. 11.

馬伊里·楊團, 『企業與社會公益』, 北京 : 華夏出版社, 2002. 10.

葛道順·楊團, 『企業與社會公益 II』, 北京 : 社會科學文獻出版社, 2003. 12.

唐煥良·李敏龍,『企業的社會責任』, 北京: 團結出版社, 1990. 12.

戶代富,『企業社會公益的經濟學與法學分析』, 北京: 法律出版社, 2002. 7.

劉俊海,『公司的社會責任』, 北京: 法律出版社, 1999. 4.

袁澍,『企業社會環境』, 北京: 海洋出版社, 1990. 11.

袁家方,『企業社會責任』, 北京: 海洋出版社, 1990. 11.

譚深·劉開明,『跨國公司的社會責任與中國社會』, 北京: 社會科學文獻出版社,
    2003.

環境與發展研究所,『企業社會責任在中國』, 北京: 經濟科學出版社, 2004. 6.

何增科,『公民社會與第三部門』, 北京: 社會科學文獻出版社, 2000. 8.

李迎生,『社會保障與社會結構轉型』, 北京: 中國人民大學出版社, 2001.

衛興華,『中國社會保障制度研究』, 北京: 中國人民大學出版社, 1994. 3.

王名,『中國非政府公共部門』, 北京: 淸華大學出版社, 2003. 12.

時正新,『中國社會福利與社會進步報告 2002』, 北京: 社會科學文獻出版社, 2002.
    12.

김영재·조창욱,『기업과 사회』, 삼영사, 2002.

정수영,『신경영학원론』, 박영사, 1996.

이수경, 「기업의 전략적 사회공헌활동의 발전 방향에 관한 연구」, 한양대학교 행정
    학 석사학위논문, 1999.

이상민·최인철,『재인식되는 기업의 사회적 책임』, 삼성경제연구소, 2002.

이종영,『기업윤리』, 삼영사, 2003.

박찬영, 「한국기업의 사회공헌활동에 대한 평가」, 서강대 언론대학원 석사학위논
    문, 1997.

경실련 경제정의연구소,『기업의 사회적 성과』, 경실련, 2002.

Manuel G. Velasquez, *Business Ethics: Concepts and Cases,* Beijing: Pearson

Education Inc, 2002.

William. H. Shaw, *Business Ethics,* San Francisco: Thompson Learning, 2002.

Drucker, P. F., "The New Meaning of Corporate Social Responsibility", California Management Review 26, 1984.

Joe Marconi, *Cause Marketing,* Chicago IL: Dearborn Financial Publishing, Sep. 2002.

Carroll, B. A., "Corporate Social Responsibility", Business and Society 38(2), 1999.

Donna J. Wood. and Kimberly S. Davenport, "Corporate involvement in community economic developmen", Chicago: Business and Society Vol. 41, Jun. 2002.

Archie B. Carroll, "Ethical Challenges for Business in the New millennium: Corporate Social Responsibility and Models of management Morality", Business Ethics, Quarterly 10 nol 33~42, Jan. 2000.

Pratima Bansal, "Corporate Social Responsibility with Pratima Bansal", Ivey Business Journal 66 no 4, pp. 18~19, 59. Mr/Ap. 2002.

Philip R. P. Coelho and James E. McClure, "The Social Responsibility of Corporate Management: A Classical Critique", Mid-American Journal of Business 18 nol 15~24, Spr. 2003.

Lois A. Mohr and Deborah J. Webb, "Do Consumers Expect Companies to be Socially Responsible? The Impact of Corporate Social Responsibility on Buying Behavio", The Journal of Consumer Affairs, 35 nol 45~72, summ 2001.

Tanya Clark, "Teaching Mother To Have Fun : Hitachi's social-contribution program is a rarity in Japan", Industry Week, 248 no 16, 1999.

Robert J. Fein, "Corporate volunteerism yields more than good feeling", The

American Workplace newsletter, U. S. Department of Labor, Sep. 1993.

Jerome L. Himmelstein, *Looking Good & Doing Good: Corporate Philanthropy and Corporate Power,* Bloomington : Indiana University Press, 1997.

Sandra Waddock, "Corporate Citizenship Enacted as Operating Practice", International Journal of Value Based Management, 2001 ; 14, 3; ABI / INFORM Global.

Patricia Caesar, "Cause-Related Marketing : The New Face of Corporate Philanthropy", Business and Society Review, pp. 15~19, 2001.

P. Rajan Varadarajan and Anil Menon, "Cause-Related Marketing : A Coalignment of Marketing Strategy and Corporate Philanthropy", Journal of Marketing, Vol. 52, pp. 58~74, July 1988.

제3부 한 중 관 계

제10장 한중 경제의 현재와 미래 :
한중 양국의 교역-투자구조 변화와 청산을 중심으로

박상수(충북대학교 국제경영학과 교수)

1. 서론

한중 양국간의 경제협력은 오래지 않은 시간에도 불구하고 협력적 동반자로서 손색이 없는 단계에 도달하였다고 평가할 수 있다. 특히 무역과 투자 분야에 있어 양국간 협력은 비약적인 발전을 이룩해 왔다.

중국은 우리 기업들이 가장 선호하는 투자 대상 국가로서 2005년 2월 현재까지 182.7억 달러(신고 기준 13,527건)가 넘는 투자허가가 이루어졌으며, 실제로 투자된 금액은 108억 달러(11,346건)를 넘어섰다. 이를 바탕으로 2004년 말 현재 양국간 교역 규모는 793.4억 달러(한국 통계 기준)로 연평균 23% 이상의 높은 증가율을 유지하면서 중국은 이미 우리나라의 첫 번째 교역국으로 부상하였다. 중국의 입장에서도 한국은 미국, 일본, 홍콩에 이어 4번째 무역상대국으로 부상하여 매년 우리 제품의 19% 이상이 중국으로 수출되고 있어 양국간 교역 규모 1천억 달러의 시대가 현시화되고 있다. 그러나 최근 중국경제의 급신장으로 인해 산업 전반에 걸친 기술경쟁력 역시 급격히 높아지고 있어, 향후 한중간 경제협력 구도에 적잖은 변화가 야기될 것으로 우려되고 있다.

따라서 본고에서는 한중 양국간 교역 및 투자구조 변화에 대해 평가해 봄으로써 양국간 경제교류 현재와 미래를 가늠하고자 한다.

2. 한중 교역 현황과 교역구조의 특징

1) 양국간 교역 현황

중국은 현재 한국의 1대 교역국으로 2004년 말 양국간 교역 규모는 총 793.4억 달러에 달하고 있다. 이는 지난 1992년 63.7억 달러(한국 통계 기준) 이후 12년간 양국간 교역 규모가 연평균 23.3%의 높은 증가율을 기록하였음을 의미하는 것이다. 이처럼 중국이 한국의 주요 수출시장으로 부상함에 따라 1992년 3.4%에 불과하였던 한국의 대중국 수출의존도는 2004년 19.6%까지 대폭 상승하였다.

한편 중국측 입장에서 보면 양국간 교역규모는 1992년 50.6억 달러에서 2004년에는 900.7억 달러로 수교 이후 연평균 증가율은 한국측 통계보다 높은 27.1%를 기록하고 있다. 이에 따라 한국은 수교 당시인 1992년 중국의 7대 교역상대국에서 2004년 말 현재 미국(1,696.3억 달러)과 일본(1,678.9억 달러), 홍콩(1,126.8억 달러)에 이어 4번째 교역상대국으로 급성장하였으며 중국 내 수입시장점유율도 1992년의 2.8%에서 2004년에는 11%에 달하는 것으로 집계되고 있다.

〈그림 10−1〉 연도별 대중국 수출입 추이　　　　　　　　　　　　　　　　　　(단위: 백만 달러)

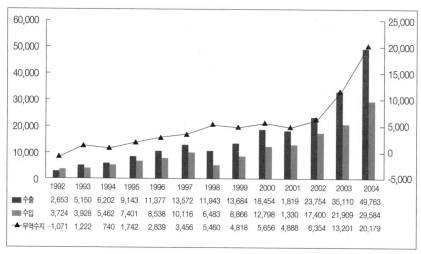

	1992	1993	1994	1995	1996	1997	1998	1999	2000	2001	2002	2003	2004
■ 수출	2,653	5,150	6,202	9,143	11,377	13,572	11,943	13,684	18,454	1,819	23,754	35,110	49,763
■ 수입	3,724	3,928	5,462	7,401	8,538	10,116	6,483	8,866	12,798	1,330	17,400	21,909	29,584
▲ 무역수지	−1,071	1,222	740	1,742	2,839	3,456	5,460	4,818	5,656	4,888	6,354	13,201	20,179

* 자료: KOTIS.

〈표 10−1〉 한중 양국의 국별 수출입 현황(2004)　　　　　　　　　　　　(단위: 억 달러)

순위	한국		중국	
	국가	금액	국가	금액
1	중국	793.4(201.7)	EU	1,772.9(370.3)
2	미국	716.3(140.6)	미국	1,696.3(802.7)
3	일본	678.4(−244.4)	일본	1,678.9(−208.6)
4	홍콩	213.9(148.5)	홍콩	1,126.8(890.8)
5	대만	171.5(25.3)	ASEAN	1,058.8(−200.7)
6	독일	168.1(−1.5)	한국	900.7(−344.3)
7	사우디아라비아	135.1(−100.9)	대만	783.2(−512.3)
8	호주	108.1(−40.5)	러시아	212.3(−30.2)
9	말레이시아	101.5(−11.9)	호주	203.9(−27.1)
10	싱가포르	101.1(11.9)	캐나다	155.2(8.0)

* 주 : 괄호 안은 무역수지
* 자료 : KOTIS 한국무역통계, 중국 상무부 무역통계(http://gcs.mofcom.gov.cn).

2) 양국간 교역구조의 특징

2004년 말 현재 양국간 품목별(HS 2 단위 기준) 교역구조를 보면 한국의 대중국 수출품목은 85(전기기기), 84(기계류), 29(유기화학품), 72(철강), 39(플라스틱) 등이 주종을 이루고 있으며, 수입품목의 경우는 전기기기(85), 기계류(84) 등이 주종을 이루는 것으로 나타났다. 이는 양국간 수교 시점인 1992년 당시만 하더라도 대중국 주요 수출품목은 공산품, 주요 수입품목은 1차 상품으로 구성되어 산업간 비교우위에 따른 뚜렷한 수직적 분업 형태를 띠었던 것과 비교하면 큰 변화라 할 수 있다.

이 같은 변화는 금융위기 이전인 지난 1996년 이전과 비교하더라도 뚜렷한 차이를 보이고 있는데, 대중국 수입 1위 품목이었던 광물성 연료의 경우 2004년에는 전기기기 및 기계류에 이어 4위로 뒤쳐진 데에서도 알 수 있다.

이 같은 변화는 최근 중국의 급속한 공업화로 양국간 무역구조가 동종 산업 내 무역 비중이 높아지는 수평적 분업의 형태로 급속히 변화하고 있음을 보여주는 것이다. 일례로 지난 1992년 이후 공산품의 양국간 산업 내 무역지수[1]를

〈표 10-2〉대중국 품목별 상위 수출입 상품구조　　　　　　　　　　　　　(단위 : 백만 달러)

수 출			수 입		
1992	1996	2004	1992	1996	2004
철강(72)	기계류(84)	전기기기(85)	곡물(10)	광물성연료(27)	전기기기(85)
플라스틱(39)	플라스틱(39)	기계류(84)	광물성연료(27)	철강(72)	기계류(84)
전기기기(85)	전기기기(85)	유기화학(29)	인조단섬유(55)	전기기기(85)	철강(72)
인조단섬유(55)	광물성연료(27)	플라스틱(39)	소금, 황, 시멘트(25)	인조단섬유(55)	광물성연료(27)
기계류(84)	철강(72)	철강(72)	견(50)	의류(62)	의류(62)
유기화학(29)	원피, 가죽(41)	광물성연료(27)	철강(72)	기계류(84)	알루미늄(76)

* 주 : HS 2 단위 기준
* 자료 : KOTIS 중국무역통계.

살펴보면 2004년 말 현재 14개 공업제품군의 경우 1992년 대비 9개 제품군의
산업 내 무역지수가 높아진 데에서도 알 수 있다.

한편 2004년 말 현재 한중 양국의 수출입 품목별 비교우위를 가늠할 수 있
는 19개 전체 제품군의 무역특화지수[2]를 살펴보면 한국의 비교우위 품목이라

〈표 10−3〉 산업내무역지수

구분	산업내무역지수(IIT)				
공산품	1992	1996	2000	2003	2004
화학공업 및 연관 생산품	0.97	0.80	0.49	0.49	0.45
플라스틱 및 고무제품	0.16	0.08	0.13	0.19	0.20
가죽 및 가죽제품	0.20	0.32	0.31	0.74	0.86
목재 및 그 제품	0.28	0.50	0.43	0.18	0.24
펄프 및 그 제품	0.07	0.04	0.23	0.35	0.38
방직용 섬유 및 그 제품	0.65	0.88	0.89	0.93	0.90
신발류 및 모자류	0.51	0.78	0.98	0.73	0.68
시멘트, 석재, 유리제품	0.45	0.61	0.94	0.54	0.45
보석, 반보석, 모조보석제품	0.71	0.77	0.86	0.92	0.99
금속(귀금속 제외) 및 그 제품	0.49	0.87	0.86	0.70	0.94
기계류, 전기기기, 녹음기, 영상기기	0.65	0.65	0.81	0.65	0.67
차량 등 수송기기 관련 제품	0.32	0.37	0.60	0.17	0.15
광학기기, 정밀기기, 시계	0.40	0.86	0.58	0.79	0.44
잡제품	0.69	0.99	0.81	0.53	0.55

* 주 : 공산품은 HS 28~96(93 제외)의 14개 품목군 67개 제품류를 대상으로 계산.

---

1) 산업내무역지수는 동일 산업에 속하는 재화간에 수출과 수입이 동시에 이루어지는 정도를 나타내는 지표로서,
투입요소의 유사성이나 최종수요에 있어서의 대체성 등의 측면에서 양국간 교역의 긴밀도를 판단하는 데 활용
되며 다음과 같이 정의할 수 있다.

　　산업내무역지수 $IIT_i = 1 - |X_i - M_i|/(X_i + M_i)$

　　(X_i는 i산업의 수출액, M_i는 i산업의 수입액)

산업내무역지수는 0과 1 사이의 값을 가지는데, 동 지수가 1에 가까울수록 양국간 산업내무역이 활발하고 그만
큼 양국의 산업이 상호 긴밀한 보완관계에 있다고 할 수 있다. 따라서 산업내무역은 경제의 발전 단계가 유사하
고 산업구조가 고도화된 국가들간에 수평적 분업의 가능성이 높아짐에 따라 활성화된다고 하겠다.

할 수 있는 '0~100' 사이의 수출특화 제품군은 수송기기, 플라스틱, 펄프, 화학 공업제품 등 9개 제품군으로 나타났다. 반면 동물성 생산물, 식물성 생산물, 동식물성 유지, 조제식료품, 목재, 시멘트, 신발류, 잡제품 등의 경우 무역특화지수는 '0~-100' 사이로 대중국 무역적자를 기록하는 수입특화(중국의 수출특화)가 뚜렷이 나타나고 있음을 보여주고 있다.

이 같은 결과는 양국간 무역이 산업간 무역인 수직적 분업 형태에서 현재는 상당 부분 수평적 분업 형태인 산업 내 무역의 형태로 발전하고는 있으나 차량 등 운송기기 및 플라스틱, 펄프 등 일부 기술 및 자본집약형 분야에서는 아직까지 한국이 경쟁력 우위에 있음을 보여 주고 있다.

그러나 이들 제품에 대한 경쟁력 역시 중국이 막대한 외국인 직접투자 유치와 그에 따른 기술이전에 힘입어 급속히 잠식되고 있는 만큼 언제까지 지속적인 우위를 확보할 수 있을지는 또 다른 과제로 지적되고 있다.

3) 해외시장에서의 수출경합 관계 : MCA

한편 한중 양국간 교역은 중국의 외국인 직접투자의 성공적 유치에 따른 산업구조 변화에 따라 한국과 중국의 국내시장에서뿐만 아니라 해외시장에서의 수출경쟁 또한 치열해지고 있는 것으로 나타나고 있다. 특히 양국의 주요 해외시장인 미국시장에서의 HS 2 단위 무역통계를 통해 한국과 중국의 공산품[3]에 대한 시장별 비교우위지수인 MCA(Market Comparative Advantage)를 통해 양국간 수출경쟁 관계를 살펴보면 다음과 같다.[4]

---

2) 무역특화지수는 특정국가의 특정제품의 수출뿐만 아니라 수입까지 감안하여 무역수지의 변동을 지수화한 것으로 특정국가의 특정제품의 무역특화지수가 +100이면 완전수출특화, -100이면 완전수입특화, 0이면 완전중립을 나타낸다.
3) 공산품은 HS 28~96(93 제외)의 14개 품목군 67개 제품류를 대상으로 계산.

<표 10-4> 한중 수출입 품목별 무역특화지수

품목 코드	해당 품목 점유율(2004)	무역특화지수			
		2004	2003	2000	1996
동물성 생산물	1.2%	-74.5	-81.1	-70.4	-51.3
식물성 생산물	1.0%	-88.7	-93.8	-96.6	-94.4
동식물성 유지	0.0%	-48.5	-44.0	-26.8	-84.9
조제식료품 음료, 담배	0.8%	-56.8	-60.3	-71.1	-82.4
광물성 생산품	6.8%	5.7	0.1	15.1	-25.4
화학공업 및 연관 생산품	9.2%	55.2	51.1	50.5	19.9
플라스틱 및 공업제품	5.6%	80.0	80.6	87.0	91.9
원피 및 가죽제품	1.1%	14.0	25.7	68.9	67.5
목재 및 그 제품	0.4%	-75.9	-81.8	-56.5	-50.0
펄프 및 그 제품	0.7%	61.8	65.5	77.1	96.1
방직용 섬유 및 그 제품	7.7%	-9.6	-7.2	10.8	11.9
신발 및 모자류	0.9%	-32.2	-27.3	-2.3	-21.5
시멘트, 석재, 도자기, 유리제품	1.3%	-55.3	-46.0	-6.5	-39.4
보석, 귀금속, 모조장신용품	0.3%	-1.2	8.4	14.1	-23.5
금속 및 그 제품	12.8%	5.8	29.8	13.5	-13.3
기계, 전기기기, 녹음기, 영상기기	41.0%	33.4	34.9	18.5	35.0
차량, 항공기, 선박 등 수송기기	3.5%	84.8	83.3	39.9	62.7
광학기기, 정밀기기, 의료기기 등	4.4%	56.4	20.6	-41.9	-14.1
잡제품	1.3%	-45.3	-46.5	-19.0	0.5

<표 10-5>는 HS 2 단위를 집계한 제품군을 대상으로 1996, 2000, 2004년 통계를 기준으로 MCA를 구한 것이다. 한국의 경우 1996년에는 MCA가 1 이상

---

4) 시장별 비교우위지수는 다음과 같이 정의한다.

$$MCA_j^i = \frac{X_j^i \ / \ TX_j^i}{X_j \ / \ TX_j}$$

여기에서, X_j^i는 해당국가 i상품의 j시장 수출액(j시장의 해당 국가로부터의 i상품수입액), TX_j^i는 j시장에 대한 i상품의 총수출액(j시장의 i상품총수입액), X_j는 해당 국가의 j시장에 대한 총수출액(j시장의 해당 국가로부터의 수입액), TX_j는 j시장에 대한 총수출액(j시장의 총수입액)을 각각 나타낸다. 따라서 MCA_j^i가 1보다 크다는 것은 해당 국가 i상품이 j시장에서 해당 국가의 j시장 수출 전체에 비하여 좋은 수출 성과를 보이고 있다는 것을 의미하며, 1보다 작다면 그 상품의 수출 성과는 평균에 못 미치고 있음을 의미한다.

〈그림 10—2〉 수출입 제품별 특화지수(2004)

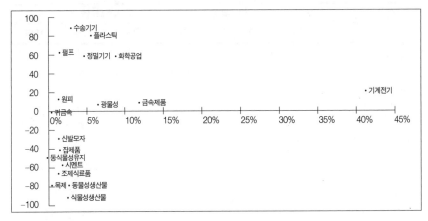

* 주 1 : 해당품목 무역특화지수=(수출 − 수입)/(수출 + 수입)×100
* 주 2 : 해당품목의 점유율=(수출+수입)/(총수출+총수입)
* 자료 : KOTIS 한국무역통계.

〈표 10—5〉 미국시장 내 한·중 수출제품의 MCA

공산품 전체	1996		2000		2004	
	한국	중국	한국	중국	한국	중국
화학공업 및 연관 생산품	0.251	0.410	0.241	0.339	0.216	0.268
플라스틱 및 고무제품	0.997	1.392	0.954	1.406	1.200	1.201
가죽 및 가죽제품	1.364	6.037	0.818	5.504	0.196	4.651
목재 및 그 제품	0.019	0.558	0.015	0.738	0.012	0.684
펄프 및 그 제품	0.260	0.337	0.524	0.544	0.673	0.696
방직용 섬유 및 그 제품	1.580	1.905	1.319	1.305	1.055	1.286
신발류 및 모자류	1.018	7.710	0.510	7.421	0.287	5.140
시멘트, 석재, 유리제품	0.223	1.814	0.242	1.945	0.214	1.499
보석, 반보석, 모조보석제품	0.334	0.246	0.289	0.306	0.167	0.404
금속(귀금속 제외) 및 그 제품	0.938	0.700	1.071	1.007	0.807	1.013
기계류, 전기기기, 녹음기, 영상기기	1.951	0.840	1.986	1.092	1.947	1.628
차량 등 수송기기 관련 제품	0.633	0.078	0.891	0.135	1.747	0.129
광학기기, 정밀기기, 시계	0.548	1.186	0.412	1.103	0.295	0.762
잡제품 및 기타	0.508	5.629	0.325	5.381	0.199	4.163

* 자료 : KOTIS 미국무역통계 이용 계산.

인 제품군은 가죽제품, 방직용 섬유제품, 신발 및 모자류, 기계 및 전기기기 등 4개였으나 2004년에는 가죽제품, 신발류 등의 제품군의 MCA는 1 이하로 감소한 반면 플라스틱과 차량 등 수송기기 제품군이 상승세를 보여 전체 제품군 중 MCA 1 이상인 제품군은 여전히 4개를 유지하고 있는 것으로 나타났다. 그러나 전체적으로 볼 때 미국시장 내 MCA는 1996년 대비 플라스틱제품, 펄프제품, 기계 및 전기기기제품, 차량 등 수송기기, 펄프제품 등 5개 제품군을 제외한 나머지 9개 제품군이 모두 감소한 것으로 나타나고 있다.

반면 중국의 경우 MCA가 1 이상인 제품군은 1996년 7개군에서 2004년에는 금속과 기계·전기기기류 등 제품군의 수출 호조로 8개군으로 늘어났으며, 특기할 만한 것은 한국의 경우 MCA가 가장 높은 기계제품의 경우에도 값이 1.947에 불과하나 중국의 경우 신발 및 모자류(5.140), 잡제품(4.163) 등 특정 경공업제품에 상당히 높게 나타나고 있다는 점이다. 이는 아직은 중국의 비교우위 제품이 한국보다 대체로 노동집약적 소비재에 집중되어 있음을 의미하는 것이라 할 수 있다. 그러나 기계·전기기기제품, 차량 등 수송제품군을 제외한 나머지 공산품의 MCA가 한국보다 모두 높고, 한국의 수출경쟁 우위 제품인 기계·전기기기제품군에 있어서도 중국의 시장 잠식이 급격히 빨라지고 있어 더이상 중국이 전통적 노동집약적 제품의 수출국만이 아님을 주지할 필요가 있다. 따라서 국내 수출 비교우위 산업의 경쟁력 제고를 위한 대책 마련이 시급한 것으로 지적되고 있다. 일례로 14개 공업제품군의 HS 2 단위 기준 67개 공산품류의 MCA(2004년 기준)를 비교해 보면 한국의 경우 MCA 1 이상 제품류는 15개, 중국은 32개로 나타나고 있다.

한편 67개 공산품류 중 한국의 MCA가 중국보다 앞서는 제품류는 화학공업제품군의 HS 29, 32, 38, 플라스틱 제품군의 HS 40, 펄프제품군의 HS 48, 섬유제품군의 HS 50, 51, 52, 54, 55, 58, 59, 60, 61, 금속제품군의 HS 72, 기계·전기기기군의 HS 85, 차량 등 수송기기군의 HS 87, 88, 89 등 19개류에 그친 반면 중국은 48개 제품류에 있어서 한국보다 수출시장에서의 MCA가 높은 것으로 나타나고 있다.

상술한 바와 같이 양국간 교역이 급속히 증대한 데에는 중국의 지속적인 경제성장에 따른 수입 수요의 급증에서 먼저 그 원인을 찾을 수 있다. 그러나 이외에도 한중수교 이후 한국기업의 중국 투자가 활기를 띠면서 대중국 투자기업의 국내 생산재에 대한 수요 급증에 따른 대중 수출 및 완성재에 대한 대내 역수입 수요의 급증이 양국간 교역 증대의 보다 근본적인 원인이라 할 수 있다.

〈표 10─6〉 67개 제품류별 미국시장 한중 MCA 비교(2004년)

미국 수입시장	내용 분류	MCA > 1	MCA > 상대국
한국	2004년	40, 50, 52, 54, 55, 58, 59, 60, 65, 73, 84, 85, 87, 89, 92(15류)	29, 32, 38, 40, 48, 50, 51, 52, 54, 55, 58, 59, 60, 61, 72, 85, 87, 88, 89 (19류)
	2003년	40, 52, 54, 55, 58, 59, 60, 61, 72, 73, 79, 82, 84, 85, 87, 92, 96(17류)	32, 34, 35, 37, 38, 40, 48, 50, 51, 52, 54, 55, 56, 58, 59, 60, 61, 72, 79, 85, 87, 88, 89 (23류)
중국	2004년	34, 36, 39, 42, 43, 46, 49, 50, 53, 57, 58, 62, 63, 64, 65, 66, 67, 68, 69, 70, 73, 80, 81, 82, 83, 84, 85, 91, 92, 94, 95, 96(32류)	상기 제품류 외 48개류
	2003년	34, 36, 39, 42, 43, 46, 49, 50, 53, 57, 58, 62, 64, 65, 66, 67, 68, 69, 70, 73, 80, 82, 83, 84, 85, 91, 92, 94, 95, 96 (30류)	상기 제품류 외 44개류

* 주: 공산품은 HS 28~96(93 제외)의 14개 품목군 67개 제품류 대상.

따라서 양국간 교역구조를 이해하기 위해서는 양국간 투자 현황과 구조의 이해가 선행되어야 한다.

3. 한중 양국의 투자 현황 및 특징

1) 한국의 대중 투자 현황 및 특징

한국의 대중(對中) 직접투자는 1992년 한중 국교 수립 이후 본격적인 투자를 시작으로 괄목할 만한 증가세를 기록하고 있다.[5] 중국은 현재 한국의 최대 투자 대상국으로 한국의 대중 직접투자는 2005년 2월까지 총투자 누계 기준 108.5억 달러, 11,629건으로 금액 기준 전체 해외직접투자(519.5억 달러, 24,254건)의 20.8%를 차지하고 있다.

(1) 업종별 투자 현황

한국의 해외 직접투자에서 중국에 대한 투자집중도는 신고액 기준 1992년 10.9%에서 2004년에는 45.8%로 높아졌고, 특히 제조업의 경우 같은 기간 동안 25.8%에서 64.9%로 높아져, 한국 제조업계 해외투자의 중국에 대한 편중 현상이 심화되고 있음을 보여주고 있다. 이에 따라 한국의 대중 투자 중 제조업의 비중은 〈표 10−8〉에서 나타나는 바와 같이 2005년 2월말 누계 기준 투자액의 85.7%에 달하는 것으로 집계되고 있다.

한편 대중 투자의 건수 대비 투자 금액의 평균 투자 규모를 보면 전체 평균

---

5) 사실 1985년 이후 일부 한국기업들이 투자를 시작하였으나 당시는 양국간의 외교관계가 없었기 때문에 홍콩이나 일본을 통한 간접투자가 주류를 이루었음.

<표 10-7> 한국의 대(對)중국 투자 추이 (단위 : 건, 백만 달러)

연도	신고 기준		투자 기준	
	건수	신고액	건수	투자액
1992	269	223.1	170	141.1
1993	631	631.2	381	263.6
1994	1,064	824.0	840	632.8
1995	884	1,280.5	751	841.6
1996	927	2,008.5	735	906.9
1997	751	915.5	632	730.0
1998	318	904.2	262	691.5
1999	554	489.8	460	353.3
2000	912	978.5	773	683.6
2001	1,127	997.9	1,036	592.3
2002	1,549	2,079.3	1,370	986.1
2003	1,842	2,782.4	1,638	1,539.2
2004	2,241	3,650.5	2,157	2,187.0
2005년 2월 누계	13,527	18,275.7	11,629	10,850.4

* 자료 : 한국수출입은행.

<표 10-8> 한국의 업종별 대(對)중국 투자 현황(2005년 2월말 현재 투자 기준) (단위 : 건, 천 달러)

	농림어업	광업	제조업	건설업	도소매업	운수창고업
건수(A)	173	48	9,795	89	467	58
금액(B)	51,554	25,212	9,281,138	261,494	339,307	79,233
B/A	298.0	525.2	947.5	2,938.1	726.5	1,366.0

	통신업	금융업	숙박업	서비스업	부동산업	기타	합계
건수(A)	25	2	317	608	46	1	11,629
금액(B)	102,938	928	281,782	210,819	214,645	1,473	10,850,487
B/A	4,117.5	464.0	888.9	346.7	4,666.1	1,473	933.0

* 자료 : 한국수출입은행.

투자액은 93.3만 달러를 기록하고 있으며, 업종별로는 부동산업 부문이 가장 큰 평균 466.6만 달러, 농림어업 부문은 가장 적은 29.8만 달러를 기록하고 있다. 한편 투자건수가 가장 많은 제조업 부문의 평균 투자액은 94.7만 달러로 여타 부문에 비해 상대적으로 적은 투자 규모를 보이고 있다.

(2) 제조업의 지역별 투자 현황

한국기업의 대중 지역별 투자 현황을 보면 산둥(山東)성이 전체 투자건수(11,629건) 대비 가장 많은 35.6%(4,150건), 랴오닝(遼寧)성 14.6%(1,709건), 톈진(天津) 8.8%(1,033건), 지린(吉林)성 7.1%(703건), 장쑤(江蘇)성 7.5%(876건), 베이징(北京) 6.7%(786건), 지린성 6.4%(750건), 상하이(上海) 5.3%(617건) 등의 순으로 나타났다.

이 같은 현상은 업종별／지역별 투자에서도 그대로 투영되고 있어 제조업의 경우 산둥성이 전체 제조업 투자건수(9,795건)의 38.0%(3,723건), 랴오닝성

<그림 10-3> 업종별 평균 투자 규모

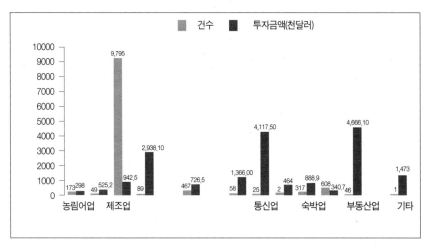

〈표 10—9〉 대중국 지역별 투자 현황(2005년 2월)　　　　　　　　　　　　　(단위 : 건, 천 달러)

	신고 건수	신고 금액	투자 건수	투자금액	회수 건수	회수 금액	순투자 건수	순투자 금액
합계	13,527	18,275,741	11,629	10,850,487	284	1,929,259	11,345	8,921,228
산둥성	4,682	4,905,389	4,150	3,008,961	72	303,362	4,078	2,705,599
장쑤성	983	3,481,086	876	1,839,582	18	138,578	858	1,701,004
베이징시	896	1,762,516	786	1,143,340	30	78,258	756	1,065,082
라오닝성	2,126	1,715,821	1,709	953,005	40	82,697	1,669	870,308
톈진	1,168	1,661,668	1,033	1,098,557	15	125,337	1,018	973,220
상하이시	663	1,146,577	617	764,235	21	232,624	596	531,611
저장성	419	758,874	380	489,832	14	149,257	366	340,575
광둥성	394	691,578	344	427,534	9	50,741	335	376,793
지린성	984	464,634	750	237,170	28	22,201	722	214,969
자치구	46	404,806	34	125,333	2	71,478	32	53,855
헤이룽장성	407	345,982	313	193,500	19	36,690	294	156,810
허베이성	310	251,545	262	135,464	5	10,151	257	125,313
후난성	24	207,595	24	162,435	1	590,687	23	-428,252
푸젠성	105	99,522	85	68,517	1	368	84	68,149
쓰촨성	64	85,378	59	54,231	1	5,727	58	48,504
안후이성	44	71,626	34	28,552	2	8,911	32	19,641
하이난성	19	65,147	17	25,066	0	5,133	17	19,933
후베이성	37	56,644	28	36,967	3	13,888	25	23,079
산시성(산서성)	25	28,037	20	8,149	1	100	19	8,049
장시성	41	25,261	34	20,076	2	333	32	19,743
허난성	43	16,917	33	9,820	0	4	33	9,816
산시성(섬서성)	16	11,645	14	8,504	0	2,394	14	6,110
윈난성	16	7,892	15	4,614	0	0	15	4,614
구이저우성	7	7,506	5	6,194	0	340	5	5,854
간쑤성	7	1,974	6	728	0	0	6	728
칭하이성	1	121	1	121	0	0	1	121

* 자료 : 한국수출입은행, 해외투자 통계정보.

14.4%(1,410건), 톈진 9.4%(919건) 등으로 나타나 이들 지역에 대한 투자가 제조업 전체 투자의 60% 이상을 차지하고 있는 것으로 나타났다. 지역별 평균 투자 규모를 보면 〈표 10—10〉에 나타나는 바와 같이 후난(湖南)성이 가장 높은 772만 달러, 하이난(海南)성 223만 달러, 장쑤성 212만 달러, 자치구 2백만 달러

로, 이들 지역이 평균 2백만 달러 이상의 대규모 투자를 기록하고 있는 것으로 나타났다. 한편 평균 1백～2백만 달러의 중규모 투자의 경우 베이징(179만 달러), 후베이(湖北)성(163만 달러), 광둥(廣東)성(131만 달러), 저장(浙江)성(127만 달러), 구이저우(貴州)성(123만 달러), 톈진시(114만 달러), 안후이(安徽)성(101만 달러), 상하이(1백만 달러) 등이며 기타 지역의 경우 평균 1백만 달러 이하의 소규모 투자가 주류를 이루고 있는 것으로 나타났다.

〈표 10-10〉 제조업 부문의 대중국 지역별 투자 현황(2005년 2월) (단위 : 건, %, 천 달러)

	베이징	지린성	강쑤성	안후이성	저장성	구이저우성	쓰촨성	광둥성	후난성
투자건수	423	608	818	27	340	5	42	317	21
(비중)	4.3%	6.2%	8.4%	0.3%	3.5%	0.1%	0.4%	3.2%	0.2%
투자금액	760,952	160,139	1,735,639	27,415	431,708	6,194	37,780	415,334	162,150
(비중)	8.2%	1.7%	18.7%	0.3%	4.7%	0.1%	0.4%	4.5%	1.7%
평균 투자금액	1,799	263	2,121	1,015	1,270	1,239	900	1,310	7,721

	후베이성	허난성	산둥성	장시성	자치구	하이난성	칭하이성	간쑤성	산시성
투자건수	22	28	3,723	31	25	10	1	6	8
(비중)	0.2%	0.3%	38.0%	0.3%	0.3%	0.1%	0.0%	0.1%	0.1%
투자금액	35,940	8,379	2,863,860	19,431	50,009	22,349	121	728	2,535
(비중)	0.4%	0.1%	30.9%	0.2%	0.5%	0.2%	0.0%	0.0%	0.0%
평균 투자금액	1,634	299	769	627	2,000	2,235	121	121	317

	윈난성	푸젠성	헤이룽장성	랴오닝성	톈진	상하이	산시성	허베이성	계
투자건수	3	76	258	1,410	919	420	16	238	9,795
(비중)	0.0%	0.8%	2.6%	14.4%	9.4%	4.3%	0.2%	2.4%	100.0%
투자금액	772	66,632	135,391	731,981	1,052,492	421,451	6,411	125,345	9,281,138
(비중)	0.0%	0.7%	1.5%	7.9%	11.3%	4.5%	0.1%	1.4%	100.0%
평균 투자금액	257	877	525	519	1,145	1,003	401	527	948

* 자료 : 한국수출입은행, 해외투자 통계정보.

위에서 밝힌 것처럼 한국의 대중국 투자의 주요 특징은 중소기업 위주의 소규모 투자 비중이 상대적으로 높다는 점이다. 특기할 만한 것은 가장 높은 투자 건수와 투자액을 보이고 있는 산둥성의 경우, 평균 투자 규모는 76.9만 달러로 상대적으로 중소기업 위주의 소규모 투자가 집중되어 있는 데에서도 잘 나타나 있다.

(3) 투자의 실패 : 청산

한편 앞에서 설명한 바와 같이 한중수교 이후 대중국 투자의 급격한 확대 속에 1996년을 고비로 최근에는 중국투자 한국기업의 청산 사례가 점차 증가하고 있어 이에 대한 새로운 평가가 요구되고 있다. 중국투자 한국기업의 청산은 지난 1993년 2건이 발생한 이래 2005년 2월 말까지 청산건수와 청산금액은 총 284건, 19.2억 달러에 달하는 것으로 집계되고 있다.

투자건수 기준으로 유형별 청산 현황을 살펴보면 기업 규모에 있어서는 대기업의 청산 비율(10.7%)이 중소기업(2.3%)보다 5배 높게 나타났으며, 업종별로는 금융보험·통신·운수창고업 등이 높게 나타났고, 제조업의 경우 우리 기업 투자의 대부분을 차지하고 있으나 투자건수 대비 청산 비율은 전체 평균인 2.4%보다도 낮은 2.3%를 기록하였다.

〈표 10−11〉 중국투자 한국기업의 청산 추이 　　　　　　　　　　　　　　　(단위 : 건, 백만 달러)

구분	1993	1994	1995	1996	1997	1998	1999	2000	2001	2002	2003	2004	2005. 2. 누계
투자 건수	381	840	751	735	632	262	460	773	1,036	1,370	1,678	2,157	11,629
청산 건수	2	7	7	22	21	19	20	18	29	32	51	53	284
청산 금액	2.3	11.5	14.1	36.7	26.3	62.7	152.2	315.0	822.8	113.0	133.1	234.8	1,929.2

* 자료 : 한국수출입은행.

한편 지역별 청산 비율을 보면 상대적으로 높게 나타난 지역은 후베이성, 헤이룽장(黑龍江)성, 자치구, 안후이성, 장시(江西)성, 후난성, 베이징, 지린성, 저장성, 상하이, 광둥성 지역 등으로 이들 지역의 경우 전체 평균 청산 비율보다 높게 나타났다.[6] 이 같은 결과에서 특기할 만한 것은 우리 기업의 진출이 많은 톈진, 산둥성, 랴오닝성 등의 경우 투자 비중 대비 청산 비율이 낮게 나타났다는 점인데, 이는 이들 지역에 진출한 우리 기업이 수출 지향의 투자를 한 점과 칭다오(淸島), 다롄(大連), 옌타이(煙臺) 등 지역을 중심으로의 투자 밀집에 따른 상호 정보 교환 등으로 현지 경영에서의 어려움을 공동 대처해 나간 것으로 풀이된다. 반면 내수지향의 투자로 부상중인 강쑤성, 상하이 지역의 경우 투자 비중 대비 청산 비중이 다소 낮게 나타난 점은, 향후 이 지역에 대한 투자 진출의 가능성을 예시하는 것으로 이해할 수 있다.

투자 형태별 청산을 보면 합자(작)투자기업의 투자건수 대비 청산 비율이 3.5%로 독자투자의 1.9%에 비해 높게 나타나고 있어, 당초 합자(작)투자의 주요 목적이었던 내수시장 개척 등에서 중국측 파트너의 역할이 기대에 못 미치는 것으로 나타났다.

최근 이처럼 중국 투자기업의 청산이 증가하고 있는 원인을 살펴보면, 첫째, 한국기업들의 대중국 투자가 중국의 유인요인(pull factor)보다는 한국의 경영 환경 악화라는 구축요인(push factor)에 의해 쫓기듯 시급한 결정에 좌우돼온 경향이 크며, 시장 전망과 현지 소비 수준에 대한 면밀한 연구가 부족했기

---

6) 지역별 특성을 고려할 때 저장성의 경우 중국의 유대인이라 할 만큼 상업의식이 높은 데다 중소 민간기업이 가장 발달한 점이 우리 기업의 상업을 어렵게 한 것으로 보이며, 헤이룽장성, 지린성의 경우 우리 동포의 활용 측면에서 진출하였으나, 개혁개방의 지연에 따른 시장경제 의식 미흡, 시장 협소 등이 어우러진 결과로 보임. 한편 베이징의 경우 세계적 브랜드 이미지가 없는 중소기업들이 보수 성향의 소비자를 대상으로 사업하기가 쉽지 않았다는 점을 반영한 것으로 보이며, 광둥성의 경우 개방 초기의 전초기지로서 홍콩, 타이완 등의 자본이 일찍이 진출함에 따라 후발주자인 우리 기업들이 현지 상관습과 시장에 대한 이해 부족으로 적응하지 못한 것으로 이해할 수 있음.

<표 10-12> 유형별 청산 현황(2005년 2월)

기업 규모별		
	대기업	중소기업	기타
투자건수(A)	607	7,879	3,143
청산건수(B)	65	183	36
청산 비율 (B/A)%	10.7	2.3	1.1

업종별									
	농림어업	광업	건설업	도소매업	운수 창고업	통신업	금융 보험업	숙박 음식업	제조업	부동산
투자건수(A)	173	48	89	467	58	25	2	317	9,795	43
청산건수(B)	8	0	4	12	4	12	1	4	223	3
청산 비율 (B/A)%	4.6	0.0	4.5	2.6	6.9	48.0	50.0	1.3	2.3	7.0

지역별											
	후베이성	헤이룽장성	자치구	안후이성	장시성	산시성	후난성	베이징	지린성	저장성	상하이	광둥성
투자건수(A)	28	313	34	34	34	20	24	786	750	380	617	344
청산건수(B)	3	19	2	2	2	1	1	30	28	14	21	9
청산 비율 (B/A)%	10.7	6.1	5.9	5.9	5.9	5.0	4.2	3.8	3.7	3.7	3.4	2.6

투자비율별		
	합자(작)투자	독자투자
투자건수(A)	3,955	7,674
청산건수(B)	138	146
청산 비율 (B/A)%	3.5	1.9

* 자료 : 한국수출입은행.

때문인 것으로 지적되고 있다. 둘째, 한국기업들은 노동집약형 산업을 중심으로 중국의 저임 노동력과 거대 시장을 목표로 진출했으나, 중국의 빠른 임금 상승이나 산업구조 고도화 등과 같은 예상치 못한 현지 투자 환경의 변화로 심각한 경영난에 봉착하였기 때문이다. 셋째, 한국경제가 외환위기의 후유증에서 완전히 벗어나지 못하였고 미국, 일본, EU 등 주요 선진국들의 경기침체로 한국기업들이 공격적인 경영에서 방어적인 내실경영으로 전환함에 따라 비교적 수익성이 낮은 중국 투자사업에서 철수하였기 때문이다.

2) 중국의 대한국 투자 현황 및 특징

한편 중국의 대한국 투자는 2005년 3월 말 누계 기준(산업자원부 신고 기준)으로 총 4,381건에 달해 투자건수로는 전체 대(對)한국 외국인 투자(총 31,069건, 1,070.2억 달러) 중 일본과 미국에 이어 3위를 기록하고 있다. 그러나 투자금액으로는 17.0억 달러로 전체 투자의 1.5%에 불과해 아직은 양국간 투자관계에 있어서는 한국이 일방적인 우위를 보이고 있다.[7]

2004년 3월 말 현재 신고 기준(총 3,753건, 5.3억 달러) 중국의 업종별 대한 투자 현황을 보면 제조업 421건 2.8억 달러, 서비스업 3,272건 2.4억 달러로 건수 기준으로 보면 중국의 대한국 투자 중 서비스업종이 전체 투자의 87.1%를 차지하는 것으로 나타났다. 건당 평균 투자 규모를 보면 제조업의 경우 66.9만 달러인데 반해 서비스업은 7.4만 달러에 그치고 있어, 대한국 투자의 대부분을 차지하고 있는 서비스업의 경우 도소매업과 음식숙박업 등에 소규모 투자 위주로 이루어지고 있음을 알 수 있다.

그러나 앞서 밝힌 바와 같이 중국의 대한 투자가 서비스업에 집중되고 있으나, 최근 주목할 만한 특징은 중국의 외국인 직접투자 증대로 인한 자국 산업경쟁력 제고와 중국 내 시장 경쟁 가열 등으로 국내 제조업 부문에 대한 투자(M&A)를 적극적으로 늘려 가고 있다는 점이다. 즉, 중국은 상대적으로 기술 우위에 있는 한국기업을 M&A 방식의 투자로 양국간 기술 격차를 축소해 나가고

---

7) 자료: 산업자원부 2005년 1분기 외국인직접투자 실적.

〈표 10-13〉 주요국의 대(對) 한국 투자 현황   (단위 : 건, 백만 달러)

구분	2003		2004		2005.1~3		누계(1962~2005.3)	
	건수	금액	건수	금액	건수	금액	건수	금액
국제협력기구	—	—	—	—	—	—	117	272
미주 지역	568	1,842	673	5,198	149	183	7,747	40,464
미국	453	1,240	552	4,717	118	164	6,664	32,417
캐나다	36	73	44	224	3	3	345	3,220
버뮤다	8	6	11	35	—	—	128	1,624
케이만군도	23	301	25	189	7	4	134	2,166
버진아일랜드	27	166	31	26	12	4	316	722
기타	21	55	10	6	9	8	160	314
아주 지역	1,484	1,486	1,747	4,293	525	451	17,474	31,013
일본	495	541	552	2,258	138	169	8,412	15,687
싱가포르	45	236	76	376	21	177	553	3,299
홍콩	62	55	69	88	21	20	765	1,921
말레이시아	36	417	42	167	4	8	614	6,670
중국	522	50	596	1,165	161	16	4,381	1,703
대만	35	15	32	17	9	1	342	736
기타	289	172	380	222	171	60	2,407	997
EU(25개 국가)	283	3,062	366	3,009	92	2,465	3,896	33,151
독일	68	370	95	487	29	341	1,049	6,404
영국	55	871	62	642	21	1,770	657	5,244
프랑스	43	150	54	180	10	5	536	3,455
벨기에	13	1,347	17	179	1	—	121	2,501
네덜란드	40	161	60	1,309	14	323	713	12,153
아일랜드	14	15	15	30	1	—	155	1,421
기타	50	149	63	182	16	25	665	1,973
기타 지역	262	78	316	285	93	23	1,835	2,127
합계	2,597	6,468	3,102	12,785	859	3,122	31,069	107,027

* 주 : 1개 사업에 여러 나라가 투자한 경우 국별로 각각 건수를 계상함에 따라 다른 표와는 상이.
* 자료 : 산업자원부.

〈표 10-14〉 중국의 대한국 업종별 투자 현황(2004년 3월 투자누계 신고 기준)　　　　　(단위 : 건, 천 달러)

투자업종		건수	금액
농수축산업		22	3,914
제조업	식품	58	6,032
	섬유의류	54	2,983
	제지목재	15	2,025
	화공	50	6,054
	의약	8	2,958
	비금속광업	14	757
	금속	36	5,398
	기계장비	28	2,420
	전기전자	80	184,110
	운송기기	23	64,972
	기타	55	4,304
	계	421	282,013
서비스업	도소매업	2,860	176,041
	음식숙박	230	18,446
	운수창고	48	6,330
	통신	1	42
	금융보험	9	1,142
	부동산	18	6,736
	비즈니스 서비스	44	18,950
	문화오락	16	11,791
	기타 서비스	46	2,852
	계	3,272	242,330
전기가스수도건설	전기가스수도	1	70
	건설업	37	4,213
	계	38	4,283
누계		3,753	532,540

* 자료 : 산업자원부, (2004.1~3) 외국인투자통계.

있다는 사실이다. 일례로 찡동팡엔즈(京東方電子, Beijing Orient Electronics)의 하이닉스 TFT-LCD 사업 부문(3.8억 달러) 인수, 상하이기차의 GM대우 지분 10%(5,970만 달러) 인수, 란싱(藍星, Blue Star)의 쌍용자동차 인수 결렬 이후 상하이기차의 쌍용자동차의 인수 등이 그것이다.

이 같은 추세는 향후 반도체, PDP, 휴대폰, 자동차 등 양국간 기술 격차가 큰 분야에 집중될 것으로 보여 기술 유출로 인한 한국의 기술경쟁력 약화가 크게 우려되고 있다.

4. 결론

한중수교 이후 양국간 무역 및 투자는 앞에서 살펴본 바와 같이 괄목할 만한 성장세를 보이고 있다. 특히 무역과 투자 증대에 따른 양국간 산업구조의 경합 관계는 갈수록 심화되고 있는 것으로 나타났다. 더욱이 한국을 포함한 외국기업의 대중국 투자 러시와 중국의 기술확보형 대한 투자 확대 등에 따른 기술이전 및 기술 유출 등은 한중간 기술경쟁력 격차를 크게 약화시키고 있어, 특히 기술경쟁력 강화를 위한 대책 마련이 시급한 것으로 지적되고 있다.

따라서 한중 관계에 있어서 무엇보다 시급한 과제는 계속 위협받고 있는 기술경쟁력 약화를 극복하기 위한 노력이라 할 수 있다. 이와 관련하여 첫째, 정부 차원의 R&D 지원 확충이 요구되고 있다. 특히 중국과 거의 모든 산업에서 직접 경쟁하고 있는 중소기업의 경우에는 부족한 투자 재원과 기술 인력의 확충 등에서 있어서 심각한 애로를 겪고 있는 만큼, R&D 투입요소라 할 수 있는 인력과 자금 등에서 실질적인 지원이 될 수 있는 현실적 지원제도가 마련되어야 할 것으로 보인다. 둘째, 원천 핵심기술 확보를 위한 기업의 자발적 노력의 요구이다. 일본기업의 경우 R&D 투자를 주로 고부가가치 핵심기술에 집중하고 있고, 중국은 한국의 기술력을 빠르게 추월하고 있는 만큼 생산기술 측면에서 경쟁력 확보를 위한 원천 핵심기술 확보를 위한 투자의 적극적 확대가 요구된다. 이와 함께 기술 유출 방지를 위한 기업 차원의 철저한 노력도 요구되고 있다. 최근 중국기업의 급속한 성장 배경에는 다국적기업들의 투자 확대와 중국기업의 기술확보형 M&A 등에 크게 기인하고 있는 만큼 기술 유출을 염두한 기업 차원의 신중한 투자 전략이 요구되고 있다.

끝으로 기술개발은 전형적인 지식기반 산업인 만큼 고부가가치의 신기술을 창출하기 위해서는 기업 내외의 집적된 지식이 연구인력의 창의성과 융합하여 새로운 기술을 개발할 수 있는 환경이 조성될 수 있도록 시스템 구축이 선결되어야 할 것으로 보인다.

〈참고자료〉

대한상공회의소, 한중 경제협력발전 공동연구 제2차 회의문서: 중국측 연구개요, 2004. 6.

KIEP, 「제2차 한중경제 심포지엄(요약)」, 2004. 4. 27.

산업자원부, 2004.1~3. 외국인투자통계.

한국수출입은행, 해외투자 통계정보.

KEP, 『한국경제의 부상과 한국의 정책대응』, 2004. 5. 31.

OTIS 한국무역통계.

중국 상무부 무역통계(http://gcs.mofcom.gov.cn)

한중사회과학연구회(韓中社會科學硏究會) 소개

한중사회과학연구회는 1996년 12월에 중국 베이징에서 중국인민대학(中國人民大學)과 베이징대학(北京大學) 등에서 사회과학 분야 석·박사과정 연구생으로 유학중이던 한국 유학생들과 중국인민대학, 중국사회과학원, 국가계획위원회 소속 연구소의 중국인 학자·연구자들이 주축이 되어 창립되었습니다. 연구회 창립 목적은 회원 상호간의 학술교류와 우호증진을 통하여 한국 내 사회과학 분야 한중 학자간의 학술 및 연구 활동 교류를 통하여 한중 양국의 상호 이해와 우호 증진, 그리고 학술 발전에 기여하는 것입니다.

현재 정회원들은 중국 대학에서 정치, 경제, 법학, 공상관리, 지역경제, 회계학 등 사회과학 분야를 전공하는 석·박사과정 연구생, 중국 대학에서 석·박사 학위과정을 마치고 한국과 중국의 대학과 연구기관, 기업체 등에서 활동하고 있는 소장학자, 그리고 중국인 학자들로 구성되어 있습니다.

연구회 모임과 활동은 서울·베이징·항조우 분회로 나누어 진행되고 있습니다. 서울에서는 중국 대륙에서 학위과정을 마치고 귀국한 회원들이 주축이 되어 한국에 체류중인 중국학자들과 월 1회 연구토론회 모임을 갖고 있으며, 중국 지역연구 관련서적 출판, 중국시장 관련 조사연구 등의 사업을 추진하고 있습니다. 베이징 인민대학과 항조우의 절강대학에서도 한국 유학생들과 한중 양국의 학자들이 매월 주제를 정해 연구토론회를 개최하고 있습니다. 2002년 『현대중국의 이해―1』과 2003년 『현대중국의 이해―2』, 2005년 『현대 중국』 등 "현대중국의 이해 시리즈"는 본회의 연구 결과물로서 매년 지속하여 발간할 예정이며, 이를 통해 한중간의 교류와 이해를 증진시키는 데 노력할 것입니다.

그동안 본회의 연구 활동을 기초로 하여 2003년에는 한국과 중국의 사회과학 부문 관련 전문가를 광범위하게 포함하는 학술연구단체인 '한중사회과학학회'를 창립하였습니다. 본연구회는 모든 중국전문가들에게 개방되어 있으며 관심 있는 연구자들의 많은 참여를 바랍니다.

저자 소개(글 게재순)

이상만(李相萬)

1959년 충북 출생. 동국대 정치학과 학사, 석사, 박사. 중국인민대 정치경제학 박사. 현 미래정경
연구소 연구위원.

주요 저서 및 논문: 「世界體制與中國後期現代化」(2005), 「入世下教育多元化與韓中教育市場開放
探索」(2005), 「세계체제와 중화제국의 상관성 연구」(2004), 「당대 중국자본축적 구조변화와 사영
경제의 성장연구」(2003) 외 다수.

e-mail : lxw59@ifpe.or.kr

쟝캉즈(張康之)

1957년 중국 장쑤성 출생. 난징(南京)대학 졸업, 중국인민대학(中國人民大學) 철학박사. 현 중국인
민대학 공공관리학원(公共管理學院) 행정관리학과 교수.

주요 저서 및 논문: 『公共行政學』(2002), 『行政管理伦理學』(2003), 『行政伦理學』(2004) 등.

e-mail: kangzhi@eLong.com

서운석(徐運錫)

1969년 충남 출생. 서울시립대 도시행정학과 석사, 중국인민대학 공공관리학원 행정관리학과
박사.

주요 저서 및 논문: 「중국대학생의 사회신뢰에 대한 영향요인 분석」(2004), 「중국에서 특정신뢰
가 정부와 당에 대한 신뢰에 미치는 영향에 관한 연구」(2005), 「중국대학생의 주관적 평가를 이
용한 동북아 주요도시의 경쟁력 평가 연구」(2005) 등.

e-mail: suhws21@hanmail.net

홍정륜(洪廷倫)

1970년 서울 출생. 청주대 정치외교학과 학사, 북경대학교 국제관계학원 석사, 박사학위 취득.
현 청주대학교 중국통상학과 교수.

주요 저서 및 논문: 「난민의 국제적 보호와 UNHCR의 기능」, 「난민보호의 정치성 문제」, 「중국
의 기업개혁과 사회주의 지속성 문제」등.

e-mail: ting7052@hanmail.net

박인성(朴寅星)

1957년 서울 출생. 서울시립대 건축공학과 학사, 서울대 환경대학원 석사, 중국인민대학 구역경제 및 성시관리연구소 박사학위 취득. 현 저장(浙江)대학 토지관리학과 교수.

주요 저서 및 논문: 『중국경제지리론』(2000), 「중국의 경제특구 건설운영경험 연구」(2002), 「중국 토지사용권시장의 형성배경 및 구조」(2002), 「중국의 건설 및 부동산시장 구조 및 동향연구」(2004) 등.

e-mail: ispark57@hanmail.net

구기보(具基輔)

1970년 강원 출생. 한국외국어대 중국어과 학사, 동 대학 국제지역대학원 석사, 중국인민대학 재정금융학원 박사학위 취득. 현 배재대학교 중국통상학과 교수.

주요 저서 및 논문: 「중국의 자본시장 개방에 따른 증권시장 분석과 전망」(2003), 「21세기 중국 자본시장의 구조변화와 적격 역외기관투자가제도」(2004), 「중국 농촌금융시장의 발전과 농촌금융개혁」(2004), 「중국 부동산시장의 성장과 부동산금융의 수요실태」(2005) 등.

e-mail: jujifu@hanmail.net

김경환(金京煥)

1958년 인천 출생. 인하대 회계학과, 동 경영대학원 석사(회계학 전공), 중국인민대학 재정금융학원 경제학박사(중국조세 전공), 현 강남대학교 중국학대학 실용지역학과 교수.

주요 저서 및 논문: 「한중양국의 조세불복제도 비교연구」(2006), 「중국증치세매입세액공제제도의 문제점 및 개선방안」(2005), 「중국의료시장과 한국중소의원의 효율적 진출방안」(2005), 「중국의 재정위험과 그 대응방안」(2004), 「현행중국세제의 문제점과 세제개혁방향의 선택」(2004), 『중국세법 해설』(2002) 등.

e-mail :kkh5807@hanmail.net, kkh5807@kangnam.ac.kr

김혜진(金惠珍)

1976년 서울 출생. 경북대학교 중어중문학과 학사, 한국외국어대학교 국제지역대학원 석사, 중국인민대학 경제학원 박사학위 취득, 현 대구경북연구원 책임연구원.

주요 저서 및 논문: 「한국기업의 중국투자 현지화 문제 연구」(2005), 「다국적기업과 한국기업의 중국 내 연구개발(R&D) 활동 비교 분석」(2006) 등.

e-mail : coolihj@lycos.co.kr

정혜영(鄭惠英)

1974년 서울 출생. 호서대학교 중국학과 학사, 서강대학교 공공정책대학원 중국학과 석사, 중국인민대학 사회학과 경제심리학 박사학위 취득. 현 호치민 국립대 동양학부 중국학과 강사.

주요 저서 및 논문: 「중국사회보장제도 연구—농촌의 사회보장제도와 보험사업개혁을 중심으로」(2002), 「북경의 인문올림픽과 인문환경조사연구」(2003 공동저), 「미국, 일본, 한국의 기업사회공헌활동 발전비교 및 중국기업에 그 시사점 연구」(2004), 「중국기업의 사회공익사업발전연구」(2005) 등.

e-mail:hyechina@sohu.com

박상수(朴相守)

1964년 서울 출생. 한국외국어대 중국어과 학사, 중국인민대학 경제학원 박사학위 취득. 대외경제정책연구원(KIEP) 북경대표처 대표, 주중한국대사관 중국경제통상전문가 역임. 현 충북대학교 국제경영학과 교수.

주요 저서 및 논문: 『중국 인터넷사이트 기행기』(2001), 「해외시장에서 한중수출경합관계 분석」(2002), 「중국경제의 글로벌화와 산업 리스트럭쳐링에 대한 전망」(2003), 「중국통계 믿을 만한 것인가」(2003) 등.

e-mail: sino33@chungbuk.ac.kr

우편요금
수취인후납부담

20050101 - 20061231

서울강남우체국
승인 제2765호

도서출판 異彩(이채)

서울시 강남구 청담동 68-19 리버뷰오피스텔 1110호

tel 02.511.1891, 512.1891 | fax 02.511.1244 | e-mail yiche7@dreamwiz.com

135 - 100

보내는 사람

독자 여러분의 의견이 좋은 책을 만드는 귀중한 자료가 됩니다. 이채(異彩)는 여러분의 의견 하나하나를 소중한 충고로 받아들이겠습니다.

이름   나이   성별 (남 / 여)

직업   근무처

전화   휴대폰   ID

구독하시는 신문   애청하시는 라디오 프로그램

○구입하신 책의 제목

○구입하신 지역과 서점 이름

○이 책을 어떻게 구입하시게 되었습니까?

○이 책을 보시고 좋았던 점이나 아쉬웠던 점을 적어 주십시오.

○평소에 출간되었으면 하신 책이 있으시면 적어 주십시오(분야/내용/저자).

○저희 이채(異彩)에 바라는 점이 있으시면 적어 주십시오.